DU MÊME AUTEUR

Aux Éditions Gallimard

LA BLOUSE ROUMAINE, *roman* (« L'Infini »).

EN TOUTE INNOCENCE, *roman* (Folio n° 3502).

À VOUS, *roman.* Édition revue par l'auteur en 2003 (Folio n° 3900).

JOUIR, *roman* (Folio n° 3271).

LE PROBLÈME AVEC JANE, *roman* (Folio n° 3501). Grand Prix des lectrices de *Elle* 2000.

LA HAINE DE LA FAMILLE, *roman* (Folio n° 3725).

CONFESSIONS D'UNE RADINE, *roman* (Folio n° 4053).

AMOURS TRANSVERSALES, *roman* (Folio n° 4261).

UN BRILLANT AVENIR, *roman* (Folio n° 5023). Prix Goncourt des lycéens 2008.

Aux Éditions du Mercure de France

NEW YORK, JOURNAL D'UN CYCLE, *récit* (Folio n° 5279).

Aux Éditions Champion

LES ROMANCIERS DU PLAISIR, *essai.*

INDIGO

CATHERINE CUSSET

INDIGO

roman

nrf

GALLIMARD

Pour C. et V.
En mémoire de J. et d'A.

CHARLOTTE

Roissy, samedi 5 décembre 2009

« On ne passe plus. Alerte à la bombe. »

Le policier surgit au moment où Charlotte tendait sa carte d'embarquement à l'employé de l'aéroport qui gardait l'accès à la douane. Elle vit approcher d'autres policiers.

« Je suis en transit entre New York et Delhi et je risque de rater mon avion. On embarque, regardez. »

Elle pointa du doigt l'heure sur la carte. Le jeune flic au nez en trompette reculait d'un pas quand deux personnes accoururent. Il dressa la paume et barra le passage.

« S'il vous plaît ? reprit Charlotte d'une voix implorante.

— Vous ne comprenez pas ? On ferme le périmètre. »

Le couple asiatique derrière elle tenait des propos inquiets dans une langue étrangère. Sans leur arrivée intempestive, le policier cédait.

« Il y en a pour combien de temps ?

— Un quart d'heure.

— Vous êtes sûr ? Il y a deux ans j'ai raté un avion avec mes filles à cause d'une alerte à la bombe : il a décollé à la seconde où l'alerte a pris fin.

— Aucun avion ne décolle. Les démineurs arrivent. Reculez, madame. »

Inutile d'argumenter. Les gens s'agglutinaient autour des policiers vers qui montait un brouhaha de questions anxieuses. Ils barrèrent le passage d'une bande jaune, comme si un crime avait eu lieu. Autant profiter de ce quart d'heure pour respirer un peu d'air frais avant de passer la journée dans l'avion. Charlotte franchit la porte à tambour. Il faisait froid et elle frissonna dans son manteau trop léger, qui lui serait utile à Delhi où la température descendait la nuit jusqu'à huit degrés. Par contre, trente-cinq degrés à Trivandrum, à l'autre extrémité de l'Inde, dans le Kerala au nom poétique où on les expédiait mardi. La valise n'avait pas été facile à faire.

L'Inde. Elle y serait ce soir, et poserait le pied pour la première fois sur le continent asiatique.

Un homme debout près d'elle alluma une cigarette, dont la fumée parvint à ses narines. Elle se déplaça à l'autre bout du banc métallique. À New York c'était encore le cœur de la nuit ; Adam et les filles dormaient profondément. Elle avait somnolé trois ou quatre heures mais ne sentait pas la fatigue. Elle était à Paris, dans la ville où elle avait grandi, et où elle ne faisait que passer. Seule, pour la première fois depuis dix ans. En sortant de l'avion tout à l'heure, elle avait aspiré une bouffée de liberté grisante. Pas d'enfant à réveiller et à porter, pas de doudou à ramasser, pas de poussette à déplier. Seule. Elle regarda autour d'elle. Le ciel était gris clair, les trottoirs gris foncé, les piliers de béton qui soutenaient la route en hauteur, gris souris, et les murs du terminal 2C de l'autre côté, gris-beige. Tout gris, hormis les panneaux d'Europcar vert vif.

Sans doute tous les aéroports au monde étaient-ils gris, mais il y avait ici quelque chose de spécifiquement français : la ligne droite de la route portée par les piliers de béton, les bâtiments bas avec leurs toits plats aux motifs géométriques ? Quelque chose de plus petit, lisse et soigné qu'à New York. Et l'odeur, grise aussi, différente de celle de New York, une odeur intime qu'elle reconnaissait instantanément. Chez elle.

De la grisaille surgit une image : Debarati, le dos très droit, ses cheveux noirs tombant sur ses épaules, assise nue dans la baignoire du Crillon et lavant ses chaussettes en nylon noir qu'elle avait enfilées sur ses avant-bras comme des gants de femme fatale. Deb illuminant de sa beauté la salle de bains en marbre du palace qui ressemblait la minute d'avant à une prison dorée. Deb poussant un cri de protestation en entendant le clic de l'appareil photo, avant même de voir Charlotte sur le seuil : « Non ! T'es chiante ! » Deb éclatant de rire.

C'était il y a quinze ans. À peine arrivée à Paris et descendue au Crillon, Charlotte s'était demandé ce qu'elle faisait là avec ce groupe de milliardaires américains cacochymes qui avaient fait le voyage depuis New York en jet privé et qu'émoustillait l'accent français de leur jeune conférencière. De sa chambre à mille euros la nuit, elle avait appelé son amie, qui avait débarqué une demi-heure après, vêtue d'un jean moulant et d'un perfecto plein de petites fermetures éclair lui donnant davantage l'air d'une prostituée de luxe que d'une étudiante américaine en histoire de l'art qui faisait des recherches en France. Charlotte s'était sentie revivre.

Elle avait appelé Deb au secours ; Deb était accourue.

Charlotte grimaça. Les larmes coulaient le long de son nez. Elle se concentra sur la vision qui s'effaçait déjà. Il n'y avait que dans ces images surgies inopinément qu'elle arrivait encore à voir Debarati telle qu'en elle-même, vivante. Elles étaient déjà beaucoup plus rares qu'il y a cinq ou six mois. Un jour elles disparaîtraient.

Adam dit : la mort n'intéresse personne. La mort emmerde les gens, Charlotte, et le suicide encore plus. Sache-le : tout le monde s'en fout.

C'était la réalité, à laquelle Deb n'avait pas su s'adapter, et à laquelle il était temps que Charlotte se raccroche. Six mois après, il lui arrivait de fondre en larmes au milieu d'un geste. « Pourquoi tu pleures, maman ? — Je pense à mon amie Deb, tu sais, qui est venue dîner en avril et qui habitait dans le Maine. — Mais pourquoi tu pleures ? — Parce qu'elle est morte, je t'ai dit, et que je ne la verrai plus. — Plus jamais ? » L'innocence de cet étonnement avait redoublé ses larmes. Adam n'était pas content qu'elle pleure devant les filles, surtout Suzanne, qui absorbait la tristesse de sa mère comme une éponge. En juillet, quand elle avait reçu cette invitation inattendue à un festival de culture française en Inde au mois de décembre, il l'avait poussée à l'accepter même si l'Inde était nécessairement associée à Deb, qui y avait vécu six ans, et que l'absence de sa femme pendant huit jours, dix avec le voyage, lui compliquerait la vie ; c'était une occasion qu'elle ne devait pas rater, elle se ferait des contacts utiles dans le monde du cinéma indien, son dernier film serait peut-être acheté par un distributeur anglophone... De toute évidence, il pensait qu'un changement d'air et la découverte d'un pays aussi différent que l'Inde, aussi riche en sensations nouvelles, lui seraient salutaires. C'est en quelque sorte la mission qu'il lui avait confiée : rentrer guérie. À New York, juste avant de partir, elle avait trouvé un sursaut d'énergie pour remplir le réfrigérateur, ranger les sous-vêtements des filles et rédiger des listes complexes de vêtements, de snacks, d'activités après l'école, de numéros de téléphone de baby-sitters, de tuteurs et d'amis. Au moins il verrait à quoi ressemblait la vie quotidienne de sa femme.

Une camionnette fermée par une bâche kaki se gara juste devant elle. Une équipe de militaires en tenue de combat qui portaient des mitraillettes sur l'épaule en sauta avant de se diriger nonchalamment vers l'intérieur de l'aéroport. Les démineurs ? L'alerte n'était pas finie… Charlotte se rongea une peau au coin de l'ongle. Tous les autres passagers avaient dû franchir la sécurité avant l'alerte à la bombe. Sa valise enregistrée à New York était dans la soute, soit. Mais grâce aux étiquettes électroniques, on enlevait un bagage en cinq minutes quand le passager manquait à l'appel. Si elle ratait son avion, alors qu'elle était en transit et n'était même pas supposée sortir du terminal ? Devrait-elle racheter un billet pour Delhi ? Pourrait-elle seulement partir ?

Tout ça pour un grand crème et trois croissants à la mie fondante qui lui remontaient maintenant dans l'estomac en un suc acide. Après avoir changé de terminal en arrivant de New York tout à l'heure, au lieu d'attendre patiemment l'embarquement pour Delhi à côté du vieux couple indien près de qui elle avait déposé son bagage de cabine qui pesait sur ses épaules après la nuit trop courte, elle n'avait pu résister au désir de se prouver sa liberté en franchissant la douane pour aller prendre un vrai petit déjeuner français. Le visage d'Adam lui apparut, réprobateur. Il ne comprenait pas qu'elle attende chaque fois la dernière minute, stresse les filles et frise la catastrophe. Quand il suffisait de partir à temps. Elle créait elle-même des situations de panique. Il avait raison. Elle pourrait être en train d'embarquer. Après le petit déjeuner, elle avait traîné au magasin Relay pour y acheter tous les magazines qu'elle dégusterait pendant le vol comme des bonbons Haribo. Elle s'apprêtait à retourner à la porte d'embarquement quand elle avait remarqué le joli stand Ladurée, vert-gris, imitant une voiture ancienne, avec ses petits gâteaux ronds de toutes les couleurs. Incorrigible gourmandise. Un spectateur extérieur en aurait conclu qu'elle cherchait à rater son avion. À une minute près elle serait passée.

Par la porte vitrée elle jeta un coup d'œil dans le terminal. Une foule attendait devant l'accès à la douane. Elle s'efforça d'être plus zen. Ce n'était pas une question de vie ou de mort. Ou peut-être que si, justement. Peut-être bénirait-elle plus tard sa chance miraculeuse, comme un Bostonien qui aurait manqué son vol le matin du 11 septembre et qui, sur le moment, aurait maudit la circulation.

La foule diminuait : le flot s'écoulait. Elle se précipita à l'intérieur et sortit de son sac à main le passeport et la carte d'embarquement.

« Excusez-moi, pardon, mon avion décolle tout de suite ! »

Les gens la laissaient doubler, un peu surpris. Elle avait l'air si nerveuse que le douanier regarda attentivement la photo de son passeport, puis son visage. À la sécurité, un vieux monsieur devant elle ôtait sa ceinture avec des gestes hésitants. Charlotte eut presque envie de l'aider pour accélérer. L'employé dit au vieil homme de lever les mains en passant sous le portique. Son pantalon flottait autour de sa taille. Un long bip résonna.

« Ici, dit l'employé.

— C'est mon pacemaker.

— Levez les bras. »

L'employé bouscula avec sa sonde le vieil homme en chaussettes qui faillit perdre l'équilibre. Une femme aux cheveux blancs voulut s'approcher, mais une autre employée lui intima de rester à distance.

« Mon mari est malade », dit-elle faiblement.

Charlotte ne put se retenir.

« Vous voyez bien que monsieur n'est pas un terroriste, enfin ! »

Plusieurs personnes levèrent la tête vers elle. Un autre employé désigna ses sacs.

« C'est à vous ? »

Il les emportait déjà sur une table à l'écart. Charlotte le suivit, regrettant sa réaction impulsive. L'homme d'une cinquantaine d'années, à la bouche mince et aux petits yeux, lui demanda d'un ton sec d'ouvrir son sac à main.

« Vous pouvez me dire ce que vous cherchez ? »

Tout de suite elle se braquait, incapable de rester calme, aimable et conciliante. Il fouilla la poche en cuir et fit glisser du sac Relay les revues, les barres de chocolat, la bouteille d'eau.

« Elle est vide. J'ai le droit, non ? »

Il s'empara du sachet Ladurée et en sortit la petite boîte décorée d'arabesques.

« Ouvrez-la.

— Ce sont des macarons ! Écoutez, je vais rater mon avion à cause de l'alerte à la bombe ! Il est supposé avoir déjà décollé ! »

Elle lui fourra les gâteaux sous le nez. Heureusement qu'elle n'avait pas son bagage de cabine ; ce sadique se serait fait un plaisir d'en extraire un à un crayons, papiers et serviettes hygiéniques.

Il en avait fini. Elle remballa ses affaires et remit son manteau avant de filer comme une fusée vers la porte 86. Elle n'avait jamais couru si vite, à si grandes enjambées, terrifiée de rater l'avion à une minute près. La sueur coulait sous ses aisselles, et la gorge la brûlait. De loin, elle vit que toutes les rangées de sièges devant la porte 86 étaient vides : les passagers avaient embarqué. Un ruban jaune entourait un périmètre, à l'endroit où se trouvait assis tout à l'heure le vieux couple indien près de qui elle avait laissé son sac à dos, qui n'était pas visible. Elle écarquilla les yeux et sursauta comme sous l'effet d'un choc électrique. Une hôtesse d'Air France lui cria :

« Madame Greene ? On n'attendait plus que vous.

— C'est l'alerte à la bombe, bredouilla-t-elle. Je n'ai pas pu passer !

— On a eu un bagage abandonné. Mais tout est réglé. Votre carte, madame.

— Un bagage abandonné... ? »

Elle baissa les yeux et, les mains prises d'un tremblement, ouvrit son sac à main.

« Oui. On a passé plusieurs appels et personne ne l'a réclamé. La police est intervenue. »

Les joues écarlates, le dos inondé de sueur, Charlotte chercha les documents qui n'étaient ni dans la pochette en cuir, ni dans le sac Relay, ni dans les poches du manteau. Elle craignit d'éveiller les soupçons en posant d'autres questions. En toute probabilité le sac n'existait plus. Les démineurs avaient dû le faire exploser pour des raisons de sécurité. Non seulement on ne lui rembourserait pas ses affaires, mais on lui donnerait une forte amende pour son infraction à la loi. À l'heure actuelle on ne laissait pas un bagage seul, tout le monde le savait. Elle s'agenouilla et répandit par terre le contenu du sac en plastique. Pas de carte d'embarquement ni de passeport. Oubliés à la sécurité avec l'employé sadique, perdus pendant sa course effrénée ? Son sac, explosé, et l'avion allait partir sans elle ! Pour trois croissants dont la graisse se logerait aussitôt dans ses cuisses ! Elle était nulle.

« Je ne comprends pas ! »

Les larmes inondèrent son visage, alors même qu'elle songeait qu'un tel manque de contrôle était indigne d'une mère de famille de quarante-sept ans et d'une cinéaste dont la photo se trouvait dans les journaux français deux ans plus tôt.

« Ne vous énervez pas, madame. Dans un magazine, peut-être ? Ou dans ce sac ? »

Elle ouvrit en désespoir de cause le sac Ladurée. Ils étaient là. Elle se redressa, consciente d'avoir le nez qui coulait. Le paquet de Kleenex se trouvait dans le sac disparu.

« Bon voyage, madame. »

Elle marcha vers la passerelle où quelques passagers attendaient encore à l'entrée de l'avion. Sa carte verte et ses cartes de crédit se trouvaient heureusement dans son sac à main ; la crème solaire et le produit anti-moustiques, dans sa valise, grâce à l'interdiction de transporter des liquides en cabine. L'appareil photo aussi, ainsi que son guide. Mais pas ses lunettes de vue et de soleil, ni l'aspirine, ni le roman qu'elle comptait lire pendant le long voyage aujourd'hui, ni son stylo à plume et son carnet de notes. Ni sa brosse à cheveux : elle ne s'était même pas coiffée après sa nuit dans l'avion. Ses clefs de New York, son iPhone ! Des bijoux, les tampons, et tout ce qu'elle avait fourré dans le sac à dos hier avant de quitter l'appartement. Explosé ! Elle n'arrivait pas encore à le croire. Adam rirait-il ou serait-il furieux de son imprudence ? Mieux valait ne rien lui dire.

Un homme en manteau bleu marine devant elle se retourna. Elle l'avait vu pour la dernière fois huit ou dix ans plus tôt à la Maison française de Columbia où il donnait une conférence et il avait vieilli, le front nettement plus dégarni, mais elle le reconnut, car elle avait remarqué son nom dans le programme.

« Bonjour, dit-il aimablement. Comment allez-vous ?

— Oh, bonjour ! »

Elle s'essuya discrètement le nez avec le dos de la main. Roland Weinberg. C'était le moment de tomber sur lui.

ROLAND

Delhi, dimanche 6 décembre

Retour à l'aéroport de Delhi vingt-quatre heures après y avoir débarqué avec Charlotte Greene et Raphaël Éleuthère, seul cette fois, pour accueillir Renata qui arrivait un jour après lui, parce qu'elle s'était convaincue qu'elle ne pouvait pas abandonner son patron deux samedis de suite avant les fêtes — ou plutôt qu'elle voulait en convaincre Roland.

Retour à Delhi après dix-sept ans. Entre l'arrivée tardive de la veille, le réveil brutal ce matin (trois heures et demie heure de Paris), sa conférence à l'université, la table ronde cet après-midi et le cocktail à l'ambassade qui l'avait suivie, Roland n'avait pas eu une minute pour y penser. Il n'avait senti aucune émotion en mettant les pieds sur le sol indien hier, et n'en sentait pas davantage maintenant. Pas de petite madeleine. L'Inde était un passé mort et enterré. Il était désormais attiré par d'autres pays, comme le Japon.

Peut-être serait-ce différent mardi à Trivandrum, et surtout vendredi à Chennai où il avait rendez-vous avec Srikala. S'il avait accepté l'invitation à ce festival, c'était pour retourner dans le Sud où vivait Srikala et où il n'était pas allé depuis 1981 — vingt-huit ans déjà ! Il se serait passé de ces deux jours à Delhi.

À l'entrée du terminal il avait laissé une foule bigarrée de chauffeurs arborant des pancartes en alphabet hindi et latin, d'organisateurs de voyages, de porteurs de bagages et de familles — comme dans tous les aéroports du monde, sinon qu'il était une heure du matin. En dix-sept ans l'Inde s'était modernisée, l'aéroport était tout neuf, mais le temps et le sommeil y restaient sans valeur. Le terminal lui-même était presque désert, car il fallait acheter un ticket pour y entrer : le tarif de quatre-vingts roupies, un euro vingt, devait être rédhibitoire pour les Indiens. Hormis les militaires en tenue de camouflage qui sillonnaient le hall, la mitraillette sous le bras, seules attendaient cinq ou six personnes. Une femme appuyée contre un pilier leva les yeux de son magazine et le dévisagea. L'avait-elle reconnu ? Ici, c'était quand même peu probable. Il était simplement le seul Occidental présent dans l'aéroport — et le seul homme en costume Kenzo. L'Indienne aussi était élégante, dans sa tenue noir et jaune à la fois traditionnelle et moderne. Une sacoche était posée par terre entre ses jambes. Avocate ou médecin ? Une jolie femme aux longs cheveux de jais, aux grands yeux noirs et au visage allongé qui lui rappelaient Srikala.

L'Indienne ramassa la sacoche et s'éloigna, sans la personne qu'elle était venue chercher. Roland la suivit du regard, étonné. Espérait-elle qu'il lui emboîterait le pas ? Une prostituée qui avait payé quatre-vingts roupies afin de guetter le client au terminal des arrivées internationales ? Elle n'en avait pas l'allure, et le nombre de militaires surveillant l'aéroport rendait ce scénario improbable. Juste un an après les attentats de Bombay, on sentait une Inde sur le qui-vive. Au Méridien de Delhi où ils étaient logés, un garde inspectait avec une machine le dessous des voitures avant d'ouvrir la barrière ; les clients devaient soumettre leurs bagages à une inspection aux rayons X et passer sous un portique détecteur de métal. Il y avait même une cabine pour les femmes. Une garde voilée y avait fouillé Charlotte Greene.

Roland regarda le panneau des arrivées ; l'avion avait un retard annoncé de quarante minutes. Il comprit pourquoi l'Indienne s'était éloignée : elle attendait sans doute quelqu'un qui venait de Paris. Il y avait à l'autre bout du hall un bar avec des fauteuils en osier recouverts de coussins, qui semblaient confortables. Il se dirigea de ce côté-là et la vit, installée devant une boisson orangée, en train de feuilleter un magazine. Il s'assit à quelques tables d'elle. Le serveur s'approcha. Pas d'alcool, évidemment. Il commanda un thé glacé à la pêche dont un carton posé sur la table faisait la publicité et sortit son iPhone afin de regarder ses e-mails, pour la plupart des questions de Laurent concernant le colloque sur les extrémismes qu'il organisait à Tokyo en mars. Le serveur lui apporta la même boisson orangée que buvait la femme.

Ils étaient les seuls clients dans ce bar à une heure et demie du matin. Chaque fois que Roland jetait un coup d'œil dans sa direction, il la voyait qui baissait le regard ; elle était donc en train de l'observer la seconde d'avant. Il la dévisagea brusquement. Il y eut à nouveau ce regard fuyant — comme une biche craintive bondissant devant le chasseur. Les circonstances de l'attente et du retard de l'avion l'autorisaient à s'adresser à elle sans qu'elle s'en offusque. Mais la parole aurait réduit le champ des possibles. Il n'avait pas envie d'apprendre qu'elle était mariée, médecin, mère de trois enfants. Pas envie non plus d'entendre sa voix, qu'il imaginait voilée et rauque, mais qui était peut-être aiguë et crissante. Mieux valait ce jeu de regards qui ouvrait l'horizon.

Alors qu'il portait son verre à ses lèvres, il crut remarquer qu'elle l'imitait. Il retarda délibérément le mouvement de sa main vers sa bouche. Elle fit de même. Pour une Indienne, elle ne manquait pas d'audace. Leurs lèvres touchèrent le verre en même temps, et il eut l'impression d'effleurer ses lèvres à l'éclat nacré, comme si le verre était une chair vivante. Son érection fut immédiate. On pouvait faire l'amour à distance sans prononcer un mot en se touchant virtuellement à travers le verre. Ils buvaient à petites gorgées en se fixant du regard, et le liquide glissant le long de sa gorge l'excitait comme des lèvres enveloppant son sexe. Quant à elle, il percevait à travers son regard, et dans la fixité de son corps, la tension de ses muscles. Il reposa doucement le verre sans cesser de la regarder. Elle aussi posa son verre, les pupilles dilatées de désir.

Pour une expérience érotique de cette nature, il fallait non seulement la solitude du voyage, mais aussi la frustration sexuelle d'un pays comme l'Inde. Il y avait chez cette jeune femme une réserve bouillonnante et inexploitée de sensualité. Elle devait être mariée à un Indien sec et maigre que ses parents avaient choisi pour elle et qui l'avait dépucelée.

Avec son nez à la Gainsbourg, ses lèvres minces et son front dégarni, Roland n'était pas beau au sens classique du terme, mais il avait une réputation de séducteur. Pourtant il n'avait jamais le sentiment de séduire — seulement d'être séduit, de répondre à un sourire ou un regard. Sa disponibilité devait se sentir. À soixante-quatre ans, il était toujours un très gentil petit garçon qui ne savait pas dire non à une jolie femme.

L'Indienne posa sa main à plat sur la table en formica. Elle avait de longs doigts élégants et une bague de femme riche. Roland eut la sensation d'être la table et de subir la pression de sa paume. Il sourit en se rappelant le pronostic pessimiste du professeur Vasseur trois ans plus tôt — d'ailleurs démenti peu après grâce à la rencontre de Renata. Il était merveilleux de sentir son corps aussi vivant et électrisé. Le voyage contenait une promesse d'aventure. Et l'Inde ressuscitait sa jeunesse.

Dans cinq jours il avait rendez-vous avec Srikala à Chennai.

D'ici cinq minutes Renata débarquerait de l'avion de Paris.

À cinq mètres de lui une belle inconnue le caressait.

C'est ainsi qu'il aimait la vie : en mille-feuille de jouissance, en poupée russe où les désirs s'imbriquaient l'un dans l'autre.

Il l'avait toujours aimée ainsi mais encore plus depuis trois ans, ou avec un plus grand sentiment d'urgence. Tout ce qui avait du goût était bon à prendre.

La femme paya son verre et se leva. Elle passa devant sa table sans le regarder. Devinant qu'il fallait la suivre, il sortit rapidement un billet de sa poche. La sacoche noire qu'elle portait de la main droite déséquilibrait légèrement son épaule, sur laquelle pesait aussi un joli sac à main. La tunique n'était pas assez moulante pour qu'on puisse distinguer la forme de ses fesses, apparemment plutôt rondes — mais trop étroite pour permettre un accès facile à son corps. Sa crinière noire donnait envie de la saisir pour arc-bouter sa tête en arrière et couvrir de baisers son cou et l'arrière des oreilles. Il aimait les femmes au long cou. Elle tourna à droite dans un couloir. Deux grands posters d'homme et de femme indiquaient clairement qu'il s'agissait de la direction des toilettes. Sans se retourner, elle poussa la porte sous un autre poster représentant un visage souriant de femme. Risquait-il de se faire arrêter avec elle et de se retrouver en prison ? De provoquer un incident diplomatique entre l'Inde et la France ? L'idée le fit sourire. Il voyait déjà les gros titres en première page des journaux parisiens, « Roland Weinberg arrêté à Delhi », suivis de descriptions aussi croustillantes que les dialogues des sénateurs républicains et du président Clinton douze ans plus tôt. Pas une mauvaise publicité pour ses livres. Mais cette femme, que lui arriverait-il ? Dieu merci, on n'était pas dans un pays où s'appliquait la charia, même si les musulmans étaient nombreux en Inde. À son tour il poussa la porte de droite, prêt à s'excuser s'il y trouvait une autre femme. L'inconnue se remettait du rouge à lèvres. Dans le miroir il vit son visage. Ses grands yeux cernés de khôl reflétaient autant de tristesse que de désir. Car ils n'étaient pas seuls. Une vieille femme en blouse blanche à la peau très sombre, debout près d'un seau rempli d'une eau mousseuse, leva une main effrayée et lui fit signe de partir. En Inde, même à deux heures du matin, des intouchables sans âge lavaient le sol des toilettes.

Quand il regarda le panneau des arrivées, il vit que l'avion avait atterri. L'Indienne avait pris place près de lui.

Elle ne le regardait pas mais était assez proche pour qu'il sente son parfum. Le désir intensifié par l'impossibilité lui donnait une érection presque douloureuse. Il perçut un mouvement et tourna la tête. Elle était en train d'attraper la sacoche à ses pieds. Elle se redressa et fit quelques pas. Roland la suivit du regard et haussa les sourcils en voyant l'homme qui s'avançait vers elle : un jeune Indien en costume occidental bien coupé, aux cheveux courts, grand et beau comme un acteur de Bollywood, tirant une valise à coquille argentée. En s'éloignant, la femme se retourna vers Roland et plongea ses yeux dans les siens, sans sourire, avec une gravité qui avait quelque chose de tragique. Il eut la certitude de la connaître mieux que son mari.

Une demi-heure après, Renata n'était toujours pas sortie. Il avait entendu parler français près de lui et vu passer des groupes de touristes ; les passagers du vol Air France étaient sortis de la zone des bagages. Il y avait déjà moins de monde dans l'aéroport. La valise de Renata s'était-elle perdue ? Il appela son portable : l'appareil était coupé. La musique d'un Texto résonna au même moment. Clém. « Papa, merci, t génial ! J'ai eu 17 à ma dissert sur *Candide* ! Biz. » Dix heures du soir à Paris. Il répondit aussitôt. « C'est toi qui es géniale, mon amour. Bravo. » Pas de Texto de Renata, ni d'e-mail. Il fronça les sourcils. Pouvait-elle avoir trouvé les messages de Srikala sur son ordinateur et décidé d'annuler sa venue sans même le prévenir ? Cette tigresse en était capable.

Il regarda autour de lui. Aucun garde à mitraillette n'était visible dans les parages. Profitant d'un moment où s'ouvrait la porte coulissante, il rentra subrepticement dans la zone des bagages.

De l'autre côté non plus il n'y avait pas grand monde. Jetant un coup d'œil circulaire, il ne vit pas Renata. Elle pouvait être aux toilettes. Seule, espérons-le. Un petit groupe d'hôtesses d'Air France traversait le hall d'un pas rapide en riant. Il se dirigeait vers elles quand un homme brandit le poing sur leur passage :

« *I put no fire to it ! I put no fire ! Bitch !* »

L'homme, un grand gaillard aux cheveux blancs et au visage taillé au couteau, entouré de deux policiers indiens, était certainement un passager du vol Air France en provenance de Paris. Il criait dans un mauvais anglais qu'il n'avait pas mis le feu : à quoi ? Une mèche dans sa culotte ? Dans le talon de sa chaussure ? Renata ne pouvait s'empêcher d'intervenir dès qu'il fallait venir en aide à quelqu'un. Roland rejoignit vite les hôtesses et s'adressa à la première :

« Excusez-moi, il s'est passé quelque chose sur le vol Air France ?

— Quelque chose ?

— Avec cet homme, là-bas…

— Il a insulté une de nos collègues. Il est ivre.

— Il a attaqué quelqu'un ?

— Il a fumé aux toilettes. »

Elles s'éloignèrent. Pauvre type, songea Roland. De nos jours on ne plaisantait pas avec les règles dans les avions. Il n'était pas agréable d'être accueilli par la police en débarquant en Inde.

Cela ne lui disait pas où était Renata. Il n'y avait presque plus personne dans la zone des bagages. Avait-elle raté l'avion, tout simplement ? Elle lui aurait envoyé un e-mail.

« Roland ! »

Il tourna la tête. De loin il reconnut la haute silhouette qui arrivait du même endroit que les hôtesses. Il se précipita vers elle.

Renata, oui, mais différente. Où était sa longue chevelure ? Il sut tout de suite qu'elle n'avait pas relevé ses cheveux : son crâne était presque ras.

« Tu t'es coupé les cheveux ?

— Tu es perspicace ! Ça te plaît ?

— Euh, oui. C'est très différent. Ils sont drôlement courts !

— C'est l'idée. Je voulais les raser. »

Il se sentit Samson soudain, sans-son. En coupant les magnifiques cheveux noirs où il aimait enfouir son visage, elle lui avait coupé le sifflet. Se tenait debout devant lui, très grande avec son mètre quatre-vingts même sur ses ballerines plates, dans son imperméable Burberrys moulant sa taille fine, une Renata qu'il ignorait, inquiétante et guerrière. Une amazone.

« Je t'attends depuis une heure, Reine. Qu'est-ce qui t'est arrivé ?

— Un truc incroyable. Au moment de descendre d'avion, impossible de trouver mes chaussures. J'ai attendu que tout le monde sorte et j'ai cherché partout sous les sièges en pensant qu'elles avaient glissé vers l'avant à l'atterrissage. Les hôtesses ont cherché avec moi, même le capitaine, très gentil : rien. J'ai senti le moment où ils allaient me persuader que j'étais montée dans l'avion sans chaussures : elles ne pouvaient pas s'être volatilisées ! J'ai trouvé : à huit rangées devant mon siège il y avait un trou dans la paroi intérieure de l'avion.

— Un trou ?

— Oui, une plaque qui manquait.

— C'est rassurant !

— Mes ballerines étaient tombées dans la soute ! On est allé me les chercher. »

Sa voix animée, ses syllabes colorées par l'accent italien, son indignation, son rire : il reconnaissait sa Renata. La sensation d'étrangeté qu'il avait éprouvée en la retrouvant se dissipa. Elle devait avoir un sixième sens pour se venger à l'avance d'un rendez-vous à venir qu'elle ignorait, et anticiper la traîtrise par la traîtrise.

GÉRALDINE

Trivandrum, dimanche 6 décembre

Géraldine appuya la tête sur le dossier du canapé recouvert du tissu en lin qu'elle avait récemment acheté chez Fabindia et qui habillait la pièce de son élégante blancheur. De la rue montaient, par la fenêtre ouverte, des coups de klaxon, des sifflements d'oiseaux et des aboiements de chiens. Les pales du ventilateur au-dessus de sa tête caressaient ses épaules d'une brise tiède. Elle aimait cette heure calme quand son homme et son bébé dormaient et que la chaleur était moins lourde. Si le paquet était arrivé, elle aurait pu feuilleter les livres. À Delhi ils assuraient l'avoir expédié dix jours plus tôt. C'était la loi ici : attendre. S'il n'était pas là demain, ce serait embarrassant. Elle préparait la semaine depuis des mois, mais tout se jouait à la dernière minute.

Comme si cet événement n'était pas assez compliqué à organiser avec ses pauvres moyens du bord, un coup de fil de Delhi ce matin l'avait informée que l'ambassadeur de France en Inde lui tombait dessus à l'improviste après-demain, en même temps que Roland Weinberg, Charlotte Greene et Raphaël Éleuthère ! Elle qui n'avait jamais vu un ambassadeur de sa vie allait devoir s'occuper de lui.

Elle ne savait même pas comment on s'adressait à un ambassadeur : Monsieur ? Monsieur l'ambassadeur ? Il traversait toute l'Inde, de Delhi, dans le Nord, à la pointe sud, un aller-retour de six mille kilomètres en deux jours, pour participer à l'ouverture du festival international de cinéma de Trivandrum et, surtout, pour inaugurer son propre festival dans le Kerala, dont Géraldine, directrice de l'Alliance française de Trivandrum, avait été désignée responsable. Une fine sueur perla au-dessus de sa lèvre. Elle aurait donné beaucoup pour avoir déjà franchi cette journée de mardi et se retrouver de l'autre côté, après le départ de l'ambassadeur, ou plutôt dans dix jours, la semaine derrière elle, les auteurs partis, la frénésie calmée.

Elle entendit un gémissement et se leva d'un bond. Dans la petite chambre en alcôve, Joseph dormait en faisant des bruits de succion. Le poing gauche placé contre son oreille, la jambe gauche repliée, la droite passant par-dessus l'autre en un drôle d'angle, il pointait vers le plafond ses mignons orteils et semblait méditer en position de yogi. Sa peau mate, si différente du teint clair de sa mère, luisait d'un éclat doré. Géraldine sourit, murmura : « Joseph Samir Daniel Khan » en articulant nettement les syllabes comme si un chambellan l'introduisait dans un palais, et glissa une main sous la moustiquaire pour tamponner avec un mouchoir blanc les gouttes de sueur sur le front du bébé.

De retour dans le salon, elle appuya sur l'interrupteur ; l'étoile rose se mit à briller au-dessus de la table à manger. Ses arabesques finement découpées ressemblaient à de la dentelle. Imtiaz l'avait installée hier soir après avoir ôté l'abat-jour ; ce matin Joseph avait tendu le bras pour l'attraper. Elle se rassit et prit son cahier sur la table en bambou pour cocher le plus urgent : rappeler le consul de Pondichéry à propos du déjeuner avec Roland Weinberg, et le collège Sainte-Thérèse à Cochin pour confirmer l'heure d'arrivée de Charlotte Greene ; envoyer la bio d'Éleuthère à l'Alliance de Trichy. Et la journée de congé, jeudi ? Que ferait-elle de ses invités ? Imtiaz était d'avis qu'elle les laisse se reposer. Mais il ne fallait pas qu'ils aient l'impression d'être abandonnés ! Ce serait une journée « à la carte ». Mettre sur ce coup Manon, qui connaissait bien la région. Ne pas oublier de réserver trois voitures ce jour-là. Et surtout, revoir les comptes avec Sandhya. Vérifier qu'on ne dépassait pas le budget alloué par l'ambassade.

La sonnerie du téléphone la fit sursauter. Elle se leva pour l'attraper sur la console. Qui pouvait l'appeler à dix heures et demie ?

« Allô ?... Maman ! »

Joie d'entendre sa mère, qui téléphonait rarement. Appeler l'Inde coûtait cher. On lui avait parlé de Skype, gratuit, mais ni la mère ni la fille n'avaient l'Internet à la maison. Six heures du soir à Saint-Malo : elle vit le ciel gris, les nuages bas de décembre, la mer claquant contre le mur incurvé du Sillon.

« Je ne dormais pas, maman. Ce n'est pas la sonnerie du téléphone qui va réveiller Imtiaz et Joseph ! Tout va bien ? Tu as une drôle de voix ?

— C'est ton grand-père, Ninine.

— Grand-père Levenec ? Qu'est-ce qu'il a ?

— Il a eu une crise cardiaque cet après-midi.

— Comment il va ? Il est à l'hôpital ? »

Sa mère ne répondit pas.

« Maman, non ! Non ! Pourquoi ? Il était en forme ! Il avait promis de venir ici pour les un an de Joseph. Il m'avait dit qu'il économisait cinquante euros chaque mois sur sa retraite pour prendre son billet, grâce aux cigarettes qu'il n'achetait plus !

— Il devait voir Miche ce soir ; il a décommandé : il ne se sentait pas bien et préférait se reposer. Ça a étonné Miche parce que ton grand-père ne se plaignait jamais, alors elle a décidé de lui rendre une petite visite cet après-midi. Il était mort. »

Géraldine devina l'effort que faisait sa mère pour articuler calmement et ne pas fondre en larmes au téléphone avec sa fille lointaine dont venait de mourir le grand-père adoré, son père.

« Pourquoi est-ce qu'elle n'a pas appelé le Samu tout de suite ? On peut être sauvé d'une attaque !

— Il n'avait pas une mauvaise voix, elle n'a pas pensé… Tu sais, ma chérie, il avait quatre-vingt-trois ans. Il n'a pas souffert, il est parti tout de suite, ça vaut mieux comme ça. Si on l'avait sauvé, Dieu sait en quel état…

— Oh, maman ! Marion est là ?

— Oui, et tante Jeannette aussi. Elle t'embrasse.

— L'enterrement est quand ?

— Après-demain.

— Je vais partir demain.

— Tu n'as pas besoin de venir, ma Ninine. Si ton grand-père nous entend, il connaît ton cœur. Ce n'est pas ta semaine qui commence ?

— Si.

— C'est trop important. Reste. Comment va mon petit Joseph ? Si tu savais comme il me manque… Et toi aussi… »

La voix de sa mère se troubla et s'éteignit. Géraldine avait la gorge trop serrée pour prononcer un mot. Elle aurait voulu étreindre les épaules de sa toute petite mère, qu'elle dépassait d'une tête depuis ses treize ans.

« Ninine, tu es là ? Tu m'entends ?

— Oui, maman.

— Ta sœur viendra te voir en mars. Les billets sont moins chers.

— Tu vas t'en sortir, maman ? Il y a des choses à payer pour grand-père ?

— Ne t'inquiète pas, ma poulette. Je m'en sors toujours. Ne pleure pas, ça va tarir ton lait. » Elle eut un petit rire. « Tu n'as toujours pas sevré mon bébé d'amour ? »

Géraldine sourit à travers ses larmes. Sa mère ne comprenait pas qu'elle allaite un bébé de dix mois. Mais ce corps dodu accroché à son sein, tirant sur l'aréole, la mordant même (si douloureusement les premières semaines que les larmes jaillissaient de ses yeux) et la pompant goulûment, c'était la meilleure chose — avec la rencontre d'Imtiaz — qui lui fût arrivée en trente-sept ans. Géraldine avait enfin saisi la raison d'être de ces mamelles peu pratiques pour la gymnastique qui avaient, à sa honte, attiré l'attention des garçons sur son corps de douze ans. Elle n'avait jamais aimé qu'un homme les pince ou les mordille — juste les effleure — et avait quitté plus d'un garçon qui ne respectait pas sa réticence. Avec Joseph, le sein s'était mis à faire sens : il avait été conçu pour continuer entre l'enfant et la mère le lien organique d'avant la naissance.

Elle resta debout près du téléphone raccroché et sanglota silencieusement. Elle avait voulu partir en Inde, Imtiaz ne l'avait pas contrainte, mais ce soir il était dur d'habiter si loin de sa mère et de sa sœur, dans ce pays tellement étranger où personne ne parlait sa langue sans accent et ne l'appelait Ninine…

Une main se posa doucement sur sa nuque, sous ses épais cheveux noués par un élastique. Elle se retourna. Imtiaz lui faisait face, en tee-shirt et en caleçon.

« Qu'est-ce qui se passe, Jay ?

— Grand-père Levenec est mort ce matin. Une crise cardiaque.

— Oh, Jay, je suis désolé… »

Il lui ouvrit les bras ; ils étaient de la même taille et elle se recroquevilla contre lui, mouillant son cou de ses larmes. Il lui caressa les cheveux.

« Tu pars en France demain ?

— Je ne peux pas : la semaine commence.

— Ta famille passe avant, Jay. Ils comprendront.

— Je ne peux pas acheter un billet maintenant et un autre en juin. »

Elle regretta aussitôt ces mots qui sonnaient comme un reproche. Ce n'était pas la faute d'Imtiaz si tout prenait du temps en Inde et s'il avait eu la malchance de s'associer à un malfrat parti avec l'argent des travaux.

« Jay, on aura juste de quoi acheter un billet avec ce que je vais gagner pendant ces deux semaines. Je m'occuperai de Joseph avec Rosemary. Sandhya peut te remplacer, non ? Tu as tout organisé si bien !

— On a besoin d'acheter un nouveau frigo. Et justement tu travailles ; tu ne pourras pas t'occuper de Joseph. »

L'oncle d'Imtiaz, qui occupait un poste administratif au commissariat, l'avait fait embaucher pour des missions de surveillance nocturne pendant la durée du festival international de cinéma. Quand Géraldine avait découvert qu'il porterait une arme, elle avait paniqué à l'idée qu'il puisse laisser son fils orphelin. Il l'avait rassurée : l'arme, chargée à blanc, devait seulement servir à tirer en l'air pour avertir les autres équipes s'il voyait quelque chose de suspect ; rien ne se passerait, mais si elle préférait qu'il renonce, il pourrait dire à son oncle qu'il était malade. Elle s'était raisonnée : ils avaient besoin de ces six mille roupies.

« D'ailleurs ce n'est même pas la question, reprit Géraldine. Cette semaine est cruciale pour moi, tu sais bien : elle me permettra de renégocier mon salaire si tout se passe bien. J'irai sur la tombe de grand-père en juin. »

Ces mots la firent à nouveau pleurer. Imtiaz l'entraîna vers le canapé. Elle s'allongea et posa la tête sur ses genoux. Il caressa ses tempes, son front, ses cheveux, puis lui massa les épaules. Les yeux ouverts, elle contempla son visage large aux joues rondes, à la peau foncée, aux grands yeux sombres et aux longs cils comme ceux de Joseph. Un visage de rêveur. Il était un peu plus jeune qu'elle, et l'idée d'être mariée à un homme de cinq ans son cadet l'avait gênée au début. Monterait-il un jour son agence ? Il n'y avait rien qu'il sache mieux faire que passer des soirées avec des copains à jouer de la guitare. Pour lui faire plaisir, il avait même appris les chansons de son adolescence, Serge Gainsbourg, Alain Souchon, Jacques Brel et Georges Brassens. Une cigale, tandis que Géraldine avait un côté fourmi. L'envie la prenait parfois de lui dire : « Eh bien, danse maintenant ! » Mais le sourire d'Imtiaz la désarmait, ainsi que les chansons qu'il écrivait, la musique qu'il composait, et sa voix. Attendait-on d'un poète qu'il se démène pour obtenir la finition des travaux ?

« Tu me joues quelque chose ? »

Il reposa délicatement la tête de Géraldine sur le canapé et se leva pour prendre sa guitare dans un coin de la pièce.

« Qu'est-ce que tu veux ?

— Ce que tu veux. »

De sa main aux ongles longs qui grattaient les cordes s'échappa une musique qui l'enveloppa comme le vieux plaid en laine troué par les mites dont elle se couvrait le soir dans le penty de grand-père Levenec où il faisait humide et froid été comme hiver. Résonna en elle, mélodieuse et chaude, la voix dont elle était tombée amoureuse chez sa sœur à Lille deux ans plus tôt. Il chantait en anglais sans accent.

Hey Jude, don't make it bad,
Take a sad song and make it better
Remember to let her into your heart
Then you can start to make it better

Elle se coucha en boule sur le canapé et ferma les yeux. Elle ne reverrait pas grand-père Levenec. Il ne verrait jamais son petit-fils Joseph, nommé en son honneur. Il était dur de vivre à dix mille kilomètres de chez elle, de ne pas assister à l'enterrement de son grand-père et de ne pas serrer demain sa mère dans ses bras. Mais il y avait un homme dans ce fauteuil, un homme à elle, un homme aux longs cils et à la voix magique, et un autre sous sa moustiquaire dans la petite chambre. Elle avait réussi cela, de façon inespérée.

And any time you feel the pain, hey Jude, refrain
Don't carry the world upon your shoulders
For well you know that it's a fool who plays it cool
By making his world a little colder

Et chaque fois que tu te sens triste, hé Jude, résiste
Ne porte pas le monde sur tes épaules

CHARLOTTE

Delhi, lundi 7 décembre

Un éléphant à la peau râpeuse et abîmée, sur lequel était assis un Indien maigre vêtu d'un simple pagne, s'avançait lentement entre les voitures, les camions, les rickshaws et les vélomoteurs. Royalement indifférent à la cacophonie des coups de klaxon, le pachyderme déplaçait ses énormes pattes avec une sorte de grâce triste, de légèreté même, que Charlotte lui envia. Elle recula pour le photographier. La vision du gigantesque animal ne secoua pas son sentiment d'irréalité.

De l'Inde elle avait vu pour l'instant un hôtel de luxe, des bâtiments universitaires, une ambassade, une place ronde poussiéreuse, un musée décati dont elle n'avait rien retenu sinon que l'histoire de l'Inde remontait à des temps très anciens, et la Grande Mosquée qu'ils venaient de visiter.

L'Inde était invisible. Elle était invisible. Elle marchait derrière Raphaël Éleuthère et Jagdish Kapoor qui parlaient et riaient entre eux. Weinberg, le seul qui aurait peut-être remarqué sa présence, n'était pas là : il connaissait Delhi et son amie était arrivée hier soir. À New York Charlotte s'était réjouie de voir le nom d'Éleuthère dans le programme. Il avait la réputation d'un écrivain frondeur et sans concession et elle était curieuse de le rencontrer. À l'arrivée à Delhi, elle avait découvert un homme très séduisant aux favoris châtain-roux, à la moue boudeuse, aux yeux gris-vert et aux santiags de cow-boy solitaire. Ils avaient à peu près le même âge. En deux jours il ne lui avait pas dit trois mots. Que s'était-elle imaginé en recevant l'invitation en Inde ? Que cette colonie d'artistes dans un pays exotique favoriserait la naissance de grandes amitiés ? Ou plus si affinités ? Qu'on lui déroulerait un tapis rouge ? Même Caroline Messier, chaleureuse dans ses courriels et responsable de l'invitation de Charlotte au festival car elle avait vu *La rivalité* dans un cinéma parisien et l'avait aimé, se montrait beaucoup plus assidue auprès des deux hommes.

Invisible. Elle avait compris pourquoi en surprenant son reflet dans les miroirs de la chambre d'hôtel où, pour la première fois depuis longtemps, elle avait vu son corps de la tête aux pieds. Le chiffre sur la balance avait confirmé. Quand, comment avait-elle pris huit kilos ? Le ventre avait dû s'installer petit à petit sans qu'elle y prête attention. Un ventre suffit à dénaturer un corps. À faire d'une femme une bonne femme.

Elle était bien placée pour le savoir. Huit mois plus tôt, à cette *book party* à New York, quand une grosse femme aux longs cheveux gris vêtue d'une tunique indienne informe s'était approchée d'elle, Charlotte n'avait pas réagi. « Tu ne me reconnais pas ? » La voix, et le léger strabisme. « Deb ! » Stupeur que trahissait son exclamation. « Je sais, j'ai grossi. Toi tu n'as pas changé. » Elle n'aurait jamais abordé spontanément cette femme. L'amitié, comme l'amour, se fonde sur l'attirance physique. De Deb elle avait aimé la brune longitude, le corps mince et étroit, le visage racé encadré de longs cheveux noirs lisses comme celui de Cléopâtre.

Charlotte sentit qu'elle tombait en spirale dans des pensées dont il fallait s'extirper à l'instant. Éleuthère s'était arrêté pour rouler une cigarette. Elle en profita pour rejoindre l'assistant de Caroline Messier, que Roland Weinberg avait appelé hier « un jeune homme délicieux », et qui devait les accompagner dans le Sud le lendemain.

« Comment est-ce que tu parles français aussi bien ?

— J'ai passé un an à Grenoble, grâce à une bourse de votre gouvernement.

— Quand ?

— Il y a neuf ans.

— Mais… tu as quel âge ? »

Elle ne donnait pas plus de vingt-deux ans à l'Indien grand et mince à la chevelure noire lustrée, au visage fin et aux yeux allongés de chat.

« Trente-trois ans. L'âge du Christ.

— Tu ne les fais pas !

— Je sais. C'est agaçant. On ne me prend pas au sérieux.

— Un jour tu seras content de faire dix ans de moins que ton âge.

— Sans doute. Ce jour n'est pas encore venu.

— Tu ne t'es pas ennuyé à Grenoble, en venant d'une ville comme Delhi ?

— Pas du tout. J'ai profité de mon année en France pour apprendre tout sur l'Occident — et jouir d'une liberté qu'on n'a pas en Inde. »

Son sourire était explicite.

« Tu veux dire… sexuelle ?

— Oui. J'ai fait toutes sortes d'expérimentations, individuelles ou en groupe. J'ai essayé les drogues aussi. Les paradis artificiels. » Il eut un rire qui dégagea ses dents blanches et deux incisives pointues. « Bien sûr j'allais à Paris aussi souvent que possible, mais l'avantage de Grenoble, c'est que la vie y est plus communautaire. Tous les soirs on se retrouvait dans une piaule ou dans l'autre. »

Il s'exprimait avec élégance et maniait sans hésiter les mots d'argot. Charlotte ne parvenait pas à le trouver délicieux. Félin, oui. L'éclat froid de ces yeux en fente, faussement souriants. Weinberg l'avait surnommé « le jaguar ». Il y avait chez lui un raffinement hautain qui lui rappela un Indien brahmane et homosexuel qu'elle avait connu en Amérique. Il parlait avec une telle franchise qu'elle s'autorisa à demander :

« Tu es homosexuel ? »

Il éclata de rire. On ne posait évidemment pas cette question en Inde.

« Bisexuel. Je fonctionne à voile et à vapeur. »

Son usage d'une expression si française étonna Charlotte.

« Tu n'as pas de préférence ?

— Les préférences limitent. Je n'aime pas les hommes ou les femmes. J'aime l'amour. »

Il avait beau se prêter au jeu, elle sentait qu'il ne livrait rien de lui. Quelque chose la mettait mal à l'aise : peut-être ce désir enfantin d'impressionner par son attitude d'esthète ouvert à toute expérience.

« Tu es brahmane ? demanda-t-elle pour changer de sujet.

— Je suis musulman. »

D'un ton condescendant, il lui expliqua que le système des castes fonctionnait seulement pour les hindous.

Au Fort Rouge elle ne vit rien de plus, sinon des touristes indiennes qui, telle une nuée d'oiseaux exotiques, illuminaient les lieux de leurs saris de toutes les couleurs. Jagdish les emmena déjeuner dans un petit restaurant près de la Grande Mosquée. Elle n'avait pas faim : à New York il était deux heures du matin.

On ne voyait rien avec un guide. Il lui fallait prendre son courage à deux mains et retrouver un peu d'indépendance. Elle avait peur. D'Old Delhi, de la foule, de la saleté, des mendiants, de se perdre. Jagdish devait retourner à l'hôtel.

« Tu veux te promener avec moi ? demanda-t-elle à Éleuthère.

— Non. Je rentre à l'hôtel pour écrire.

— Tu ne vas pas quitter Delhi sans avoir vu la ville ? Tu auras le temps d'écrire dans l'avion demain !

— Pas longtemps alors. Je veux être à l'hôtel à cinq heures. Je participe à une table ronde avec Roland Weinberg et j'ai besoin de prendre quelques notes avant.

— Promis. »

Elle était soulagée qu'il cède. Ils s'enfoncèrent dans la vieille ville en empruntant une longue rue étroite avec une telle densité de piétons, de vélomoteurs et de tuktuks qu'il fallait parfois rentrer dans une échoppe pour contourner un vélomoteur garé sur le côté ou une génisse noire couchée dans la poussière. Deux files serrées serpentaient dans deux sens opposés. C'était l'heure de la sortie de l'école ; ils croisaient des dizaines de fillettes en uniforme défraîchi et aux nattes nouées par des rubans verts, et de garçonnets en short portant des cravates rouges et de gros cartables. Des grappes d'écoliers entassés sur les bancs de carrioles se retournaient sur eux en criant : « *Hello !* » et en demandant : « *Where from ?* » Les enfants semblaient être les seuls à remarquer leur présence incongrue. Levant les yeux, elle vit une torsade sauvage de câbles et fils électriques au-dessus de leurs têtes, reliés par des poteaux de bois penchant dangereusement : chaque habitant devait rajouter son fil. Devant une échoppe, quinze ou vingt mendiants d'une maigreur effrayante attendaient en silence, accroupis en rangées. Un jeune homme s'approcha, tenant dans sa main ouverte une pile de pains ronds et plats tout juste sortis du four qu'il distribua. L'odeur du pain chaud devait torturer leurs estomacs vides, mais ils tendaient le bras chacun à leur tour au lieu de se précipiter et de bousculer les autres.

Charlotte regardait les tissus, les objets, les chaussures bon marché, les casseroles, la viande crue suspendue entourée de nuées de mouches qui donnait envie de devenir végétarien, les épices. Éleuthère marchait à côté d'elle en fumant des cigarettes qu'il se roulait lui-même. Il l'intimidait, peut-être parce qu'il était taciturne et beau. Cette marche au cœur du vieux Delhi d'un homme et d'une femme que les circonstances jetaient ensemble sans qu'ils se connaissent avait quelque chose d'insolite. Il s'arrêtait et l'attendait sans un signe d'impatience, même si les marchandises dans les étalages ne semblaient pas le tenter. Elle acheta une brosse à cheveux en plastique de piètre qualité qui démêlerait mieux ses cheveux ondulés que le peigne procuré par l'hôtel, des barrettes décorées de petites pierres brillantes pour Inès, et des perles en verre de toutes les couleurs pour Suzanne, ainsi qu'une bourse en tissu brodé pour les ranger.

« Mes filles vont adorer. Tu n'as pas d'enfant ?

— Non.

— Tu n'es pas marié ?

— Non. »

Sa concision n'encourageait pas le dialogue. Elle remarqua une bosse dans la poche arrière de son jean.

« Tu devrais mettre ton portefeuille ailleurs.

— Ce n'est pas un portefeuille. »

Ils n'étaient pas obligés de parler, bien sûr. Elle devait s'y prendre mal. Éleuthère avait pu lire dans le programme qu'elle était française, vivait à Manhattan où elle enseignait la littérature à la New York University, et avait réalisé deux films. Il n'avait pas une once de curiosité à son égard. Elle se sentait plus seule en sa présence que si elle avait été seule.

Elle pensa à Debarati, à ce moment où elles s'étaient retrouvées à New York en avril et où, la surprise passée, elles s'étaient assises sur un canapé. En moins de cinq minutes, les huit ans écoulés depuis la dernière fois qu'elles s'étaient vues et les vingt kilos en plus de Deb avaient disparu. Debarati voulait tout savoir sur Adam, sur Suzanne, et sur la petite sœur qu'elle ne connaissait pas et dont elle prononça le nom à la française, Inès, avec tendresse, puis à l'américaine, Aï-nisse. Elle avait raconté à Charlotte qu'elle était rentrée d'Inde pour enterrer sa mère, vider son appartement et le vendre. Après avoir payé les dettes de sa mère, il n'était plus rien resté. Elles riaient. Elles avaient parlé trois heures sans interruption : l'amitié mise en sommeil pendant huit ans se réveillait avec la même ardeur. Les disputes étaient oubliées. Ne restait que de l'affection pure. « Tu es ce que j'ai de plus proche d'une famille », lui avait dit en la quittant Deb qui devait repartir deux jours plus tard dans le Maine où elle habitait. Charlotte, tandis qu'elle descendait Broadway vers chez elle, avait songé avec gratitude au cadeau que lui faisait la vie en lui rendant l'amie perdue. Nombreux sont les amis de circonstance, surtout quand on a des enfants. Mais l'amitié essentielle est aussi rare que l'amour. Deb et elle savaient tout l'une de l'autre, le meilleur et le pire. Elles n'avaient rien à cacher ; elles s'acceptaient et s'aimaient.

Le lendemain soir Deb était venue dîner chez eux, dans le loft de TriBeCa qu'elle ne connaissait pas encore. Elle avait revu Adam et Suzanne, et rencontré Inès. Comme d'habitude, elle était arrivée chargée de cadeaux et avait deviné ce qui plairait aux filles. La présence de Deb parmi les siens semblait parfaitement naturelle. Adam et Deb s'étaient toujours bien entendus ; les filles l'avaient tout de suite aimée. Ils avaient projeté de partir dans le Maine pour le week-end de Memorial Day. Charlotte avait invité Deb à venir à New York quand elle le voulait, et Deb avait répondu en riant qu'elle la prenait au mot : le Maine était loin mais le car ne coûtait pas cher ; elle reviendrait passer tous les week-ends. Juste avant qu'elle s'en aille, Charlotte lui avait donné le DVD de son deuxième film, *La rivalité*, en la prévenant qu'elle s'était inspirée de leur amitié pour écrire le scénario même si elle avait transposé l'histoire sur deux hommes, deux peintres, un Français et un Américain. Une fiction, bien sûr : Deb ne devait pas prendre à son compte le tournant tragique de cette amitié-là. Les semaines suivantes, elle avait été un peu déçue de ne pas avoir d'appel ou d'e-mail de son amie la félicitant avec humour pour son œuvre, mais ce silence typique de Deb, qui prenait difficilement son téléphone et que bloquait la page blanche ou même l'écran de l'ordinateur, ne signifiait pas qu'elle n'avait pas vu ou pas aimé le film. Un mois était passé sans qu'elles se donnent de nouvelles. Charlotte, débordée, n'avait même pas appelé Deb quand le projet de week-end dans le Maine était tombé à l'eau : les parents d'une amie d'Inès les avaient invités dans le Connecticut, moins éloigné. Deux jours avant Memorial Day, elle avait reçu le coup de fil de Max. En fin de compte elle avait passé le week-end dans le Maine, mais sans sa famille et sans Deb. Dans la chambre de Deb, par terre au pied du lit défait, il y avait la boîte du DVD, ouverte, et le disque n'y était plus : le film avait été vu, récemment sans doute, car il se trouvait encore dans l'ordinateur de Deb, dont l'avait éjecté Max avant de demander à Charlotte s'il pouvait le garder.

« Depuis tout à l'heure je cherche comment décrire tout ça. »

La voix d'Éleuthère la fit sursauter. Il avait l'esprit de contradiction. Maintenant qu'elle se taisait, il parlait.

« La photo ne pourrait pas le rendre, parce que ça se passe surtout au niveau du son — les coups de klaxon, les voix, la musique — du mouvement — le flux des piétons, la danse des rickshaws — et des odeurs — les épices, le pain chaud, les ordures, la merde. C'est ça qui m'intéresse dans l'écriture : réussir à rendre compte des diverses sensations, avec ces instruments précis et difficiles à manier que sont les mots. »

Perdu au cœur du vieux Delhi, il composait des phrases. Tellement français ! Elle sourit. Une sorte de professeur Tournesol écrivain. Elle fit un écart pour éviter une chèvre couchée devant elle, tout en essayant de trouver une réponse qui n'aurait pas l'air totalement stupide. Ils avaient tourné dans une ruelle tranquille. Au bout, il y avait l'entrée de ce qui ressemblait à un jardin. Ils y pénétrèrent. Le vaste terrain vague parsemé d'immondices et de débris était occupé par une trentaine d'enfants qui jouaient avec un ballon crevé. Raphaël marchait tête baissée pour savoir où poser les pieds. Du coin de l'œil, Charlotte vit courir les enfants et sentit le danger.

« Viens vite ! » dit-elle en faisant demi-tour.

Éleuthère ne réagit pas. Les enfants les rattrapaient. Les plus grands avaient douze ou treize ans et des ombres de moustache. Au bout de cette ruelle, les Français étaient isolés. Elle prit son bras et le tira fort.

« Raphaël, dépêche-toi ! »

Le bout pointu de sa botte buta contre un caillou et il s'étala. Il faillit entraîner Charlotte dans sa chute. Les gamins éclatèrent de rire. Ils l'entouraient et l'empêchaient de se relever. Leurs mains baladeuses progressaient vers la poche gonflée du jean tandis qu'il se débattait. Elle eut une montée d'adrénaline et fit un pas vers eux.

« *Go away ! Leave him alone !* »

Certains la dévisagèrent d'un air provocateur. Elle n'osa pas s'approcher davantage, prête à s'enfuir s'ils avançaient vers elle. Un homme sortit d'une maison délabrée et vit le touriste à terre. Il parla aux gamins en hindi d'une voix forte et leva une main sur les plus grands. Éleuthère réussit à se relever. Vite ils marchèrent vers le bout de la rue, suivis par l'Indien qui leur dit avec un geste d'excuse : « *Children !* »

Éleuthère avait de la poussière dans les cheveux et sur le visage. Il recula, effrayé, quand elle tendit la main pour l'épousseter. Il avait mal au genou. Il baissa la tête et constata qu'il y avait un trou dans le jean et du sang sur son genou.

« Tu es brutale !

— Excuse-moi, je n'ai pas fait exprès : quand j'ai vu les enfants, j'ai eu peur et…

— Tu es très imprudente ! Tu m'emmènes n'importe où. Je veux rentrer à l'hôtel.

— On y va. »

Ils marchèrent en silence. Éleuthère boitait. Il mit la main sur son front.

« J'ai la migraine. Je n'en peux plus, de ce bruit, de la poussière et de la pollution. Je n'aurais jamais dû te suivre. »

Charlotte se sentait coupable. Un tuk-tuk tiré par un vélo ralentit près d'eux. Ils y montèrent. Une vieille mendiante qui n'avait que la peau sur les os surgit à leur gauche et tendit une main squelettique. Éleuthère retira de sa poche quelques pièces qu'il laissa tomber dans la main de la vieille. Elle cracha tandis que démarrait le tuk-tuk.

« Elle n'avait pas l'air contente. Je ne sais pas combien je lui ai donné, je n'y comprends rien.

— Trois pièces d'une roupie, je crois. Ça fait… deux ou trois centimes ?

— Oh, en effet ! »

Le siège tressautait à cause des trous de la chaussée. Ils contemplèrent, mal à l'aise, les fesses maigres de l'Indien debout sur ses pédales pour monter une côte. Il les laissa près de la Grande Mosquée, où ils prirent le métro, moderne et peu fréquenté. Ils descendirent sur Connaught Place. Charlotte arrêta un rickshaw.

« Ça ne te dérange pas de rentrer seul ? Je voudrais me promener. »

Ça ne le dérangeait pas, du moment qu'il regagnait sa chambre au plus vite.

Elle n'aimait guère cette grande place ronde poussiéreuse qu'elle avait arpentée la veille mais n'avait pas envie de se retrouver dans l'enceinte aseptisée de l'hôtel. Avant de rentrer, elle ferait un petit tour sous les arcades et irait boire un verre. Tout en regardant des châles dans une vitrine, Charlotte repensa au mot qu'avait employé Éleuthère et rougit. *Brutale.* Quel autre choix avait-elle eu que de le tirer avant que les enfants l'assaillent ?

« Vous avez besoin d'aide ? »

Un Indien s'était arrêté, s'adressant à elle en anglais.

« Non merci. »

Le jeune homme resta à ses côtés. Il était accompagné d'un ami qui s'éclipsa. Grand et mince, il avait un visage avenant, et portait un jean et un tee-shirt noir de bon goût. Dans un anglais parfait il lui dit qu'il était en vacances à Delhi pour quatre jours. Originaire du Cachemire, il travaillait avec son père dans l'export du tissu. À Delhi il avait eu un ou deux rendez-vous de travail, mais il était surtout venu voir son cousin — le garçon qui les avait quittés dix minutes plus tôt parce qu'il avait rendez-vous avec sa petite amie. Charlotte renonça à le chasser, même si elle n'était pas dupe. Ce jeune homme l'avait abordée parce qu'elle était une Occidentale, seule. Mais il se montrait respectueux et, contrairement à d'autres, s'intéressait à elle, impressionné d'apprendre qu'elle habitait New York, était mariée depuis vingt ans et faisait des films.

Quand ils arrivèrent devant le café où elle avait eu l'intention de boire un verre, la porte s'ouvrit ; il recula brusquement comme s'il avait peur d'être reconnu. Il connaissait un endroit plus agréable. Elle monta un escalier derrière lui et le suivit sur une terrasse déserte où ils s'assirent sur des banquettes confortables, des deux côtés d'une table basse en bois verni. Un serveur prit la commande. La nuit tombait. La température avait chuté brutalement. Elle frissonnait dans son gilet en laine. Il lui conseilla de se méfier si elle achetait un pashmina car il était difficile de différencier le vrai pashmina, fait uniquement des poils d'une petite chèvre himalayenne, des mélanges de laine et de soie, beaucoup moins chers. Mieux valait l'acheter à Delhi que dans le Sud où elle allait ensuite. Elle en conclut qu'il cherchait à l'entraîner dans un magasin où il toucherait une commission, mais il laissa tomber le sujet.

Il buvait sa bière en la regardant. Son visage aux yeux noirs écartés, aux cheveux bien plantés, à la bouche large, ressemblait à celui d'un petit garçon dans un film de Satyajit Ray qu'elle avait vu trente ans plus tôt au cinéma de la rue Christine, et dont le nom lui revint : Apu. Trente ans plus tôt ce jeune homme n'était pas né. Il lui proposa une cigarette. Elle secoua la tête. Lui jeune, elle une femme d'un certain âge : elle n'arrivait pas à se reconnaître dans ce cliché. Elle avait beaucoup voyagé autrefois, seule, avant de rencontrer Adam. En Grèce, en Italie, en Espagne, en Hollande, en Hongrie, en Allemagne. Elle avait rencontré des hommes avec qui elle avait passé une nuit. La séduction était alors l'unique façon de marquer un lieu et de se sentir vivante. Puis il y avait eu le mariage, la maternité, et maintenant le deuil. Ce genre d'aventure ne l'intéressait plus. Elle avait davantage besoin d'être rassurée que désirée. Besoin qu'on lui dise qu'elle n'était pas une horrible personne.

« À quoi tu penses ?

— Je me demande ce qui est vrai dans tout ce que tu m'as raconté, répondit-elle avec un sourire.

— Je ne t'ai dit que la vérité ! »

Il semblait indigné. Il extirpa sa carte d'identité de son portefeuille.

« Regarde. »

L'alphabet inconnu ne lui permettait pas de lire les informations mais elle reconnut sa photo et des chiffres qui devaient être ceux de sa date de naissance. 10/03/1983. Il avait vingt-six ans. Elle aurait pu être sa mère. La façon dont il la regardait ne lui donnait pas l'impression d'être sa mère.

Elle commençait à s'ennuyer et se demanda ce qu'elle faisait là. La fatigue due au décalage horaire avait-elle aboli sa volonté ? Depuis son départ de New York, trois jours plus tôt, elle avait dû dormir huit heures en tout. Il était temps de rentrer ; elle avait rendez-vous à l'hôtel à dix-huit heures avec Caroline Messier pour se rendre à l'Institut français où l'on projetait son film. Ils se levèrent. Il écrivit son numéro de portable sur une carte. Il voulait l'inviter à danser ce soir dans une boîte de nuit de Delhi.

« Tu m'appelleras ?

— Peut-être. »

Il lui demanda le nom de son hôtel et hocha la tête, impressionné :

« Un cinq-étoiles. »

L'hôtel était sur le chemin de la maison de son cousin. Il la déposerait au passage.

« Non, ce n'est pas la peine.

— S'il te plaît. Laisse-moi te raccompagner. »

Il la guida vers un endroit éloigné de la place où se trouvaient de nombreux rickshaws. Il négocia le prix de la course en hindi, puis grimpa près d'elle. Pour la première fois ils étaient assis côte à côte. Le vent rentrant par les ouvertures du rickshaw la faisait presque claquer des dents. Elle éternua. Quand il passa autour de sa taille un bras hésitant, comme pour la réchauffer, elle ne s'écarta pas. Il y avait au fond de son esprit une pointe d'inquiétude, mais elle faisait confiance à son instinct. Ce garçon n'était pas dangereux. Que voulait-il ? La suivre à l'hôtel ? Il n'était sans doute jamais entré dans un cinq-étoiles. Elle s'imagina traversant le hall de réception suivie du jeune Indien, au risque de tomber sur Roland Weinberg ou Caroline Messier. Oserait-elle prendre l'ascenseur avec lui, l'emmener dans sa chambre blanche ? Vérifier que c'était encore possible ? Avait-il des capotes dans la poche de son jean ? En trouvait-on dans les palaces ?

Le rickshaw tourna dans une rue. Elle se rappelait que la route entre Connaught Place et l'hôtel était toute droite.

« Tu es sûr que c'est le chemin du Méridien ?

— On fait un petit détour pour récupérer mon cousin. »

Elle se redressa et s'écarta.

« On m'attend. Je ne peux pas être en retard.

— C'est un tout petit détour. Cinq minutes. De ton hôtel ça me ferait retourner en arrière, et dans l'autre sens il y a beaucoup d'embouteillages. »

C'était vrai : dans l'autre sens les voitures n'avançaient pas du tout. Eux-mêmes se traînaient comme des escargots. Elle aurait pu à tout moment sauter du rickshaw ; aucune raison d'avoir peur. Mais une fois qu'il aurait récupéré son cousin, il ne pourrait plus l'accompagner à l'hôtel. Quel était son but ? La mettre en confiance pour qu'elle aille danser en boîte avec lui ce soir ? Y avait-il des femmes qui rejoindraient un inconnu la nuit dans une métropole indienne ? L'aurait-elle fait à vingt ans ?

Comme s'il lisait dans ses pensées, il lui prit la main. Le contact de sa paume était mou. Il y avait chez ce garçon comme une sorte de crainte. Ou de la douceur ? Il se pencha pour parler au chauffeur en hindi. Celui-ci se déplaça sur la file de droite et appuya longuement sur le klaxon pour avertir les autres véhicules de sa manœuvre avant de faire un brusque demi-tour et de se déplacer acrobatiquement sur la file de gauche. Elle crut d'abord qu'il avait renoncé à chercher son cousin et demandé au chauffeur de se rendre directement au Méridien. Mais le rickshaw tourna dans une rue obscure. Charlotte sentit son cœur se serrer, tout en songeant que sa réaction était cliché et raciste. La peur de l'indigène : elle se sentait bien vivante, tout à coup.

« Regarde, mon cousin nous attend là-bas. »

Elle reconnut la silhouette devant un petit immeuble en béton. Alors que le rickshaw s'arrêtait, il y eut un échange en hindi entre le chauffeur et le jeune Indien.

« Il faut qu'on descende ici.

— Quoi ? Pas question ! Je veux aller à mon hôtel tout de suite.

— Ce n'est pas sa direction. On va prendre un autre rickshaw.

— Il n'y en a pas d'autre ! Je veux rentrer !

— À droite là-bas, on va retomber sur la grande route ; il y aura plein de rickshaws. »

Elle se pencha en avant.

« Méridien Hotel ! » cria-t-elle, sentant monter la panique.

Le chauffeur se tourna vers elle et la regarda d'un air d'excuse en secouant la tête.

« Viens, dit l'Indien en lui prenant la main. Dans cinq minutes tu seras à ton hôtel. »

Elle descendit du rickshaw, qui s'éloigna rapidement. L'Indien discutait vivement avec son cousin. Ils avaient l'air de se disputer. Elle sentit une peur intense. Personne ne savait qu'elle était là. Elle était dingue. Folle à lier. Complètement irresponsable. Partir en courant pendant qu'ils discutaient ? Mais elle ne courait pas vite : même Inès la doublait. Ils la rattraperaient, et les choses risquaient alors de déraper. Pourquoi criaient-ils ? Apu avait-il pris sa défense ? Elle ne savait même pas son nom ! Elle n'osait pas lever la tête et priait intérieurement pour que l'emporte celui qui lui voulait du bien. Un peu plus loin sur la gauche, elle aperçut la vitrine éclairée d'un local avec un distributeur de billets, et comprit dans quel piège banal elle s'était jetée. Apu se tourna vers elle.

« Donne-nous de l'argent. »

Elle ouvrit son sac et trouva en tâtonnant la liasse de

billets de mille roupies que lui avait remise Caroline Messier hier matin. Elle lui en tendit plusieurs.

« *Go !* » dit-il en lui montrant la route sur la droite.

Elle partit en courant vers une vague lueur et le bruit de klaxons. Il n'avait pas menti : la route se trouvait au bout. Elle fit de grands gestes pour arrêter un rickshaw.

Assise sur la banquette en moleskine, Charlotte ne sentait plus le froid. Ses joues et ses oreilles dégageaient de la chaleur comme un radiateur. Elle avait mal à la gorge. Elle se mit à pleurer, d'humiliation plus que de peur. L'Indien n'avait jamais cherché à la suivre à son hôtel. Elle n'était qu'un porte-monnaie. Une idiote, qui ne savait pas voyager ! Il était temps de le comprendre ; elle n'avait plus vingt ans. Elle n'existait pas hors de sa vie aseptisée. Elle était la femme d'Adam, la mère de Suzanne et d'Inès. Une bonne femme de quarante-sept ans.

ROLAND

Delhi-Trivandrum, mardi 8 décembre

Les éternuements de Charlotte Greene ponctuaient régulièrement le silence.

« On a de la chance de ne pas être à côté d'elle, dit Roland. Éleuthère va sûrement tomber malade.

— Nous aussi, rétorqua Renata. Dans l'avion l'air circule en circuit clos. »

Il n'allait pas se mettre martel en tête pour une bouderie féminine, dont il connaissait d'ailleurs la cause. C'était sa faute à elle, Dalila, qui s'était coupé les cheveux pour rendre son amant impuissant. Tout irait mieux ce soir. La chaleur sensuelle du Sud et le raffinement luxueux du Leela Kempiski Palace de Kovalam, le plus bel hôtel de l'Inde, remplaceraient la pilule magique qu'il avait eu le malheur d'oublier à Paris. Avant de partir il avait montré à Renata le site Internet et ils avaient ri en lisant cette phrase : « En Inde nous traitons nos hôtes comme l'incarnation des dieux. » Il se voyait déjà en dieu enduit d'huiles parfumées que malaxaient deux divines Kéralaises nues sous leur blouse blanche. À cette pensée, il sentit le frémissement vainement attendu hier soir.

Dans le *Hindu* qu'il avait pris à l'entrée de l'avion, un

article attira son attention. La police avait arrêté à Bangalore un suspect terroriste appartenant au groupe Lashkar-e-Taiba et déjoué un complot visant à célébrer le premier anniversaire des attaques de Bombay. Le niveau d'alerte était au maximum dans le Sud, à Thiruvananthapuram où avait lieu ce soir l'ouverture du festival international de cinéma : on avait triplé le nombre de policiers. Roland fronça la bouche. Thiruvananthapuram, alias Trivandrum, était leur destination. Mieux valait ne pas en parler à Renata.

Après trois heures de vol ils atterrirent à Bombay, où descendaient la plupart des passagers. D'autres embarquaient, moins nombreux. La climatisation s'était arrêtée et la température montait à toute allure, comme celle d'une cocotte posée sur un feu vif. Même sans bouger, Roland sentait la sueur couler sous ses aisselles.

« J'étouffe, murmura Renata. Je n'en peux plus, Roland. »

Il tourna la valve au-dessus de son siège. Aucun air n'en sortit.

Elle se retourna et eut du mal à replier ses longues jambes. Il la sentait très lasse. L'attente n'en finissait pas, sans un message de l'équipage. Il faisait de plus en plus chaud dans l'appareil, ce qui n'empêchait pas Charlotte Greene d'éternuer.

« Mais enfin, c'est dégoûtant ! s'écria une femme dans un français teinté d'un fort accent américain. Rangez vos Kleenex ! Ce n'est pas hygiénique ! »

Roland tourna la tête. La pauvre Charlotte était toute rouge, les genoux couverts d'une pile de Kleenex. Il sortit de la pochette devant lui le sac à vomi et le lui tendit par-dessus l'allée. Elle le remercia et y fourra les Kleenex sales, sous le regard sévère de sa voisine américaine. Même cet incident ne fit pas rire Renata.

« Tu peux m'apporter un verre d'eau ? » murmura-t-elle.

Roland se leva. Il sentait des étourdissements à cause de la chaleur. Il remonta l'allée entre les sièges. À l'avant Jagdish discutait en hindi avec les hôtesses.

« Qu'est-ce qui se passe ?

— Un incident technique sans gravité. On va bientôt repartir. Je leur demande d'ouvrir la porte de l'appareil pour qu'on ait un peu d'air. »

Sa parole ferme et précise rendait Jagdish efficace en dépit de sa jeunesse. Les hôtesses poussèrent la porte de l'avion. Il ne faisait pas vraiment plus frais dehors, mais c'était de l'air nouveau. Éleuthère les rejoignit. Sa chemise trempée lui collait à la peau ; le malheureux portait des bottes. Il mourait d'envie d'une cigarette, mais Jagdish ne put lui obtenir l'autorisation de fumer sur la passerelle. Roland demanda un verre d'eau à une hôtesse au chignon strict. Tandis qu'elle le lui tendait, son regard s'arrêta sur les seins pointant sous la tunique, puis remonta vers les lèvres rosées qui scintillaient dans la lumière. L'hôtesse rencontra ses yeux et ne put retenir un sourire, pas son sourire professionnel mais un autre, empreint d'une connivence intime. C'était d'une facilité déroutante. Heureusement que Renata l'accompagnait. Le voyage donnait une telle énergie, et le monde comptait tant de belles femmes qui, par un miracle étrange, trouvaient encore du charme au barbon vieillissant qu'il était. Comment renoncer à tant de beauté ?

En faisant demi-tour, il aperçut l'ambassadeur dans la sixième rangée, plongé dans des dossiers ouverts sur la tablette, indifférent à la chaleur étouffante. Celui-ci leva la tête.

« Monsieur Weinberg, comment allez-vous ? Je suis désolé de ce retard.

— Inquiétant, non ? Je viens de lire un article dans le *Hindu* sur une menace terroriste…

— Je l'ai lu. » L'ambassadeur pointa du menton le journal sur le siège à côté du sien.

« Cet avion est sans doute plein de personnalités qui vont à Trivandrum pour le festival de cinéma. Votre Excellence ne pense-t-elle pas qu'il pourrait s'agir d'un bagage enregistré à Bombay, dont le propriétaire n'a pas embarqué ? »

L'ambassadeur sourit.

« D'après ce que j'ai compris, un des trains d'atterrissage est simplement bloqué. »

Il était jeune : la quarantaine à peine. Énarque, bien sûr, mais d'une nouvelle génération maîtrisant l'anglais, moins imbue d'étiquette et de supériorité française, même s'il revendiquait à juste titre l'exception culturelle de la France et appréciait certainement qu'on l'appelle « Excellence ». Il avait lu le dernier livre de Roland — ou le prétendit poliment. Roland le flatta en le félicitant pour ce festival dont l'initiative lui revenait. Ils parlèrent du prix Nobel de la paix que venait de recevoir Obama, puis des rapports de l'Inde et du Pakistan, d'autant plus tendus que le président Zardari s'obstinait à dénier que l'unique survivant des terroristes de Bombay était pakistanais, alors qu'un paysan pakistanais avait reconnu que c'était son fils. D'après l'ambassadeur, il s'agissait d'une stratégie destinée à détourner l'attention des vrais coupables.

« Mais oui, vous avez raison ! s'écria Roland. Tant que

le Pakistan dénie qu'Ajmal Amir Kasab est pakistanais, on ne parle que de ça ! »

Malgré la chaleur, il respirait avec plus d'aisance. Enfin une conversation digne de ce nom. On aurait dit que Charlotte Greene et Raphaël Éleuthère ne lisaient jamais le journal. À Delhi, ils s'étaient étonnés en riant de passer sous un portillon détecteur de métal pour entrer au Méridien, ignorant qu'une prise d'otages au Taj de Bombay un an plus tôt s'était soldée par un carnage.

« Excusez-moi, il faut que j'apporte ce verre d'eau à ma compagne. Elle ne se sent pas bien.

— Elle n'est pas malade, j'espère ? Vous avez des médicaments ? »

Un parfait diplomate.

La tête renversée en arrière et les yeux clos, Renata était si pâle que Roland la crut évanouie. Il se pencha sur elle et mit la main sur son front.

« Reine ? » Elle entrouvrit les paupières. « Ça ne va pas ? »

Elle secoua la tête faiblement. Il lui tendit le verre. Elle but quelques gorgées.

Une hôtesse annonça enfin que l'avion allait repartir. Roland attacha sa ceinture et sortit de sa sacoche *Les illusions perdues.* Il pensait de plus en plus sérieusement à un petit essai sur l'antihéros, dans lequel il rendrait hommage aux maîtres de son adolescence, et qui serait l'occasion de discussions approfondies avec Clémentine.

À peine l'avion eut-il décollé qu'il chuta brutalement. Les passagers poussèrent un cri unanime. L'appareil se rétablit et reprit son ascension.

« Roland, je vais vomir. »

Renata était blême. Il avait donné à Charlotte le sac en papier. Il se pencha de l'autre côté de l'allée et, s'excusant auprès de l'Américaine, appela Raphaël Éleuthère. Charlotte semblait prête à vomir aussi. Raphaël fouilla la pochette et trouva un sac qui transita par l'Américaine. À peine l'avait-il tendu à Renata qu'elle rendit le peu d'aliments qu'elle avait avalés depuis le matin. Il s'efforça de respirer lentement pour empêcher son estomac de se soulever. Devant, un passager toussa de façon évocatrice. La tête au long cou de Renata reposait sur l'appui-tête du dossier, les yeux ouverts, l'air las et triste. Une odeur infecte flottait dans l'air raréfié. Il y avait une tache de vomi sur son chemisier en voile de coton blanc.

Ils atterrirent à seize heures. Roland soutint Renata pour sortir de l'avion. La chaleur les accueillit sur le tarmac, lourde et moite. Le hangar presque vide ressemblait aux aéroports de toutes les petites villes du monde, la seule différence étant l'omniprésence des militaires en tenue de combat portant des mitraillettes à bout de bras. Chacun attrapa son bagage sur le tapis roulant. Ils sortirent. Dehors, une fille blonde tenait un écriteau « Bonjour India ». Elle se présenta. Manon, l'assistante de Géraldine Legac.

« Où est Mme Legac ? demanda Roland.

— Partie avec l'ambassadeur. Il y a une conférence de presse. »

Il manquait Jagdish, qu'aucun d'eux n'avait vu depuis l'atterrissage. Ils attendirent un quart d'heure. Charlotte offrit d'aller le chercher dans le terminal, à l'entrée gardée par un soldat. Roland bavardait avec Manon, dont le regard vif et la volubilité lui rappelaient sa fille. Elle était élève de Sciences-Po à Toulouse et avait effectué son stage en Inde. Son accent du Sud-Ouest contrastait avec sa blondeur. Renata lui prit le bras. Un peu de jalousie ne ferait pas de mal à son Italienne.

« J'en ai marre, l'interrompit Renata. Qu'est-ce qu'on attend ? »

Ils avaient quitté Delhi onze heures plus tôt, et rien mangé depuis la veille. Ils défaillaient de fatigue et de faim. L'organisation ne semblait pas au point. Charlotte revint : elle avait cherché partout, même dans les bureaux de la douane. Jagdish s'était volatilisé.

« Allez-y, dit Manon. Il y a deux voitures. Je vais attendre encore un peu.

— Je reste avec vous. Au point où on en est », dit Éleuthère.

La stagiaire lui plaisait, tant mieux. Roland avait remarqué son regard sur Renata ce matin quand elle était apparue dans le hall de l'hôtel à Delhi, les talons de ses sandales claquant sur le sol de marbre ; il ne tenait pas à voir ce beau ténébreux qui avait vingt ans de moins que lui tourner autour de Renata dans l'humeur où était cette dernière.

Alors qu'ils s'éloignaient, Jagdish surgit près d'eux.

« Désolé. Je devais apporter un paquet d'affiches et de brochures à Géraldine Legac. Ces idiots l'ont perdu à Bombay. Je remplissais des formulaires.

— J'ai regardé dans les bureaux ; je ne t'ai pas vu ! » s'exclama Charlotte.

Jagdish lui jeta un regard sans aménité.

« Je ne t'ai pas vue non plus », répliqua-t-il d'une voix si coupante que Charlotte en rougit.

Elle semblait au bord des larmes. Ils étaient tous à bout, même le jaguar qui en perdait sa politesse.

« Bon, allons-y, intervint Roland d'un ton conciliateur en prenant les valises pour les rentrer dans le coffre de l'Ambassador. À quelle distance est le Leela, Manon ?

— Le Leela ?

— Notre hôtel.

— Vous n'êtes pas au Leela.

— On n'est pas au Leela ? répéta-t-il lentement. Mme Legac m'a dit qu'on était au Leela.

— Il n'y avait plus assez de chambres pour tout le monde. On vous a mis au Taj.

— Le Taj, c'est l'hôtel de la prise d'otages ? demanda Charlotte.

— À Bombay. Ici il n'y a aucun risque, soyez tranquilles.

— Ils ont dû baisser les prix ! » ricana Raphaël.

Roland sentit Renata se crisper.

Ils s'installèrent à l'arrière, et Charlotte s'assit à l'avant, tandis que Raphaël et Jagdish partaient avec Manon. Au moins la voiture était climatisée. Quand il mit la main sur la cuisse de Renata, elle s'écarta.

Il reconnaissait l'Inde, son Inde, la détestable Inde. Sur la route à deux voies, les voitures et les bus roulaient à toute vitesse en rasant les rickshaws et les motos qu'ils avertissaient sans leur laisser le temps de se ranger. Parfois une voiture ou un bus surgissait en sens inverse, si proche et si rapide que Roland fermait les yeux, anticipant la collision dont l'absence relevait du miracle. On aurait dit la capoeira, cette danse brésilienne inspirée des arts martiaux où les adversaires s'entrelacent sans que leurs corps entrent jamais en contact. Sauf qu'en Inde, les accidents de circulation étaient fréquents et souvent fatals. Renata devait penser qu'il l'avait envoyée à la mort. Le chauffeur appuyait brutalement sur le frein toutes les dix secondes, et leurs têtes se rabattaient contre les appuis-tête, dont la voiture était par chance équipée. Au bout d'une demi-heure, l'habitat devint plus dense et les arbres s'espacèrent : ils entraient dans une zone urbaine. Des immeubles en béton et des baraques au toit de tôle bordaient la route à quatre voies bondée de véhicules circulant en tous sens dans un bruit de capharnaüm. Roland poussa un soupir.

« Et zut : on est au Taj de Trivandrum !

— Quelle est la différence ? dit Charlotte.

— Kovalam est au bord de la mer. Trivandrum est une grande ville moche. Je ne comprends pas qu'on nous ait mis là. C'est absurde ! »

Renata ne daigna pas ouvrir la bouche.

Cet acharnement de contrariétés avait quelque chose de cocasse. On lui avait fait traverser le quart de la planète pour l'enfermer avec sa compagne dans une affreuse cage de luxe au cœur d'une ville horrible. Que pouvait-il encore arriver ? Qu'un kamikaze se fasse exploser ce soir au bar où ils prendraient un verre. Que Renata le quitte (étant donné la pression montante et les conditions cauchemardesques, il y avait peu de chances que l'organe sorte de sa coquille).

Avait-il tenté le sort en se retournant, tel Orphée, vers un passé qu'il aurait dû laisser dans l'ombre ?

Le chauffeur s'arrêta devant une grille, derrière laquelle Roland vit une tour blanche. L'inspection de la voiture prit plusieurs minutes avant que coulisse la grille. Devant la réception, un employé en uniforme galonné leur ouvrit les portières. La chaleur était pire qu'à l'aéroport. Roland entendit Renata pousser un cri et se retourna. En descendant de voiture Charlotte était tombée, raide, de tout son long. Ils se précipitèrent et l'aidèrent à s'asseoir sous les arcades.

« Tu t'es évanouie ? lui demanda Roland.

— C'est la fatigue, ou la chaleur, je ne sais pas. J'ai très mal à la tête.

— Il faut trouver un médecin », dit Renata en lui prenant le pouls.

Il aperçut du coin de l'œil une femme en robe à fleurs qui entrait dans l'hôtel. Il courut vers elle.

« Madame Legac ? » La femme se retourna : il avait vu juste. « Je suis Roland Weinberg. On est avec Charlotte Greene, qui ne se sent pas bien. Je pense qu'il faudrait appeler un m…

— Je n'ai pas le temps, là. L'ambassadeur m'attend, la conférence de presse commence. Allez à votre hôtel.

— Notre hôtel ? Ce n'est pas ici ?

— Non. » Elle se tourna vers le chauffeur et lui fit le geste de partir : « Le Taj de Kovalam ! »

Elle disparut dans l'hôtel sans un regard pour les femmes sous les arcades. Roland était aussi soulagé que stupéfait. Kovalam. Le monde retrouvait sa cohérence.

« Les filles, la bonne nouvelle, c'est qu'on ne loge pas ici mais à Kovalam.

— On remonte en voiture ? J'ai trop mal à la tête, gémit Charlotte.

— Roland, tu as des Doliprane ? Je vais acheter une bouteille d'eau. Charlotte est complètement déshydratée. Elle a de la fièvre. »

Il chercha les cachets dans son cartable. Renata aida Charlotte à boire. Ils s'installèrent, et Roland demanda au chauffeur de conduire le plus doucement possible. Il repensait au moment où la femme en robe fleurie s'était retournée.

« Je n'arrive pas à le croire. J'annonce à cette Legac qu'une de ses invités s'est évanouie et tu sais ce qu'elle me dit ? "Je n'ai pas le temps, là." Inouï. Je me demande d'où elle sort. Je n'ai jamais vu une telle désinvolture. »

Il riait. Son humeur était sur la pente ascendante. Il ne fallait jamais désespérer. À côté de la pauvre Charlotte, Renata et lui étaient en excellente forme.

Au bout de vingt-cinq minutes sur une route de campagne bordée de baraques peintes de couleurs vives, ils entrèrent dans le village et tournèrent sur une route en terre sous les arbres. Deux gardes examinèrent les papiers du chauffeur, le dessous de la voiture et les bagages dans le coffre, avant d'ouvrir la barrière en bois. On ne plaisantait pas avec la sécurité dans cet hôtel au bout du monde.

Roland et Renata confièrent Charlotte aux réceptionnistes en leur recommandant d'appeler un docteur. On les conduisit à leur chambre, une pièce spacieuse sobrement meublée d'un immense lit en bambou et de quelques fauteuils blancs. Il y faisait sombre. Le Taj de Kovalam n'était pas, comme le Leela, perché sur un éperon rocheux d'où il dominait la mer d'Arabie, mais enfoui dans la végétation. À peine le portier eut-il apporté leurs valises qu'ils mirent leurs maillots, puis enfilèrent les peignoirs et les mules fournis par l'hôtel. Ils remontèrent le long chemin dallé bordé d'hibiscus roses et de frangipaniers aux petites fleurs jaune et blanc dont il expliqua à Renata qu'on les appelait ici

« fleurs du temple » parce qu'elles servaient aux décorations florales des temples hindous. Le silence était percé de cris d'oiseaux, certains brefs et aigus, d'autres de longs roucoulements. La vaste piscine ovale formait un miroir bleu-vert où se reflétaient les feuilles épaisses et brillantes des arbres à caoutchouc et les longues corolles des cocotiers aux grappes de fruits oblongs qui ressemblaient à des testicules. La mer à l'horizon rejoignait le bleu brumeux du ciel. Quelques corbeaux perchés sur les branches les observaient. Personne d'autre ne s'y baignait. On aurait cru que l'hôtel était désert. Glissant dans l'eau divinement fraîche, ils se débarrassèrent des impuretés du voyage, puis commandèrent une assiette de fruits tropicaux parfumés et gorgés de sucre. Roland avait oublié la perfection paradisiaque des fruits qu'on mange à peine tombés de l'arbre. Puis ils nagèrent encore.

En une heure à peine, la tension du voyage se dissipa. Cet hôtel qui n'avait pas le clinquant du Leela offrait quelque chose de plus rare et précieux : la discrétion. On avait l'impression d'être seul au monde avec les fleurs et les oiseaux. De retour dans la chambre à la nuit tombante, ils se savonnèrent l'un l'autre sous une douche très chaude et Roland retrouva l'énergie qui lui avait fait défaut la veille. Le vaste lit accueillit leurs corps détendus. Il prit Renata dans la position qu'elle préférait, par-derrière, en repliant ses longues jambes en angle droit. Elle cria de plaisir. Au lieu de céder à la tentation de s'endormir, ils s'arrachèrent à la douceur de leurs peaux collées l'une à l'autre et s'habillèrent pour la soirée de gala.

Quand ils rentrèrent à l'hôtel à une heure du matin, Renata était plus tendre que jamais. Ils avaient dîné avec le ministre Shashi Tharoor qui avait été charmant avec elle, et la conversation avait étincelé entre le ministre, l'ambassadeur et Roland. Elle aimait le voir auréolé de gloire. Elle se serrait contre lui comme une chatte. Magiquement, son sexe se déploya à nouveau.

Ils s'endormaient au milieu du grand lit blanc dans la chambre que rendait délicieusement tempérée la climatisation, encastrés l'un dans l'autre, les fesses de Renata logées contre son bas-ventre poisseux, quand elle murmura :

« J'ai quelque chose à te dire.

— Demain, *amore*... Je dors...

— Je suis enceinte. »

Il répondit par une respiration régulière, sans un mouvement dénotant qu'il l'avait entendue.

GÉRALDINE

Trivandrum, mercredi 9 décembre

Son assistante était déjà à son poste dans la petite pièce qui servait de secrétariat.

« Bonjour, Géraldine. Comment vas-tu ? »

Le regard compatissant de Sandhya lui rappela à l'instant son grand-père enterré hier, dont la pensée lui avait échappé cette nuit pour la première fois depuis dimanche. La surprise de la veille accaparait son esprit tout entier. Elle eut honte.

« Un peu fatiguée mais bien, merci. »

Elle n'avait pas dormi une minute, se retournant toute la nuit sur le lit où elle reposait seule sous la moustiquaire — Imtiaz travaillait —, trop tendue par l'événement qui s'était produit. Si elle avait su qu'elle serait en proie à une telle insomnie, elle aurait demandé à Ravi de passer par l'Alliance à une heure du matin, après le gala, pour aller chercher le livre — car le paquet de Delhi était enfin arrivé dans l'après-midi.

« Comment va Malati ? Tout se passe bien à l'école ?

— Oui. Elle a de bonnes notes. »

Les yeux de Sandhya, soulignés d'un trait noir, brillèrent avec fierté. Géraldine l'avait aidée à obtenir une place dans une bonne école privée de Trivandrum pour sa fille. Sandhya travaillait déjà pour l'Alliance quand elle était arrivée, et elle avait tout de suite compris que l'entreprise reposait sur l'Indienne, d'une fiabilité à toute épreuve et d'une honnêteté scrupuleuse. Son travail à l'Alliance française, pour lequel elle recevait un misérable salaire sans réclamer d'augmentation, était sa fenêtre sur le monde dans une vie où elle avait peu de choix et de liberté. Géraldine savait qu'elle avait été mariée par ses parents à vingt et un ans, que Malati était née un an après et qu'elle avait presque aussitôt quitté avec son bébé le mari alcoolique qui la battait. Elle vivait avec son père et deux frères dont elle tenait la maison depuis que sa mère était morte d'un cancer. Sa fille avait dix ans.

« Le gala s'est bien déroulé, Géraldine ? Tu étais vraiment à la table du ministre ? Il est comment ?

— Très gentil ! Il a discuté toute la soirée avec Roland Weinberg. Pas d'incident. Quelle chance, après ce retard de l'avion hier ! J'étais sur les nerfs.

— J'imagine. J'ai posé les journaux sur ton bureau. »

Géraldine entra dans la pièce, appuya sur l'interrupteur pour mettre en marche le ventilateur, puis s'assit à son bureau et pressa le bouton de l'ordinateur, une vieille machine lente à démarrer. Le carton n'avait pas bougé de son bureau. Elle l'ouvrit et en sortit les livres, tous des œuvres de Roland Weinberg en français et en anglais. Elle ne trouvait pas celui qu'elle cherchait et craignit qu'on ait oublié de l'inclure. Mais tout au fond, elle dénicha le mince volume dont la couverture sobre montrait l'image d'un vieux téléphone. Il y avait un seul exemplaire. Elle le glissa dans son sac avec un frémissement, comme si elle le volait. Pas le temps de le commencer maintenant. Elle classa les papiers épars sur son bureau.

La vie vous rend sous une autre forme ce qu'elle vous prend. Hier l'enterrement de grand-père Levenec avait lieu au Tronchet, sans elle : tout un pan de son enfance s'en allait. Le même jour — et, avec le décalage horaire, presque à la même heure — un autre bout de son enfance, lié à grand-père Levenec, surgissait dans sa vie. Simple coïncidence ? Pourquoi arrivait-il souvent que l'on pense à quelqu'un qu'on n'avait pas vu depuis longtemps et que, ce jour-là précisément, on tombe dans la rue sur lui ou que l'on reçoive de ses nouvelles ? Pourquoi les absents se manifestent-ils au moment où notre esprit les convoque ? Elle ne croyait ni au dieu catholique de son enfance, ni au dieu musulman de son mariage, ni aux dieux hindous que tous ici vénéraient, mais à des forces spirituelles qui régissaient le monde — la force du désir, qui faisait arriver les choses ? Le refus de l'oubli ? Comment expliquer autrement qu'un festival qui promettait de n'être qu'un pensum destiné à avancer sa carrière, un casse-tête dont elle se serait bien passée, lui apportât ce cadeau inouï ?

Jean-Michel Guéguéniat.

Elle avait vu sa photo sur la brochure qu'elle avait reçue de Delhi et ne l'avait pas reconnu, de profil, sous cet autre nom. À l'aéroport hier, elle n'avait pas pu attendre ses invités à cause de la catastrophe de l'avion en retard de trois heures qui avait bouleversé tous les plans de la journée. Quand l'ambassadeur était sorti du terminal, elle était partie tout de suite avec lui dans la voiture qui les attendait. La conférence de presse, Dieu merci, s'était déroulée sans anicroche. Rentrée chez elle, elle avait à peine eu le temps d'une tétée avant de se changer pour le dîner de gala. Joseph devait sentir sa tension : il résistait en ne se pressant pas. Il avait même quitté le sein pour la regarder, comme intrigué par cette étrangère nerveuse qui avait pris l'apparence de sa mère. Elle avait eu beau stimuler sa joue, il n'avait pas cédé, nonchalant comme son père et obstiné comme elle, mini-philosophe révolté de dix mois. Elle avait les seins encore gonflés de lait quand le chauffeur l'avait conduite au palais où avait lieu le gala.

Une tâche délicate avait consisté à dresser le plan de table. L'absence de Charlotte Greene laissant une place vide à la gauche de l'ambassadeur et à la droite du cinéaste indien, il avait fallu résoudre le problème de toute urgence. Elle avait demandé à Lakshmi Balasubra Moniam de quitter son mari pour venir combler ce trou. Ainsi l'ambassadeur serait bien entouré : d'un côté la ravissante compagne de M. Weinberg, de l'autre la plus belle des journalistes locales, excellente francophone qui avait passé un an en France grâce à une bourse de l'ambassade et qui enseignait maintenant à l'Alliance française. Elle avait placé Roland Weinberg entre le ministre Shashi Tharoor et la journaliste du *Hindu*. Elle s'était réservé une place entre le cinéaste indien et un écrivain dont elle n'avait jamais entendu parler avant qu'il vienne à Trivandrum, Raphaël Éleuthère. La table ronde d'un large diamètre empêchant les conversations transversales, elle serait tranquille dans son coin. Son cœur se mit à battre un peu plus vite quand elle remarqua la place vide sur sa droite. Personne ne lui avait signalé l'absence d'Éleuthère. Il fallait qu'elle rapproche sa chaise de l'épouse du cinéaste indien qui devait se trouver à côté du Français. Du coup il y aurait deux femmes côte à côte à une table qui n'en comptait que quatre.

L'écrivain surgit alors qu'on apportait les premiers plats. Ses santiags et son jean troué détonnaient parmi ce public d'une extrême élégance. Il s'assit sans la regarder. Il sentait fort le tabac. Elle lui tendit la main.

« Bonjour, je suis Géraldine Legac. »

Il tourna la tête vers elle. Elle resta bouche bée.

Il y a des êtres qui se sont si profondément imprimés en nous qu'on porte à jamais leur empreinte. Et cet homme, Dieu sait qu'elle l'avait contemplé. Elle avait passé des heures à observer son visage, cachée derrière une haie. Il n'avait pas changé. Vieilli, bien sûr. La coupe de cheveux n'était plus la même. À l'époque il avait les cheveux plutôt longs et les attachait parfois en queue-de-cheval. Et un début de barbe. Mais ces yeux, cette bouche, ce regard, ce menton. Jean-Michel Guégueniat. Il lui semblait moins grand, parce qu'elle avait grandi.

Elle l'avait vu pour la dernière fois vingt-cinq ans plus tôt. Il avait une vingtaine d'années, et elle treize ans. Il était l'homme qu'elle avait aimé, vénéré, espionné pendant trois étés de son enfance. Celui pour qui elle avait couvert des feuilles quadrillées de baisers rouges après avoir passé sur sa bouche une couche épaisse du rouge à lèvres de sa mère, en écrivant d'une écriture enfantine, sous l'empreinte de ses lèvres d'enfant : « J'aime Jean-Michel. »

À treize ans, elle avait dépensé tout l'argent gagné en aidant les voisines pour les courses ou de petits travaux domestiques afin d'offrir un cadeau à Jean-Michel : un Zippo exposé dans la vitrine du marchand de tabac du

Tronchet, magnifique briquet argenté gravé de dessins, le plus bel objet et le plus cher qu'elle avait jamais vu. Elle avait demandé au buraliste de l'emballer dans du papier cadeau. « C'est pour ton grand-père ? » Elle avait bredouillé oui en rougissant ; heureusement, il n'avait pas prêté attention à sa réponse. Puis elle avait déposé le paquet dans la boîte aux lettres des parents de Jean-Michel, à l'intérieur d'une enveloppe où elle avait écrit le nom de Jean-Michel de son écriture la plus propre. Pas de mot, pas de signature, rien. Un cadeau anonyme. Elle ne savait pas s'il l'avait reçu. Aux vacances suivantes il n'était pas là. Ni l'été d'après. « Monté à Paris », avait répondu le père Guéguéniat en haussant les épaules, quand le grand-père de Géraldine, pressé par sa petite-fille, lui avait posé la question.

En lisant *Lettre d'une inconnue* de Stefan Zweig, son écrivain préféré, elle avait retrouvé sa propre histoire : celle d'un homme aimé par une petite voisine adolescente et qui ne s'aperçoit même pas de cet amour. Il reste, pour cette jeune fille devenue femme, l'amour de sa vie ; elle réussit même à le rencontrer, à le séduire et à coucher avec lui, car il est un homme à femmes en quête de beauté et de plaisirs. Mais pas un instant il ne suspecte un pareil amour. Elle n'existe pas pour lui. La rencontrant une deuxième fois, il ne la reconnaît même pas. Elle en meurt de chagrin.

Dans la nouvelle de Zweig, l'homme était devenu un écrivain célèbre. Elle n'aurait jamais imaginé que Jean-Michel, disparu sans laisser de traces, avait ressuscité comme écrivain sous un autre nom.

Quand elle avait lu ce livre, Géraldine ne pensait pas qu'elle reverrait jamais Jean-Michel Guéguéniat, mais elle s'était identifiée avec le personnage de la jeune fille, dont elle avait reconnu les sentiments intenses et douloureux. Et voilà que la vie lui apportait sur un plateau le grand amour de son enfance.

Il devait la prendre pour une imbécile, car elle le regardait avec des yeux ronds, incapable d'articuler un mot.

« Vous êtes la directrice de l'Alliance française de Trivandrum ?

— Euh… oui. Vous… vous avez fait bon voyage ? Vous n'êtes pas trop fatigué ?

— Mort. Avec ce décalage horaire, impossible de m'endormir avant quatre heures du matin depuis qu'on a quitté Paris. Et chaque matin il y avait quelque chose, une table ronde, une visite de Delhi, un départ à l'aube.

— Ici vous pourrez vous reposer. Vous verrez, le rythme est très différent du Nord. Les gens prennent leur temps, c'est calme. Et l'hôtel est agréable, n'est-ce pas ?

— Très agréable.

— Je suis contente d'avoir pu vous obtenir le Taj. »

Elle n'allait pas parler d'hôtels, et du climat ? Mais que pouvait-elle lui dire ? « Je sais que vous êtes Jean-Michel Guégéniat » ? S'il avait changé de nom, s'il n'était jamais retourné au Tronchet, il devait y avoir une raison. Elle l'apprendrait peut-être en lisant son livre au titre prometteur, *Tout sur moi.* La boîte était enfin arrivée cet après-midi. Il fallait attendre.

Il lui demanda comment elle s'était retrouvée à Trivandrum. Elle expliqua qu'elle était bretonne, originaire de Saint-Malo, et travaillait comme bibliothécaire à Caen deux ans plus tôt, quand elle avait rencontré un Indien chez sa sœur à Lille. Bretonne ? Elle n'avait pas le type, avec ses cheveux noirs frisés ! Elle répondit qu'elle avait une grand-mère égyptienne. « Donc vous avez l'exotisme dans le sang. » Elle n'y avait jamais pensé, mais c'était vrai : comme sa grand-mère, elle était partie vivre sur un autre continent, à des milliers de kilomètres de chez elle. Elle lui parla d'Imtiaz, né dans une famille de paysans pauvres habitant un village à cinquante kilomètres de Trivandrum. Il était allé à l'école grâce au régime communiste du Kerala, et plus tard, avait trouvé un petit boulot dans une agence de voyage de Trivandrum. Avec ses premiers gains, il s'était payé des cours à l'Alliance française et avait reçu une bourse pour aller en France : c'est ainsi qu'ils s'étaient rencontrés. Jean-Michel était stupéfait d'apprendre qu'elle avait dû se convertir à l'islam pour épouser Imtiaz. Elle lui dit en souriant qu'elle était une musulmane bien peu pratiquante et que cela n'avait rien changé à sa vie : c'était surtout pour ne pas choquer la communauté et ses beaux-parents. Elle se tut quand il se pencha pour écouter Roland Weinberg et Shashi Tharoor qui parlaient de l'Inde et du Pakistan à l'autre bout de la table, heureuse de cette conversation personnelle, la première de longtemps, et soulagée de ne pas avoir laissé échapper une seule allusion au secret qui remplissait son esprit. Lakshmi, la belle journaliste, avait changé de place avec l'Indien de Delhi, plongé dans un aparté avec l'ambassadeur. Géraldine se rappela la rumeur qui courait sur cet ambassadeur ni marié ni divorcé, et comprit qu'il ne fallait pas s'aliéner Jagdish Kapoor. Il n'avait pas l'air d'avoir plus de vingt-cinq ans, mais de toute évidence on l'avait envoyé ici pour évaluer Géraldine : c'est de lui que dépendrait son avancement.

« Salut, Géraldine ! Le gala s'est bien passé ? »

Elle sursauta. Manon avait surgi à l'entrée du bureau, vêtue d'une tunique orange et d'un pantalon noir bouffant. Les vêtements locaux lui seyaient si bien qu'on aurait dit une seconde peau, alors que Géraldine ne pouvait jamais enfiler de tenue indienne sans se sentir déguisée.

« Très bien, merci. Tu as fait la grasse matinée ? »

Le sourire de Manon creusa deux fossettes dans ses joues, et une autre dans son menton. Elle avait un écart entre les dents de devant : « les dents du bonheur ».

« Oui. L'ambassadeur était content ? Ton plan de table, ça allait ?

— Parfait. Dis, Manon, hier tu n'as pas dit au chauffeur de l'Ambassador d'aller directement au Taj de Kovalam. Il a emmené Roland Weinberg, sa compagne et Charlotte Greene au Taj de Trivandrum. Après leur long voyage, c'était malvenu.

— Désolée. Je croyais qu'il le savait. Ah, les livres sont arrivés ! »

Elle s'approcha du bureau et ouvrit le carton.

« Tu pourrais les installer dans la bibliothèque ? Sur une table à l'entrée, bien visibles.

— Je m'en occupe. Il n'y a pas de livre d'Éleuthère ? »

Géraldine tressaillit.

« Pourquoi ?

— J'avais envie de le lire. C'est bizarre qu'il n'y ait aucun de ses deux bouquins. Delhi ne les a pas envoyés ?

— Ils nous ont envoyé ce qui leur restait. Prends-en d'autres. »

Elle jeta un coup d'œil à son sac à main : il était fermé.

« C'est Éleuthère qui m'intéressait. Il est drôlement mignon. Célibataire ?

— Je n'en sais rien, dit froidement Géraldine.
— Il a quoi, quarante berges, un peu plus ? D'habitude je ne suis pas attirée par les mecs plus vieux mais là... Il ne parle pas beaucoup. Il a des yeux verts avec des petits points dorés, tu as remarqué ? »

Elle avait autorisé Manon à lui parler ouvertement malgré leur différence hiérarchique, car les circonstances les avaient forcées à devenir amies, toutes deux francophones en ce pays étranger si éloigné de chez elles, partageant le même lieu et les mêmes soucis six à huit heures par jour. Sa familiarité lui devenait soudain insupportable. Manon avait vingt-trois ans, quinze ans de moins qu'elle. Elle était extrêmement jolie. Entre elles deux Éleuthère n'hésiterait pas un instant.

Mais à quoi pensait-elle ? Elle était mariée, heureuse ! Manon pouvait prendre Éleuthère et en faire ce qu'elle voulait.

« Je me le ferais bien, reprit Manon avec son sourire à fossettes. Six jours, c'est court. On verra. Ça me changerait de mon Somalien.

— Tu peux me lire cet article et me dire s'il y a quelque chose sur l'ambassadeur ? »

Elle lui tendit le journal à la page culturelle, que Manon parcourut rapidement.

« Non. Il annonce juste le festival.

— Tu as appelé le Taj pour vérifier qu'ils préparaient le cocktail pour cent cinquante personnes ? Tu peux envoyer un e-mail de rappel aux invités ? »

Elle avait conscience de lui parler sèchement, alors que Manon travaillait bénévolement et avait même prolongé son stage pour aider au moment du festival. Elle éprouvait le besoin de la remettre à sa place. Manon n'en sembla pas désarçonnée. À la différence de Géraldine elle était à l'aise en toutes circonstances.

« O.K., chef.

— Je m'occupe de Pondichéry et de Trichy mais appelle le collège à Cochin parce que les sœurs ne parlent qu'anglais.

— Pas de problème. »

Géraldine était soudain de très mauvaise humeur. Il lui faudrait sans doute endurer cet après-midi et ce soir le spectacle de Manon flirtant avec Jean-Michel — une humiliation maintes fois vécue à l'adolescence. Le plus sage serait de donner *Tout sur moi* à Manon. De s'en désintéresser.

Manon sortit du bureau. Géraldine alluma l'ordinateur pour consulter ses e-mails. Le téléphone sonna. L'homme au bout du fil se présenta comme le patron du restaurant Casabianca et lui dit en anglais que quelqu'un voulait lui parler.

« Allô ? C'est Charlotte Greene.

— Ah, bonjour ! Géraldine Legac.

— Je suis au restaurant Casabianca : le lieu du déjeuner a changé ? »

Géraldine écarquilla les yeux ; elle avait complètement oublié d'avertir la Française.

« C'est annulé.

— Annulé ? Qu'est-ce que je fais, là ?

— Je vais envoyer le chauffeur vous chercher. Mangez quelque chose en attendant. »

Une demi-heure plus tard la réalisatrice fit son entrée, le nez rouge et l'air maussade.

« Je ne comprends pas qu'on ne m'ait pas prévenue que le déjeuner avait été annulé. Comment est-ce que je pouvais le deviner ? Un taxi m'attendait ce matin à l'hôtel, comme c'était écrit dans le programme. »

Hier le retard de l'avion, aujourd'hui une invitée pas contente. Les problèmes commençaient. Géraldine revit le moment, la veille, où Roland Weinberg l'avait abordée à l'entrée du Taj de Trivandrum pour lui dire que Charlotte Greene se sentait mal. Elle n'avait pas pu s'arrêter un instant à cause de la conférence de presse qui commençait. Ensuite elle n'avait pensé qu'au dîner de gala — et depuis hier soir, à Jean-Michel Guéguéniat.

Mais Jagdish Kapoor accompagnait les Français et logeait au Taj ; c'est lui qui aurait dû prévenir Mme Greene et s'enquérir de sa santé. Elle ne pouvait rien dire. Impossible de se mettre à dos Kapoor.

« Je suis confuse de ce malentendu. Vous allez mieux ? L'ambassadeur a demandé pourquoi vous n'étiez pas là, hier soir. M. Weinberg nous a donné des nouvelles rassurantes. Il a dit que vous aviez vu un médecin à l'hôtel.

— Je me sens beaucoup mieux, merci. J'ai dormi dix heures. Mais cette organisation n'a pas l'air très professionnelle. Il n'y a même pas de numéro de téléphone sur le programme au cas où on a besoin de joindre quelqu'un en cas d'urgence ! »

Géraldine se crispa. « Pas professionnelle » : la mention qu'elle redoutait.

« On a mis les numéros sur une feuille séparée.

— Je ne l'ai pas vue. Il aurait mieux valu les écrire sur le programme. Si le restaurant n'avait pas eu le numéro de l'Alliance française, je serais en train d'errer je ne sais où ! Il est loin, ce restaurant, et les gens ne comprennent pas l'anglais, ici ! »

Charlotte Greene sortit un Kleenex de son sac et se moucha longuement.

« Vous voulez du thé, madame Greene ?

— Oui, merci. »

Se levant pour sortir, Géraldine eut une inspiration.

« Il y a un bel article sur vous dans le journal. Tenez. »

Elle lui tendit la section locale du *Hindu* où se trouvait un entretien réalisé par Internet quand la Française se trouvait encore à New York. Quand elle retourna dans le bureau, elle la vit plongée dans le journal, l'air déjà plus amène.

« Puisque vous êtes là, madame Greene, faisons le point. Cet après-midi il y a la rencontre à l'Alliance. Demain, vous pourrez vous reposer ou faire du tourisme. Vendredi matin, c'est la conférence en anglais au collège Sainte-Thérèse d'Ernakulam. Samedi après-midi vous participez à la table ronde au Taj de Trivandrum, et dimanche à une dernière table ronde avec Raphaël Éleuthère.

— Vous ne montrez pas mon film au festival international de cinéma ?

— Le festival est en anglais, malheureusement...

— J'ai fait une version avec des sous-titres. J'en ai apporté une copie.

— Il n'est pas programmé, c'est trop tard... et ici, on n'a pas de projecteur », répondit Géraldine avec embarras.

Il n'était pas difficile de deviner ce que pensait Charlotte Greene ; pour une directrice d'Alliance française qui invitait une cinéaste à représenter la culture française au Kerala, ce n'était guère professionnel.

« Je vois. C'est où, Erku...lam ?

— Ernakulam ? À Kotchi.

— C'est loin ?

— Non. Une demi-heure d'avion.

— Je reprends l'avion après-demain ?

— On n'est jamais sûr des horaires de train et de la durée des trajets en voiture à cause des embouteillages. Le chauffeur viendra vous chercher à cinq heures…

— Cinq heures du matin ? s'écria la Française.

— Il n'y a qu'un vol, à six heures dix. Même en voiture il faudrait partir à cinq heures.

— Mais pourquoi m'envoyer là-bas ?

— On essaie de rayonner dans tout le Sud. Roland Weinberg va à Chennai, Raphaël Éleuthère à Trichy. Les étudiantes du collège Sainte-Thérèse ont lu Simone de Beauvoir en anglais et sont ravies de rencontrer une Française. On peut annuler, bien sûr. Mais vous leur ferez un grand honneur en acceptant leur invitation. »

La cinéaste poussa un soupir.

« Il n'y a aucun moyen d'éviter ce départ à cinq heures du matin ? Avec le décalage horaire de huit heures et demie, je suis sûre de ne pas dormir de la nuit. »

Géraldine fronça la bouche et réfléchit. L'unique alternative grèverait son budget de deux cents euros supplémentaires.

« Vous pourriez partir demain après-midi en train. Cochin est très touristique mais en cette saison on devrait pouvoir vous trouver une chambre.

— Cochin ? Erna…lukam, c'est à Cochin ?

— Oui. Kotchi comprend Ernakulam, qui est le port industriel et la ville moderne, et la presqu'île de Fort-Cochin, la partie historique.

— Kotchi, c'est Cochin ! Incroyable ! J'ai une amie qui a habité Cochin… »

Elle se tut. Géraldine attendit en silence, étonnée.

« Si je pars le matin, j'aurai le temps de me promener ?

— Vous aurez tout l'après-midi, et nous mettrons un guide à votre disposition. »

Charlotte Greene semblait perdue dans ses pensées. Sa colère était tombée d'un coup, comme le vent breton. Elle releva la tête.

« Je préférerais ne pas avoir de guide.

— Aucun problème. Qu'est-ce que vous souhaitez faire en attendant la rencontre de cet après-midi à l'Alliance ? Vous reposer ici, vous promener ?

— Je peux consulter mes mails ? »

Géraldine comprit qu'elle serait délogée de son bureau.

« Bien sûr. Installez-vous là. »

Au même instant le bruit de moteur s'arrêta. Les pales en bois du ventilateur firent encore quelques tours avant de s'immobiliser.

« Ah, désolée : une panne de courant. Ça arrive souvent.

— L'ordinateur ne marche plus ? Mon jour de chance ! »

Pour la première fois depuis son entrée dans la pièce, la Française sourit. Son regard s'attarda sur les murs jaunes écaillés.

« On dirait que les murs auraient besoin d'un coup de peinture.

— Si vous saviez tout ce dont il y aurait besoin ! Mais l'Alliance fonctionne avec un budget local essentiellement ; il n'y a pas beaucoup d'argent.

— Vous avez de nombreux élèves ?

— Pas mal. Il y a un vrai intérêt pour le français.

— C'est étrange. On est si loin de la France, ici… Beaucoup plus qu'à Delhi. C'est peut-être le fait que les gens ne parlent même pas anglais. Et cette langue, le maya…layam, est si bizarre ! On dirait ce jeu des bébés qui remuent la langue à toute allure dans leur bouche en faisant du bruit. Vous êtes ici depuis longtemps ?

— Deux ans. »

Charlotte Greene semblait se dédoubler. Derrière l'enquiquineuse qui ne cessait de se plaindre apparaissait une femme aimable et curieuse, même si son étonnement à la vue des petites pièces sans climatisation où Géraldine passait sa vie avait quelque chose de dédaigneux. Sandhya entra, portant un plateau avec deux thés masala et des gulab jamun dans leur sirop à la rose qu'elle était allée chercher au restaurant du coin, et sur lesquels la Française jeta un coup d'œil gourmand.

Elles bavardèrent en grignotant les friandises et en buvant leur thé, que Charlotte Greene décréta délicieux. La cinéaste réitéra son étonnement : elle avait une amie très proche, morte depuis peu, qui avait vécu à Cochin. Jusque-là ce nom était resté pour elle un lieu abstrait, uniquement associé à son amie, hors de toute référence géographique. Elle n'avait même pas regardé de carte de l'Inde avant ce voyage. D'où son choc en découvrant qu'Ernakulam, ou « Kotchi », où elle devait aller donner sa conférence, était précisément Cochin, et son émotion à l'idée de mettre les pieds dans une ville où avait vécu son amie. Le pays était si grand qu'une coïncidence pareille ne semblait pas possible. Géraldine hocha la tête, les yeux brillants.

« Parfois la vie vous réserve d'étranges surprises. Comme s'il y avait un destin. »

Elle avait sur le bout de la langue les noms de Jean-Michel Guéguéniat et de Raphaël Éleuthère, qui, comme Ernakulam et Cochin, étaient le même sous deux noms différents. Elle dut presque se mordre la lèvre pour se retenir de parler.

« Vous avez un bébé ? » lui dit Charlotte avec un sourire.

Géraldine vit le regard de la cinéaste sur ses seins et baissa les yeux. Il y avait sur la robe fleurie en coton léger, au niveau du sein gauche, une auréole humide : du lait, coulant sans qu'elle s'en rende compte ! Elle s'était habillée si vite ce matin qu'elle avait oublié de mettre les compresses dans le soutien-gorge.

Charlotte Greene demanda à voir des photos et s'exclama devant la beauté du bébé à la peau mate, aux grands yeux et aux traits fins. Elle lui posa des questions précises sur sa vie quotidienne et fut ébahie d'apprendre qu'elle était la seule Française expatriée de Trivandrum. Géraldine lui dit qu'elle avait dû faire venir de France tout ce dont elle avait besoin pour le bébé : ici il n'y avait rien. Mais elle n'avait pas à se plaindre ; malgré son million d'habitants et son grand nombre d'entreprises informatiques qui faisait d'elle la Silicon Valley du sud de l'Inde, Trivandrum était une ville au rythme paisible, agréable à vivre, très verte.

La Française aussi avait des enfants et parla de ses filles, la cadette aussi joyeuse et casse-cou que l'aînée était timide et peu sûre d'elle. Elle était inquiète pour cette dernière dont la fragilité attirait les déceptions. Elle sentait que sa propre angoisse faisait du mal à sa fille, mais elle n'arrivait pas à couper le cordon ombilical. Ce voyage en Inde — sa première absence de dix jours — leur serait sans doute bénéfique à toutes deux. Géraldine hocha la tête.

« Je comprends. J'ai une petite sœur. On a le même écart que vos filles. Elle a toujours été plus solide que moi. »

Elles devenaient amies. Le ventilateur se remit lentement à tourner.

« Ah, la coupure est finie : je vais pouvoir consulter mes mails.

— Oui. Installez-vous à mon bureau.

— On peut se tutoyer, non ? Aux États-Unis j'ai l'habitude du "you" qui s'adresse à tout le monde. En France le "vous" est bizarre, parfois. » Elle remarqua la caisse sur le bureau. « Ce sont les livres de Weinberg et d'Éleuthère ?

— Oui. Ils viennent d'arriver.

— Je peux prendre celui d'Éleuthère, *Tout sur moi* ? Je le rendrai au chauffeur demain matin. »

Géraldine rougit. Qu'avaient-elles toutes à vouloir lire ce livre-là en particulier ?

« Delhi ne l'a pas envoyé.

— Dommage. »

Charlotte Greene s'installa au bureau pour consulter ses mails et Géraldine partit ; il fallait qu'elle rentre chez elle changer de robe avant la rencontre.

L'appartement était silencieux. Pas de bébé visible ou audible. Pas de poussette non plus : Rosemary avait emmené Joseph se promener. Imtiaz dormait toujours sous la moustiquaire, allongé sur le ventre, comme ce matin quand elle s'était levée. Elle ne l'avait pas entendu rentrer à l'aube. Il s'était glissé dans le lit en faisant moins de bruit qu'un chat. Elle ne savait où il avait effectué sa mission de surveillance la nuit dernière, car il avait signé un accord de confidentialité lui interdisant de le révéler. Sur la commode elle aperçut le ceinturon avec le revolver et haussa les sourcils. Même chargée à blanc, la présence d'une arme chez elle lui faisait peur. Elle ferma la porte sans bruit, s'installa sur le canapé du salon et sortit le mince volume de son sac. Elle l'ouvrit, et ses yeux se posèrent sur la première phrase. « Je hais mon père. »

Elle ne le lut pas. Elle le dévora. Chaque mot évoquait le jeune homme qu'elle avait aimé ; chaque phrase ouvrait la porte de cette maison où elle aurait rêvé d'entrer autrefois et où elle avait passé des dizaines d'heures à imaginer la vie de Jean-Michel. Elle se rappelait à peine ses parents : le père bedonnant travaillait à la ferme ; la mère, dont elle ne gardait aucun souvenir, était une fille de la ville ; il y avait une sœur, plus jeune de trois ans. M. et Mme Tout-le-Monde. Et derrière leur porte se passait ce qui devait se passer dans bien des maisons. Le père souriant au-dehors, aimable avec les autres, tabassait femme et enfants. Pour un rien il levait le bras. Vlan, une taloche. Pure démonstration de son pouvoir. Il épargnait sa fille, mais les coups pleuvaient sur son fils et sa femme. Sur son fils surtout qui, tout jeune, osa tenter de défendre sa mère. Raphaël Éleuthère racontait une succession de scènes sans un commentaire. On était plongé dans l'atmosphère de son enfance, la salle où un petit garçon faisait ses devoirs sur la table couverte d'une toile cirée pendant que sa mère préparait le dîner et que sa sœur jouait avec une poupée Barbie à côté de lui. Puis la porte d'entrée s'ouvrait et se refermait dans un claquement. La mère et le fils se crispaient. On ne savait jamais quand les coups tomberaient. Parfois le père était de bonne humeur, débonnaire. Il décapsulait une bière. Il pouvait tendre la main et simplement caresser les cheveux. Les yeux du petit garçon se fermaient de peur. Parfois le père félicitait Jean-Michel pour une bonne note, se retournait et, bang ! juste pour rire, une tape qui assommait le gamin. Un coup de pied au cul qui l'envoyait valser contre le mur. Pendant dix ans l'enfant avait vécu dans la terreur ; cette terreur s'infiltrait maintenant dans les veines de Géraldine et la faisait frémir. Elle se mit à pleurer à l'idée qu'on pût exercer une telle cruauté à l'égard d'un enfant. Elle pensait aussi à Sandhya, à tout ce que ses grands yeux tristes ne révélaient pas. Elle avait quitté le mari qui la frappait, mais comment la traitaient son père et ses frères ? Comme une esclave. Géraldine, elle, n'avait jamais connu de violence physique ou verbale. La seule violence de sa vie avait été la perte : de son père, puis de Pierre. Et la douleur de Jean-Michel enfant la replongea dans cette autre douleur, celle du départ de Pierre, la violence de ce départ incompréhensible.

Elle poursuivit sa lecture et ses yeux s'écarquillèrent d'horreur. Un jour le père de Jean-Michel avait cessé de frapper son fils et sa femme. Il avait trouvé une nouvelle proie. Jeanne avait eu onze ans et les premières coulées de sang. Le père s'était avisé de réclamer son bien. Il l'avait fabriquée. Ce corps, ces bras ronds, ces seins, ce pubis qui se couvrait de petits poils bruns lui appartenaient : il le ferait comprendre très vite à toute la famille. Aucun des quatre, liés par le secret, ne trahirait ce qui se passait la nuit dans la maison des Guéguéniat. Et il y avait cette autre nuit, où la mère — qui buvait — avait fui le lit conjugal déserté par son mari pour se réfugier auprès de son petit garçon, de son fils chéri de quatorze ans, et se glisser dans son lit, le corps tremblant, le suppliant de ne pas l'abandonner. Sa main, tel un serpent, s'était allongée pour venir toucher l'organe recroquevillé sous les draps, tandis que le cœur de Jean-Michel battait à se rompre, stupéfait de ce premier contact avec des doigts autres que les siens et de la montée de sang qui l'accompagnait : dans la main de sa mère, il bandait.

« Tu n'es pas à l'Alliance ? »

La voix d'Imtiaz la fit sursauter ; le livre tomba de ses genoux. Elle se pencha et le ramassa à toute allure pour qu'il ne voie pas le nom et le titre.

« Quelle heure est-il ?

— Quatre heures moins vingt.

— Non ! »

Elle se leva d'un bond tandis que la porte d'entrée s'ouvrait et que Rosemary entrait avec la poussette, où un petit Joseph parfaitement éveillé poussa des cris en apercevant sa mère.

« Imtiaz, tu peux t'occuper de Joseph ? Je n'ai pas vu l'heure ! Je vais être en retard !

— Vas-y. Dès que tu seras partie, il se calmera. »

Joseph hurlait, cherchant à s'arracher à la poussette, et de grosses larmes de fureur roulaient sur ses joues. Il criait : « Mamamamamama ! » Imtiaz posa quelques questions en malayalam à Rosemary, qui confirma que le bébé avait été gai et souriant jusqu'à ce qu'il voie sa mère. Dans la chambre, Géraldine ôta à toute allure sa robe fleurie salie par la coulée de lait et attrapa dans son placard la première robe qui lui tomba sous la main. Ravi l'attendait dans la voiture, la main sur la clef de contact, prêt à partir.

À son soulagement elle vit, en entrant à l'Alliance, que la bibliothèque était pleine de monde. Il y avait au moins cinquante personnes. Pas une chaise de vide. Quelques étudiants étaient assis par terre en lotus. Les écrivains étaient déjà assis à la table. Seul manquait Éleuthère. Sandhya s'affairait, posant des verres propres et de petites bouteilles d'eau minérale devant chacun des participants. Où était Manon ? Géraldine eut un soupçon et se tourna vers la porte vitrée donnant sur une courette. Éleuthère s'y trouvait, une cigarette à la main, avec Jagdish et sans Manon, que Géraldine vit entrer par la porte opposée. Sandhya leva la tête.

« Te voilà ! J'étais inquiète.

— Désolée. Je me suis endormie. »

Elle regarda dans la direction d'Éleuthère, assis à la droite de Charlotte Greene. Au même moment il leva la tête et leurs regards se croisèrent. Il inclina le menton avec un sourire, et elle ne put s'empêcher de rougir. Maintenant qu'elle avait lu les deux tiers de son livre, il serait encore plus dur de traverser ces six jours. Elle souhaita ardemment la fin du festival et de ce trouble

N'étant pas très douée pour l'improvisation, même en français, elle avait préparé un petit discours rédigé avec l'aide de Manon, qui avait fait des recherches sur Wikipédia. Elle put ainsi présenter chacun d'eux en énumérant leurs œuvres et en ânonnant leurs succès comme une directrice d'école le jour de la remise des prix. Elle se tut et la discussion commença.

Une jeune femme à la peau café au lait et aux cheveux frisés courts, qui n'était pas indienne, leva la main. Dans un français sans faute, elle s'adressa à Raphaël Éleuthère.

Elle avait lu son livre et le trouvait parfaitement déprimant. Il réglait ses comptes avec ses parents, mais pourquoi le faire de façon aussi obscène ? Pensait-il que seule la sexualité intéressait les lecteurs ? Pourquoi décrire sa première éjaculation en des termes aussi précis ? Elle avait apporté le livre et l'ouvrit à une page cornée. Elle lut quelques lignes où il était question de filaments blancs et visqueux entre ses doigts.

« Pour vous, c'est de la littérature ? »

Géraldine était très gênée. La plupart des étudiants de l'Alliance, quelle que soit leur religion, devaient être profondément choqués. Quant à Éleuthère, une telle attaque en un lieu où on l'avait invité le scandalisait sûrement. Elle tourna vers Manon et Sandhya un regard effaré auquel elles répondirent par une moue pleine de sympathie. Les jambes croisées, le menton dans sa paume, le coude appuyé sur le bras de son fauteuil, les yeux plissés, Éleuthère regardait la femme d'un air que Géraldine n'aurait su qualifier : sceptique, peut-être ? Il répondit calmement, d'une voix traînante et nasillarde comme celle d'un acteur dans un vieux film :

« Personne ne vous oblige à me lire, chère madame. »

La femme revint à la charge : en quoi ses premières éjaculations et ses misérables secrets familiaux intéressaient-ils le lecteur ? Pourquoi n'y avait-il pas un seul message positif, quelque chose qui donne de l'espoir aux personnes qui dépensaient douze euros pour acheter ce livre ? Se rendait-il compte qu'avec douze euros, en Inde, une famille entière pouvait manger pendant un mois ?

On s'enferrait. Géraldine transpirait abondamment. Weinberg demanda le micro. Avec une éloquence d'une remarquable élégance, il éleva le débat et réconcilia tout le monde en posant ces questions : pourquoi et pour qui écrit-on ? Les deux écrivains s'accordaient sur le fait qu'ils ne pensaient pas à leur lecteur futur mais cherchaient à atteindre une certaine vérité. Pour Éleuthère, la littérature commençait là où s'arrêtait le film. Charlotte Greene pensait qu'il y avait une écriture cinématographique comme une écriture littéraire. Jamais la petite Alliance française de Trivandrum n'avait été aussi vibrante de pensée et de créativité. On en oubliait la chaleur, et les bras ne remuaient plus de livres en guise d'éventails. Ils se décochaient comme des flèches pour poser des questions dès qu'un auteur se taisait. Géraldine dut se lever et intervenir ; il était dix-huit heures, on continuerait la discussion autour d'un verre de jus de fruit. Les applaudissements crépitèrent longtemps. Puis les étudiants se levèrent et se pressèrent autour de la table où étaient exposés les livres. Ils étaient nombreux à réclamer *Tout sur moi* et déçus d'apprendre que ce récit scandaleux n'était pas parvenu jusque chez eux. Géraldine chercha du regard Éleuthère, qui avait déjà quitté la table, pour aller fumer sans doute. Elle voulait s'excuser pour les questions épineuses posées au début du débat. Avant qu'elle ait pu s'éloigner, Roland Weinberg s'approcha d'elle.

« Ma chère Géraldine, bravo. Je suis ébahi de voir que la culture française passionne les gens au Kerala.

— Merci, Roland. Vous nous avez sauvés tout à l'heure.

— De cette dingue ? Elle ne lâchait pas ce pauvre Éleuthère !

— Je ne l'ai jamais vue ici. Une touriste de passage, peut-être. »

Ils marchèrent ensemble jusqu'à la table au fond de la bibliothèque où, grâce à Sandhya, des gobelets en plastique et des bouteilles de jus de fruits exotiques avaient fait leur apparition, attendant les auditeurs qui avaient eu chaud dans la bibliothèque pauvrement ventilée. Tout en servant un verre à Roland Weinberg, Géraldine aperçut Raphaël Éleuthère dans la courette. Devant lui se trouvait la silhouette en pantalon noir et tunique orange. Manon tenait à la main une cigarette roulée par Éleuthère. Depuis quand fumait-elle ? Et que lui racontait-elle pour qu'il rie ainsi ? Ses premières masturbations ? Géraldine était parfois stupéfaite de la crudité de Manon, qui donnait ingénument les détails les plus graphiques sur l'anatomie de ses amants — seulement des Africains, car les Indiens, selon elle, manquaient de virilité. Roland Weinberg lui parlait d'un voyage en Inde autrefois. Géraldine profita du premier silence pour l'interrompre.

« Le chauffeur va vous raccompagner à l'hôtel. Vous aurez le temps de vous reposer avant le dîner, qui est à neuf heures. »

Sans attendre la réponse, elle se détourna et marcha jusqu'à la porte de la courette.

« Raphaël ? Le chauffeur vous attend.

— Je vous verrai tout à l'heure, dit Manon à Raphaël avec un sourire. Je viens au dîner.

— Ah, tant mieux. »

Géraldine regretta d'avoir convié Manon à la soirée. Mais il fallait bien la remercier pour son aide. Il était difficile de la désinviter maintenant.

Dans la voiture qui la ramenait chez elle, elle ferma les yeux. Ses pensées se bousculaient en tourbillon. La première chose à faire, c'était de retrouver la routine : son rôle de mère. Il fallait allaiter calmement Joseph. Si elle était pressée et distraite comme hier, il ne voudrait pas d'elle. Elle avait infiniment plus de raisons qu'hier d'être tendue. Mais elle avait besoin de lui dans les jours à venir autant qu'il avait besoin d'elle, besoin de cette bouche pompant le bout de ses seins et lui assurant sur la Terre une place stable.

Rosemary lui donnait son bain. Dès qu'elle entra dans la salle de bains, le bébé passa du rire aux larmes et leva les deux bras vers sa mère, qui s'accroupit au bord de la bassine et le couvrit de baisers. La jeune fille lui dit quelque chose en malayalam, que Géraldine ne comprit pas. Rosemary prit sous les aisselles le bébé ruisselant et montra à sa mère les fesses rouges. Un érythème fessier.

Assise sur le canapé du salon, Géraldine contemplait son gros bébé propre aux cheveux humides qui tétait énergiquement, les fesses enduites de crème, nu pour aérer les zones irritées. Du ventilateur au-dessus de leurs têtes provenait une brise presque fraîche en cette heure où tombait enfin de quelques degrés la brûlante température du jour. Quand Rosemary appuya sur l'interrupteur et que l'étoile en dentelle rose suspendue au plafond se mit à briller, Joseph quitta un instant le sein pour la regarder et sourit joyeusement avant de produire un drôle de grognement vorace et de happer la pointe du sein, comme s'il jouait. Géraldine rit. Tout en contemplant la pièce qu'elle avait installée peu à peu à la française malgré la difficulté de trouver ici de jolis meubles, elle tenta d'analyser son trouble. Ce n'était pas juste la surprise de retrouver vingt-cinq ans après son amour d'enfance. La torturait la certitude que Manon allait s'emparer de lui sous ses yeux. La jalousie était un poison plus puissant que l'amour — ou le souvenir de l'amour. Cette gamine lui arracherait sans même en avoir conscience quelque chose en elle à quoi personne n'avait touché.

Puisque le silence avait préservé les sentiments vivants comme dans de la glace, elle devait parler. Cet amour d'enfance était un fantasme qui, au contact du réel — du rire de Jean-Michel, qui se moquerait sûrement d'elle —, se dégonflerait comme un ballon crevé. Elle devait trouver un moment ce soir, car le lendemain il ferait du tourisme et le surlendemain serait le grand jour, avec le débat au Taj. Pour cela, il fallait l'écarter de Manon. Un prétexte professionnel préserverait sa dignité.

« *Madam... ?* »

Elle sursauta et ouvrit les yeux. Elle avait dormi ; l'étoile éclairait d'une lueur rose la pièce plongée dans la pénombre. Joseph aussi s'était endormi, la bouche laiteuse près de son sein nu. Rosemary la regardait, debout à l'entrée de la pièce. Huit heures ! Elle confia le bébé à la jeune fille. Ses seins s'étaient vidés de lait, elle était reposée après cette petite heure de sieste : sa vie revenait sous contrôle. Elle frémit en s'accroupissant sous le jet froid de la douche. Devant l'armoire, elle hésita entre ses robes avant de choisir le long fourreau rouge orangé qu'elle avait fait couper par un tailleur local dans une soie moirée de sari. Elle laissa la masse de ses cheveux tomber sur ses épaules, passa un trait sur ses paupières et mit ses escarpins.

Ravi était assis sur son siège, la portière ouverte, en train de manger un nan et un curry de légumes dans une boîte en plastique. En quelques secondes il essuya ses doigts et démarra la voiture. Pendant le trajet jusqu'à Kovalam, Géraldine révisa le curriculum vitae des personnalités présentes en lisant à l'aide d'une lampe de poche des notes établies par Sandhya. On attendait ce soir quatre-vingt-dix personnes : tout le gratin de Trivandrum.

Ravi la laissa devant les jardins. Elle marcha sur le sentier de sable rouge entre le golf et le lac, jusqu'au restaurant The Beach. On entendait la mer sans la voir. Des spots éclairaient la pelouse où les tables rondes recouvertes de nappes pourpres et les chaises aux housses de velours violet avaient l'air d'un décor de théâtre. Les serveurs s'affairaient auprès du buffet. Sandhya soulevait le couvercle des grands plats argentés et leur parlait en malayalam. En la voyant dans son sari de fête rose fuchsia, Géraldine se rendit compte que l'Indienne sombre, petite et maigre, aux cheveux toujours nattés en une tresse épaisse et aux yeux cachés derrière des lunettes, n'avait que trente-deux ans et qu'elle était jolie. Elle la complimenta et lui proposa à nouveau de rester dîner.

« Merci, mais je suis fatiguée. Tu es splendide, Géraldine. »

Elle n'insista pas, devinant la véritable raison. Même si on ne tenait officiellement plus compte des castes dans le Kerala, Sandhya ne se serait pas sentie à l'aise parmi ses compatriotes, et elle n'avait pas l'habitude de manger avec une fourchette.

Les invités arrivaient, femmes en superbe sari de fête, hommes en tunique traditionnelle parfaitement repassée. Elle les accueillait un à un, cherchant à se rappeler qui ils étaient et reproduisant maladroitement les phrases rédigées par Sandhya et Manon. Que ses interlocuteurs comprennent ou non son anglais déformé par l'accent français, ils souriaient avec la même courtoisie. Les Français n'étaient pas arrivés. Elle vit enfin s'avancer Weinberg, très élégant dans son costume de lin blanc, et sa compagne plus grande que lui, dans une robe noire moulante très parisienne qui dégageait ses longues jambes et ses genoux — un spectacle impudique pour les Indiens. Charlotte Greene les suivait. Au bout de l'allée apparut le couple qu'elle guettait.

« Manon ! »

La jeune fille la rejoignit, tout sourire.

« J'aurais besoin de ton aide comme hôtesse. Tu peux vérifier que tout le monde a à boire et que tout est en place ? J'oubliais : j'ai reçu un coup de fil du directeur de l'Alliance de Trichy ; j'ai un travail à faire avec Raphaël Éleuthère. Il faut que je dîne avec lui.

— Tu veux que je m'en charge ? »

Géraldine sourit calmement, alors même que l'irritation la gagnait.

« Tu es gentille, mais je vais m'en occuper moi-même. »

Géraldine se tourna pour accueillir une journaliste du *Hindu*.

Sur les quatre-vingt-dix invités, il n'y avait qu'une quarantaine de personnes présentes. Sandhya s'était éclipsée discrètement sans manger, alors qu'elle aurait pu rapporter un dîner à toute sa famille.

Raphaël Éleuthère fumait à l'écart, tourné vers la mer invisible. Pour se donner du courage, elle attrapa un verre de vin blanc sur un plateau que faisait circuler un serveur, avalant d'un trait l'alcool frais. Elle n'en avait pas bu depuis presque deux ans et le vin lui monta à la tête. Étourdie, elle marcha jusqu'à lui d'un pas mal assuré. Sa voix résonna fort à ses propres oreilles.

« Bonsoir Raphaël. Vous vous êtes reposé ?

— Oui, merci. »

Il se tut. Géraldine sentit une rougeur lui monter aux joues. Elle avait espéré qu'Éleuthère lui manifesterait un quelconque intérêt après leur conversation de la veille. De toute évidence il n'en avait plus que pour Manon. L'intervention de Géraldine, qui l'avait éloignée, avait dû l'agacer. Pourquoi lui parler ce soir ? Jean-Michel Guéguéniat n'existait plus, sauf dans son livre, qu'elle n'avait même pas terminé.

« Je vous ai dérangé ? Vous étiez… en train de réfléchir… à un nouveau livre ?

— Non. Je pensais à ce que vient de me raconter Manon. Elle a vécu quelques aventures qui m'ont fait frémir. Je dois être rétro mais si j'avais une fille de vingt ans, je ne la laisserais pas voyager seule en Inde. Ses parents ne sont pas prudents. »

Quelque chose dans le ton de Raphaël rassura Géraldine. Elle sentit instinctivement que Manon était trop jeune pour l'intéresser sexuellement.

« Vous n'avez pas d'enfants ?

— Non.

— Excusez-moi, il faut que j'aille m'occuper des invités et m'assurer que tout le monde est bien installé. Vous me gardez une place à côté de vous ? J'ai quelques questions à vous poser… pour la conférence à Trichy après-demain.

— Vous allez me faire encore travailler ?

— Oh, non ! Mais…

— Allez-y, je vous garde une place. Ce rouge vous va très bien, Géraldine. »

Troublée, elle alla saluer quelques Indiens qu'elle n'avait

pas encore vus, des professeurs, un directeur d'hôtel, quelques chefs d'entreprise, accompagnés de leurs épouses portant d'éblouissants saris brodés de fils d'or. Les Indiens et les Français ne se mélangeaient guère. Weinberg et sa compagne, Charlotte Greene, Jagdish et Manon s'étaient tous assis à une table. Il ne restait qu'une place. Éleuthère se rappellerait-il sa promesse ? Promesse était un bien grand mot. Il était libre de s'asseoir où il le souhaitait.

Les invités faisaient la queue au buffet. Des insectes voltigeaient dans l'éclat des lampes éclairant les longues tables où les plats argentés contenaient non seulement des currys et ragoûts kéralais, mais aussi des plats français comme du bœuf bourguignon. Les serveurs commençaient à débarrasser les verres et les assiettes des nombreuses tables restées vides. Éleuthère traversait la pelouse en direction du buffet. Un vieillard à longue barbe blanche en tenue traditionnelle aborda Géraldine, si petit et parlant si bas qu'elle dut se pencher pour l'entendre. La voix de Jagdish dans son dos couvrit celle du vieux monsieur.

« Raphaël ! On t'a gardé une place. »

Elle banda ses forces pour résister à l'impulsion de regarder derrière elle. Les joues écarlates, elle sourit au vieux traducteur. Il s'éloigna enfin, et elle se retourna lentement. Éleuthère ne s'était pas assis là-bas. Manon, penchée vers Jagdish, semblait lui expliquer pourquoi. Géraldine inspira l'air profondément. Elle était sauvée. Ou perdue, c'est selon. Raphaël arrivait vers elle, portant une assiette remplie.

« Ici ? »

Il désigna une table vide à l'écart, où il restait des verres et des couverts. Il aurait mieux valu s'asseoir avec quelques convives indiens pour se faire moins remarquer, mais le plaisir de dîner en tête à tête l'emporta sur la discrétion. Elle alla se servir au buffet tandis qu'il demandait à un serveur une bouteille de vin. Elle revint s'asseoir près de lui. Il lui proposa du vin rouge. Elle secoua la tête.

Comment commencer ? Elle l'avait délibérément induit en erreur en lui faisant croire qu'elle devait parler travail avec lui. Il aurait mieux valu être à table avec les autres, glisser une phrase en passant et voir s'il l'entendait. Il finit son verre de vin rouge et s'en resservit un autre. Visiblement, il attendait. Elle s'était jetée dans une impasse. Ils mangeaient, étrangement silencieux. Il devait regretter d'être assis seul avec elle, qui avait si peu de conversation. Dans son esprit vide s'inscrivirent des vers, comme tracés par une baguette sur du sable mouillé. Elle les murmura à mi-voix :

Je sais les cieux crevant en éclairs, et les trombes
Et les ressacs et les courants : je sais le soir,

Il haussa un sourcil et poursuivit de la même voix basse :

L'Aube exaltée ainsi qu'un peuple de colombes
Et j'ai vu quelquefois ce que l'homme a cru voir !

Il sourit.

« Vous aimez Rimbaud. »

Elle hocha la tête, la langue figée par la peur du faux pas. Il se souleva pour extraire de la poche arrière de son jean un petit livre blanc qui ne prenait pas plus de place qu'un portefeuille. Sur la couverture il y avait le dessin d'une figure de jeune homme, et au-dessus, en grosses lettres rouges, Arthur Rimbaud, puis en lettres noires : *Œuvres complètes.* Préface de Jean d'Ormesson de l'Académie française.

« Il ne me quitte pas, reprit Éleuthère.

— Les œuvres complètes, dans un si petit livre ?

— Il n'en a pas non plus écrit des tonnes. La collection Bouquins a créé ce livre pour son trentième anniversaire — et pour mon quarante-cinquième, l'an dernier. Le plus beau cadeau qu'ils pouvaient me faire. J'ai survécu grâce à Rimbaud, Géraldine. Certains portent une médaille, un talisman. J'ai ses œuvres sur moi, toujours. »

Elle hocha la tête. Comme la veille au dîner de gala, il s'adressait à elle avec amitié et confiance, alors qu'il n'était clairement pas un bavard. Il sentait sans doute son attention bienveillante. Mais il y avait quelque chose qu'il ne savait pas et qu'elle devait lui dire. Elle se lança.

« Moi, c'est grâce à vous que je connais Rimbaud. »

Il fronça les sourcils.

« Comment ? Je ne parle pas de Rimbaud dans mes livres.

— Mon grand-père est d'Ar Granneg. » Le nom était sorti de sa bouche en breton. Ce nom d'Ar Granneg qu'elle n'avait pas prononcé depuis si longtemps restitua soudain la ferme des voisins, le chemin dans la campagne bordé de hautes herbes penchées par le vent, les bosquets vert vif lavés par la pluie, les buissons argentés derrière lesquels elle observait Jean-Michel déclamant Rimbaud sous son arbre, le dos très droit. « Je vous ai reconnu hier soir. Vous êtes Jean-Michel Guéguéniat.

— Et alors ? »

Le coude sur la table, il pressait sa lèvre inférieure entre deux doigts. Il y avait un éclat dur dans ses yeux verts, comme si elle l'accusait d'être un criminel se masquant sous une fausse identité. Un tel malentendu n'était pas possible. Il décroisa les jambes, prit le livre et recula sa chaise. Il allait se lever et partir.

« Vous vous rappelez le Zippo ?

— Le quoi ?

— Le Zippo argenté, un cadeau anonyme, dans un papier marron.

— Je ne sais pas de quoi vous parlez. Si vous m'avez lu, vous comprenez qu'Ar Granneg est un lieu que je n'ai aucun plaisir à entendre mentionner.

— Je devais vous le dire. J'avais l'impression de vous mentir.

— Vous avez besoin de transparence, c'est ça ? Une bonne petite catholique. »

Elle ne répondit pas, le cerveau vide. Voilà, c'était dit. Maintenant il allait rejoindre la table des Français et elle allait reprendre ses devoirs d'hôtesse. C'était fini.

« Comment s'appelle votre grand-père ? reprit-il d'une voix moins hostile.

— Joseph Levenec.

— Levenec… La longère d'à côté ? Vous êtes la petite du pêcheur disparu en mer ?

— Mon père n'était pas pêcheur. Mais il s'est noyé quand j'avais sept ans, oui.

— Tous les Bretons ne sont pas pêcheurs, c'est vrai. J'ai dû apprendre qu'il était mort noyé et en déduire qu'il était pêcheur. J'aurais rêvé que ça arrive à mon père : qu'il se noie, qu'il disparaisse en mer. »

Il vit Géraldine se crisper.

« Excusez-moi. Pour vous ça a dû être très triste, évidemment. »

Il la regardait sans sourire, et pour la première fois il y avait dans son visage une sorte de bonté, qui donna à Géraldine l'envie de raconter.

« Oh oui. Un soir de tempête, à la fin de l'été, on allait se mettre à table quand le téléphone a sonné. Ma mère a répondu. Son visage a changé. Elle a attrapé son imperméable, elle m'a dit de garder ma sœur et de l'attendre : elle devait aller sur le Sillon. C'est la promenade le long de la mer, à Saint-Malo. »

Il hocha la tête.

« Je connais.

— On a attendu longtemps et elle ne revenait pas. On avait faim. J'ai mis ses bottes et son ciré à ma sœur, j'ai pris les miens et on est sorties. Il pleuvait si fort qu'on n'y voyait rien. On habitait à un quart d'heure du Sillon à peu près, plus pour nos jambes, surtout pour ma sœur qui avait trois ans et demi. Je ne sais pas comment j'ai fait pour trouver le chemin toute seule. Il y avait un attroupement devant un hôtel et la voiture des pompiers. Ma mère était là. J'ai couru vers elle et je me suis pris la pire raclée de ma vie. C'est tout ce que je me rappelle du soir où mon père est mort : cette raclée. Ma mère ne nous frappait jamais et ne criait pas sur nous. Là, elle m'a secouée comme un prunier, elle m'a tapée de toutes ses forces et elle a hurlé comme une folle : "Qu'est-ce que vous faites là ? Tu m'as désobéi ! Je t'avais dit de rester avec ta sœur et d'attendre !" J'ai eu horriblement peur. J'étais tellement surprise que je n'ai même pas pleuré. Il paraît qu'une dame qui avait une maison sur le Sillon nous a emmenées chez elle et nous a nourries, mais je n'en ai aucun souvenir : je ne me rappelle rien après le moment où ma mère a hurlé et m'a frappée…

— Qu'est-ce qui est arrivé à ton père ? »

Son émotion devait être communicative ; il la tutoyait sans même s'en rendre compte. Elle évoquait si rarement ce soir-là que son corps, trente ans après, était pris d'un tremblement qu'elle avait du mal à contrôler. Elle n'était pas poète, elle ne trouvait pas les mots qui auraient restitué l'exactitude de ses impressions d'enfant, les bottes et le ciré qu'elle avait enfilés à sa sœur en attachant elle-même les boutons, la main de Marion qu'elle tenait fermement, en grande fille responsable, attentive à traverser seulement aux passages piétonniers comme on le lui avait appris, la pluie si violente et le vent si puissant qu'elle avait peur que la petite s'envole, sa fierté de ne pas s'être perdue quand elle avait vu apparaître la mer et les énormes vagues entre les maisons, et puis le visage de sa mère, ses cheveux ruisselants, ses yeux de folle, sa bouche déformée par la colère, sa voix éraillée, son hurlement de sorcière... Ce soir-là le monde avait basculé.

« Mon père était gérant d'une supérette à Rochebonne. En sortant du boulot il est sans doute passé voir la tempête. Des touristes imprudents s'étaient approchés du bord de la digue. Leur enfant était tombé. Quand il était plus jeune, mon père travaillait l'été comme maître nageur. Il a ôté son K-Way et il a plongé. Il a réussi à récupérer l'enfant et à atteindre l'escalier. Il l'a sauvé. Mais les vagues l'ont emporté.

— Un héros.

— Le maire de Saint-Malo lui a octroyé une médaille posthume de bravoure. Je ne sais pas si je suis fière de lui. Il n'a pas réfléchi, il a suivi son instinct. Il nous a laissées, ma mère, ma sœur et moi. »

Éleuthère sortit le papier à cigarettes et le tabac de la poche de sa chemise violette, et roula une cigarette qu'il lui proposa. Elle l'accepta. Il l'alluma pour elle. Puis il se roula une cigarette et se servit un autre verre de vin. La bouteille était presque vide.

Au point où elle en était, elle pouvait tout dire.

« Je ne voulais pas être indiscrète, Raphaël. J'ai compris pourquoi vous aviez changé d'identité en lisant votre livre. Mais je vous ai aimé autrefois. Je passais toutes les vacances chez mon grand-père. Je suis tombée amoureuse de vous quand j'avais dix ans, dit-elle avec un sourire pour atténuer le sérieux naïf de sa confession. Vous ne le savez pas, mais au Tronchet, trois étés de suite et pendant les vacances de Pâques, il y avait une gamine qui vous suivait. Je me cachais derrière les haies et les arbres. J'ai passé des heures à vous épier. Je vous ai entendu réciter Rimbaud. Rimbaud vous a sauvé, il m'a sauvée aussi. Le Zippo que vous avez oublié, c'est un cadeau que je vous avais fait avec l'argent que j'avais gagné. Juste après, vous avez disparu. J'ai cru que c'était ma faute. »

Il ne rit pas à l'évocation de ces amours enfantines mais tendit le bras et lui prit la main sur la table et la serra.

Je me suis enfui. Ô sorcières, ô misère, ô haine, c'est à vous que mon trésor a été confié !

Il se leva brusquement et quitta la table, marchant vers la mer à grandes enjambées. Un maître d'hôtel s'approcha respectueusement. Il voulait savoir si l'on pouvait apporter les desserts. Elle regarda sa montre. Onze heures moins vingt ! Le vieillard de tout à l'heure trottait vers elle pour lui dire au revoir. Elle se tourna vers les tables, animées, colorées par les saris multicolores sous les lampes électriques du restaurant dans le noir de la nuit : une belle soirée, gaie, même s'il y avait moitié moins de monde que prévu. Un photographe prenait des photos. Il lui fallait poursuivre son travail d'hôtesse. De la table des Français montaient des éclats de rire. Roland Weinberg racontait une histoire. Manon et Jagdish avaient le visage hilare. Charlotte Greene n'était plus à table. Géraldine la vit un peu plus loin, près de la table des desserts, en train de parler avec un cinéaste indien.

Elle avait une sensation d'extraordinaire succès, comme après avoir réussi un concours. Elle s'était rarement sentie aussi forte et vibrante de vie. Elle venait de livrer ce qu'elle avait de plus intime à un étranger qui avait reçu avec délicatesse ce secret aussi fragile qu'un vase en verre soufflé.

Ils ne se reparlèrent pas. Après avoir fumé une cigarette en solitaire, Raphaël alla s'asseoir à la table des Français, tandis qu'elle saluait les invités qui partaient, passant de table en table et s'asseyant parfois. Il fut bientôt onze heures et demie. La soirée s'achevait. Les serveurs avaient débarrassé le buffet. Manon fut rejointe par quelques amis qui venaient d'arriver. Géraldine les reconnut : c'étaient des amis d'Imtiaz, des guitaristes qu'il avait présentés à Manon. Les cadavres de bouteilles bues par les Français s'accumulaient sur la table et les rires ne cessaient de fuser. La compagne de Roland Weinberg se leva la première pour rentrer à l'hôtel. Roland n'ayant pas envie de quitter une tablée si joyeuse, Charlotte Greene proposa à l'Italienne de l'accompagner. Il était minuit et demi et tout le monde était parti, sauf les Français. Weinberg échangeait des blagues avec Jagdish. Géraldine s'assit à leur table à côté d'Éleuthère, qui parlait avec Manon. Elle n'était plus jalouse.

Vers une heure, ils se levèrent. Le restaurant fermait. Les guitaristes rentraient sur Trivandrum à moto et emmenèrent Manon. Le groupe s'éloigna bruyamment. Roland titubait.

« Où est Raphaël ? demanda-t-il.

— Parti, je crois, répondit Jagdish.

— Sans doute. Notre beau ténébreux n'est pas du genre à dire au revoir. Géraldine, on y va ?

— Ne m'attendez pas. Je dois régler quelques détails avec le restaurant. Jagdish, vous raccompagnez Roland ? »

Weinberg rit.

« Vous pensez que je suis saoul ? »

Elle les embrassa sur la joue et marcha vers le restaurant. Elle n'avait rien à régler. Juste l'envie d'être seule un instant. Et une intuition qu'il aurait mieux valu ne pas confirmer. Elle escalada les grosses pierres du talus surplombant la plage. Habituée aux lampes du restaurant, elle ne pouvait rien voir dans le noir, sinon un point brillant, indubitablement le bout brûlant d'une cigarette, trop éloignée pour que l'odeur lui en parvienne.

« Raphaël ? demanda-t-elle à mi-voix.

— Venez. »

Elle descendit le talus et s'avança sur la plage, ses talons pointus s'enfonçant dans le sable. Ses yeux s'accoutumèrent à l'obscurité et elle distingua sa silhouette devant la mer, les bras autour de ses genoux, une cigarette aux lèvres.

Elle s'agenouilla sur le sable près de lui. Ils écoutèrent le bruit régulier des vagues.

La mer dont le sanglot faisait mon roulis doux
Montait vers moi ses fleurs d'ombre aux ventouses jaunes
Et je restais, ainsi qu'une femme à genoux…

Il se tut. Elle n'aurait su dire combien de temps ils restèrent ainsi côte à côte, sans rien dire. Comme à l'église, songea-t-elle. Il se leva et lui tendit la main pour l'aider à se lever. Pour la deuxième fois leurs mains se touchèrent.

Le restaurant avait fermé. Toutes les tables avaient disparu de la pelouse, et les lampes qui l'avaient illuminée étaient éteintes. Il restait quelques grosses boules jaunes à lumière pâle jalonnant le chemin qui longeait le lac, éclairant sa surface lisse comme un miroir où se reflétaient palmiers et cocotiers. Raphaël s'arrêta. Il ôta ses chaussures — il ne portait pas de bottes ce soir — et les secoua l'une après l'autre pour en faire tomber le sable. La nuit les enveloppait d'une chaleur beaucoup plus douce que dans la journée. On entendait le crissement d'insectes nocturnes et quelques cris d'oiseaux. Ils marchaient côte à côte en silence. Géraldine ne pensait à rien. Elle se sentait bien. L'idée ne l'effleura pas qu'il était deux heures du matin et que l'attendait chez elle un bébé endormi dont elle aimait le père, qui passait la nuit à travailler, une arme chargée à blanc glissée dans sa ceinture. Elle avait l'esprit vide de toute autre image que celle du moment présent. Elle était tout entière dans cette marche légère sur la terre sableuse d'un chemin aux côtés d'un homme dont la voix grave avait récité des vers qui se logeaient en elle comme dans leur moule et dont le silence ne la gênait pas.

Raphaël lui raconta qu'en ouvrant sa valise pour y prendre son maillot de bain en rentrant de l'Alliance française tout à l'heure, il en avait vu sortir une grosse araignée noire velue. Une mygale ? Géraldine s'exclama d'effroi. Elle n'aimait pas les araignées, même s'il y en avait partout en Bretagne, surtout à la campagne.

« Qu'est-ce que vous avez fait ?

— J'ai essayé de l'écraser avec une mule de l'hôtel. J'ai un peu peur de la trouver dans mon lit ce soir. L'idée de rapporter à Paris une araignée tropicale ne me plaisait pas trop, alors j'ai sorti toutes mes affaires de la valise, je les ai re-rangées et j'ai bien fermé la valise. »

L'image de Raphaël dans son lit d'hôtel la remplit de trouble. Mais l'araignée avait attrapé dans sa toile la réalité et lui rappela son mari, qui ne massacrait pas les araignées mais les prenait entre deux doigts pour les mettre dehors, avec ce respect absolu qu'avaient les Indiens, hindous ou musulmans, pour la vie. Elle allait exprimer cette pensée quand Raphaël s'arrêta et se tourna vers elle.

« Je peux vous serrer dans mes bras ? »

La question la prit au dépourvu. Elle hocha la tête, le cœur battant. Il referma ses bras autour d'elle et la serra contre lui. Il était plus grand qu'Imtiaz. Il pressa les épaules de Géraldine pour que sa tête vienne s'appuyer contre sa poitrine.

« J'avais envie de faire ça depuis que vous m'avez raconté la nuit où votre père s'est noyé. »

Elle sentait, sur ses épaules nues, dans son dos à travers

la fine soie de la robe, la pression des bras de Raphaël, et son corps contre le sien.

Après quelques minutes il ôta ses bras, mais ne s'écarta pas. Elle releva la tête. Il la regardait, le visage juste en face du sien. À le voir de si près, elle reconnaissait chaque trait de ce visage, les ailes du nez, le pli de la bouche avec la lèvre supérieure un peu avancée et sa moue boudeuse comme celle d'un petit garçon, les mèches rebelles, le grand front, les yeux clairs. Il ne souriait pas. Il avait les yeux qui louchaient presque, tant était grande l'intensité avec laquelle ils étaient posés sur elle. Il semblait quêter dans son regard un assentiment.

« Petite Géraldine », dit-il en articulant lentement les syllabes.

Il prit le visage de Géraldine entre ses mains et approcha ses lèvres des siennes. Le contact fut d'une telle douceur que tout son corps en trembla, comme si elle grelottait. Il n'y avait pas de bouche au monde qu'elle avait plus désirée, pas même celle de Pierre — qui lui avait été donnée dès le premier soir. La bouche de Raphaël avait un goût de tabac brun, de vin et de cumin. Elle se laissa faire, attendant qu'il rentre sa langue, alors qu'elle avait envie de dévorer ces lèvres, cette langue, cette peau mal rasée. Elle ne résista pas quand, après ce long baiser, Raphaël l'entraîna sur la pelouse bien tondue du golf où les irrégularités du terrain l'auraient fait trébucher s'il ne l'avait retenue, vers les arbres plantés tout au fond, dans le noir, le long de la haute palissade en bois qui séparait les jardins du Taj des cahutes de pêcheurs. Il la poussa contre un cocotier au tronc lisse où son dos trouva un appui pendant que les mains de Raphaël remontaient sur ses cuisses sa robe étroite. Il avait des bras musclés et des mains aux longs doigts qu'elle avait contemplées pendant le dîner, des mains d'écrivain. Un bras enserrait sa nuque tandis que leurs bouches s'écrasaient l'une contre l'autre et que leurs lèvres se happaient. L'autre bras maintenait habilement sa robe relevée pendant que les doigts effleuraient le haut de ses cuisses puis la palpaient sous le string, qu'il lui ôta. D'un geste rapide, il ouvrit la ceinture et les boutons de son jean et appuya son bassin contre le sien, le sexe arqué contre son ventre, encore plus chaud que sa peau déjà chaude, et humide. Il y avait dans les gestes de Raphaël une tranquille volonté brutale dont elle n'avait pas fait l'expérience depuis Pierre. Il la maintenait pressée contre le tronc de l'arbre, un bras coincé sur le côté. Un genou entre ses cuisses pour les écarter, il rentra d'une secousse en elle toute ouverte, gémissante et tendue, le bassin propulsé en avant contre le sien, se tordant contre lui, sur lui, caressant d'une main son dos sous la chemise et le serrant contre elle, enfonçant ses doigts dans sa peau et retenant à grand-peine les cris qui auraient attiré les gardes du Taj. Des deux côtés la jouissance fut immédiate.

Ils haletaient. Il s'appuya contre elle, les lèvres contre son cou, l'embrassant doucement, sans la quitter encore mais, elle le sentait, déjà se recroquevillant et glissant hors d'elle, par une loi physique inévitable dans cette posture. Elle sentit le sperme couler dans l'intérieur de ses cuisses. Il s'écarta, se baissa et ramassa le string en soie rouge, qu'il lui tendit avec un sourire sans goujaterie. Elle se rhabilla, tandis qu'il refermait son jean.

Une cacophonie plus sonore que le gong des cloches d'une cathédrale sonnant à toute volée éclata tout en haut des arbres au-dessus de leurs têtes. Certains oiseaux criaient cra-cra-cra d'une voix de stentor, d'autres émettaient des sons roucoulants comme le malayalam, d'autres encore de longs sifflements comme des claquements de fouet dans l'air. Ils levèrent la tête et rirent. On aurait dit que tout le petit peuple des arbres se scandalisait de cette interruption impudique de son repos nocturne. Ils marchèrent lentement vers l'hôtel en se tenant la main, qu'ils lâchèrent juste avant d'arriver à la route. De l'autre côté se trouvait la hutte à l'extérieur de laquelle était attaché un chien, qui aboya dès qu'ils approchèrent. Les deux gardes assoupis sursautèrent et en sortirent, l'air endormi. Au bord de la route était garée la voiture blanche où Ravi dormait sur le siège avant. L'aboiement le réveilla aussi. Il ouvrit la portière et vit sa patronne près d'un écrivain à qui elle disait au revoir. La barrière s'ouvrit, et Raphaël monta la route pavée vers les chambres. Géraldine remercia Ravi qui lui tenait la portière. Il démarra. Elle ne s'excusa même pas pour son retard. Il était le gardien/chauffeur de l'Alliance, il attendait tard dans la nuit : c'était normal.

La voiture roulait sur la route déserte vers Trivandrum, vers son appartement, vers sa vie heureuse et paisible qu'elle venait de balayer en une minute de bonheur absolu comme on tire une nappe d'une table en un geste impulsif. *Femme adultère.* Il y avait dans cette expression quelque chose de vieux jeu et mélodramatique qui la fit sourire. De fait, elle n'avait rien balayé du tout. Les deux réalités coexistaient sans contradiction. Elle était la mère de Joseph et l'épouse musulmane d'Imtiaz, et elle était aussi la petite du Malouin mort noyé, l'adolescente adorant un homme qui récitait Rimbaud, la femme qui venait de faire l'amour avec cet homme vingt-cinq ans après, la bienheureuse qu'il avait daigné prendre dans ses bras. Les yeux fixés sur la route éclairée par les phares, elle éprouvait de la joie et une sorte d'ébahissement. Les circonstances, certes, avaient créé un moment que Raphaël aurait oublié demain. Elle n'en frémissait pas moins au souvenir de sa peau mal rasée, de ses bras musclés la serrant, des fins poils sur ses avant-bras, de son dos si doux sous la chemise, du membre se fichant en elle. Si seulement le trajet jusqu'à Trivandrum pouvait ne pas se terminer, si la nuit pouvait ne pas finir, si elle pouvait ne pas sortir de ce rêve…

CHARLOTTE

Cochin, vendredi 11 décembre

« *Chinese Fishnets, please.* »

Charlotte se rappelait ces mots imprimés sur la carte postale. Le rickshaw qu'elle prit en descendant du ferry d'Ernakulam l'y conduisit en moins de trois minutes.

Elle rechercha aussitôt l'ombre d'un arbre pour échapper à la chaleur écrasante de midi. Sur la place animée et poussiéreuse, des étalages de vêtements bon marché succédaient à des stands de verroterie et de souvenirs. Elle acheta une bouteille d'eau au kiosque à côté de l'arbre et en but la moitié d'un trait. En tendant la tête elle aperçut derrière les arbres et les stands touristiques de longues perches en bois qui se rejoignaient dans le ciel telles les pattes d'une araignée géante de Louise Bourgeois. On distinguait vaguement un filet bleu entre les perches, peu visible dans la brume de chaleur qui rendait le ciel presque gris. Un jeune Indien s'approcha.

« *Postcards, Madam ? Ten rupies !*

— *No, thank you.*

— *Look, Madam. Beautiful ! Only ten rupies !* »

Elle baissa les yeux et sursauta. Remarquant son intérêt, il s'empressa de lui montrer les autres, mais seule la première l'avait frappée. Dans sa mémoire on y voyait les filets chinois de Fort-Cochin sur fond de soleil couchant. En réalité le filet n'occupait que la partie gauche de la carte. Au premier plan une barque noire avec un pêcheur, se découpant sur le ciel orange vif, donnait une impression de sérénité qui n'avait rien à voir avec cette place poussiéreuse et touristique. C'était donc ici que Debarati avait acheté, huit ans plus tôt, la carte postale que Charlotte avait retrouvée par hasard en rangeant la chambre des filles juste avant de partir en Inde, les seules lignes de la main de Deb qu'elle possédait aujourd'hui. *Chers Adam et Charlotte, merci encore pour votre hospitalité. Je suis en Inde. Tout va bien. Je vous embrasse, Deb.* L'absolue banalité de ces mots aurait pu refléter la fierté blessée de Deb, sinon qu'elle détestait écrire des lettres et n'avait sans doute eu d'autre but que de les rassurer.

« Je n'en veux pas, merci. »

Charlotte s'écarta de l'adolescent et passa entre les stands et les arbres pour rejoindre la rive sableuse où des chaises en plastique faisaient face à la mer et à un gros porte-conteneurs. Elle marchait sur un sable que Deb avait foulé de ses pieds. Elle regardait une mer et des filets que Deb avait dû contempler, assise sur une de ces chaises au soleil couchant. Depuis que Charlotte avait découvert qu'Ernakulam était à côté de Fort-Cochin, cette place était devenue le but ultime de son voyage en Inde, le lieu où elle comptait se recueillir pour rendre à Deb un dernier hommage — un lieu plus intime, parce qu'elle y serait seule, que la falaise du Maine d'où Max et elle avaient répandu le contenu de la boîte en carton, éclatant d'un rire nerveux quand le vent avait parsemé leurs parkas et leurs cheveux des restes de Deb.

Elle avait beau convoquer l'émotion de toutes ses forces, celle-ci restait absente. La mort de Deb était une pensée beaucoup plus abstraite que le souvenir de son fiasco matinal, car comment nommer autrement son incapacité à répondre à l'attente de la jeune fille au deuxième rang ? Tout s'était bien passé, certes. Sans avoir rien préparé, Charlotte avait parlé en anglais avec facilité de son travail à la centaine de jeunes filles en tunique qui fixaient sur elle des regards pleins de curiosité, et leur avait raconté comment les États-Unis, le pays où il n'était jamais trop tard pour apprendre et pour entreprendre, lui avaient permis de devenir réalisatrice alors qu'elle avait une formation de professeur de lettres. Cette conférence était le cadet de ses soucis — la tâche dont elle devait se débarrasser avant de se retrouver libre à Fort-Cochin. Les élèves anglophones n'étaient pas des littéraires : le collège les préparait à des métiers de tourisme, comme le lui avaient expliqué les dames en sari avec qui elle avait bu un thé masala dans une salle décorée d'images pieuses et de portraits de papes. Les jeunes filles l'avaient écoutée dans un silence religieux et longuement applaudie. Sans doute intimidées par la présence de leurs professeurs au premier rang, aucune n'avait posé de question sauf une toute jeune fille à la peau presque noire assise au deuxième rang, belle comme Arundhati Roy dont Charlotte était en train de relire l'extraordinaire roman, *Le dieu des petits riens.* L'étudiante la regardait avec dévotion. « Quel rôle donnez-vous à l'art pour changer la société ? — Aucun, avait répondu Charlotte sans hésitation. Pour moi l'art est un point de vue individuel sur le monde. Je n'ai d'engagement ni social ni politique. — Mais l'artiste a du pouvoir, avait repris la jeune fille d'une voix ferme et claire dans son anglais chantant. Une femme cinéaste n'a-t-elle pas le devoir d'aider par ses films celles qui ont moins de chance qu'elle ? Simone de Beauvoir a écrit des romans, et elle s'est aussi battue pour changer le sort de la femme. — Simone de Beauvoir écrivait il y a cinquante ans. Dans la société française aujourd'hui, les hommes et les femmes sont égaux. — Vraiment ? » Charlotte rougissait encore en entendant le ton dubitatif de la jeune fille, auprès de qui sa réponse nonchalante l'avait discréditée. Même en France les femmes étaient souvent moins payées que les hommes pour un travail identique. Dans tous les domaines, l'inégalité était encore criante. Née privilégiée, Charlotte n'avait eu à se battre pour aucune liberté, sinon intérieure. Ses films n'auraient rien apporté à ces jeunes filles. Arundhati Roy, elle, avait choisi la vie contre la littérature et s'était engagée radicalement contre le gouvernement indien pour soutenir la cause des déshérités. Arundhati Roy ne voulait pas que son roman devienne un film. Ce refus radical, presque sacré, de l'image inspirait à Charlotte la honte de son propre travail.

Elle repensa à sa conversation avec Raphaël Éleuthère, à l'aube, dans le taxi qui les conduisait à l'aéroport où chacun prenait l'avion pour une ville différente. Toujours aimable, il avait abordé Charlotte par ces mots : « Merci. Grâce à toi je n'ai pas dormi de la nuit. — Grâce à moi ? » (Une seconde, une brève seconde de vanité stupide et aussitôt punie, la pensée l'avait traversée qu'il avait emprunté ses deux films à Caroline Messier à Delhi et avait passé la nuit à les voir sur son ordinateur.) « Tu m'as filé ton rhume. — Oh, désolée. » Il reniflait et se mouchait sans arrêt. En voiture, pour rentrer dans ses bonnes grâces, elle lui avait dit avoir lu son livre la veille et l'avoir trouvé très fort. C'était vrai. À sa surprise, l'écriture sèche et le contenu brutal l'avaient électrisée. Elle avait été horrifiée par le désespoir de cette mère qui s'accrochait à son fils comme à une bouée et lui roulait des patins pour lui apprendre à embrasser les filles. Raphaël devait être sacrément abîmé. « N'oublie pas de me le rendre ce soir, je dois le filer à Manon. » Il semblait se soucier fort peu de l'avis de Charlotte. « Comment a réagi ta mère ? — Aucune idée. — Tu ne la revois pas ? — T'as lu le bouquin, non ? — Tu n'as pas eu peur qu'elle… se tue ? — Si la vérité doit la tuer, ce n'est pas ma faute. Je ne conçois la littérature que comme l'énoncé de la vérité. Au prix de la vie. Sinon ce n'est pas la peine d'écrire. » Charlotte s'était tue avant de reprendre : « Tu as de la chance d'avoir de telles certitudes. — Ce n'est pas de la chance. Je me les suis faites. »

Charlotte s'assit à l'une des guinguettes sur la place, où l'on grillait des poissons récemment pêchés. L'huile frite dégageait une fumée épaisse à l'odeur écœurante. On la servit rapidement. Le goût des épices indiennes dominait celui de la chair du poisson. Elle l'éplucha et mit de côté la peau marinée, puis conclut ce repas par quelques poignées de graines d'anis qu'elle piocha dans une soucoupe devant elle.

On ne pouvait rêver de situation objectivement plus agréable : elle venait de manger un poisson grillé, assise à une table ombragée devant les filets chinois et la mer. Pourtant, quelque chose clochait. Elle sentait confusément que les certitudes d'Éleuthère et la question de la jeune fille aux grands yeux lui portaient un coup ébranlant ses fondements. Elle n'avait aucune certitude. Elle était comme un navire ballotté par les flots, sans gouvernail et sans pilote. Elle n'aurait jamais pu affirmer que l'art primait sur la vie. Elle pensait le contraire — en tout cas depuis mai dernier. Mais elle n'aurait pas non plus osé exprimer son opinion devant Raphaël, de crainte de lui paraître idiote et médiocre. Elle ne tirait aucun coup franc. Elle avait fait un film inspiré par Debarati, mais en la déguisant sous un autre nom et sous un autre sexe. À la fin du film, le peintre américain que ses échecs successifs dans tous les domaines avaient éloigné de son ami français malgré le désir qu'avait ce dernier de l'aider, et qui se retrouvait seul et sans argent alors que le Français était représenté par d'importantes galeries et heureux en famille, se tuait. Cette fin fictive n'avait rien à voir avec Debarati, mais voilà : Charlotte l'avait tournée, et Deb s'était tuée. Avec une différence, soit : son personnage se pendait, tandis que Deb avait choisi les médicaments. Depuis six mois Charlotte ne cessait de se demander si, telle Cassandre, elle avait prédit la mort de Debarati — ou, pis, si elle l'avait programmée en renvoyant à son amie une image d'elle-même qui pointait du doigt la sortie.

Dans les rues du centre de Fort-Cochin, on ne se serait pas cru en Inde. Il n'y avait personne à part quelques touristes — même pas de mendiants. Les rues et les magasins étaient vides. Les rickshaws, rangés le long d'une pelouse. Ce calme dont Charlotte n'avait plus l'habitude la déconcertait. Des chiens silencieux erraient ou restaient allongés à l'ombre. Elle longeait d'élégantes maisons coloniales à façade blanche transformées en hôtels. Sur Rose Street elle entra dans un petit hôtel auquel une bibliothèque boisée contre le mur de la réception donnait un air vaguement anglais.

« *Do you need a room, miss ?*

— Non, dit-elle en anglais. Je… J'avais une amie qui travaillait dans un hôtel à Cochin, je cherche lequel. Une Américaine. Elle s'appelait Debarati Patel, Deb. »

Le garçon ouvrit des yeux ronds et appuya sur une sonnerie. Un autre homme arriva bientôt, âgé et moustachu, le bras gauche plus court que l'autre et la main déformée. Il ne connaissait pas de Debarati Patel. Elle le remercia et sortit. C'était un hôtel trop modeste pour embaucher une étrangère — et Deb, malgré son nom, était purement californienne. Même sa mère, qui avait quitté l'Inde à douze ans avec ses parents pour émigrer en Angleterre puis en Amérique, n'était plus indienne.

Par cette chaleur intense, elle n'avait pas envie de faire du tourisme. Au croisement de Princess et de Bastion Street, elle aperçut contre un mur quelques bécanes rouillées. Elles étaient à louer, confirma le vieil Indien assis à l'ombre d'un arbre.

Avec sa circulation raréfiée, Fort-Cochin était sans doute la seule ville d'Inde où le touriste pouvait rouler à vélo. Elle retraversa la place des filets chinois puis emprunta la route qui longeait la mer, Beach Road, passant devant des restaurants et des hôtels. L'un d'eux, clos par un mur jaune, arborait une plaque de cuivre étincelant qui indiquait son nom : Brunton Boatyard. Laissant le vélo appuyé sur sa béquille près d'un garde, elle entra dans le hall aéré donnant sur un jardin. Une jeune réceptionniste en sari et aux nattes décorées de fleurs lui adressa un sourire chargé d'attente. L'hôtel avait l'air vide.

« Excusez-moi, demanda Charlotte d'un ton hésitant. Vous savez si une Américaine a travaillé dans cet hôtel il y a trois ou quatre ans ? Debarati Patel ?

— Oh, je ne sais pas. Je suis ici depuis six mois. »

Quête entièrement vaine. Il y avait des dizaines d'hôtels et le personnel ne cessait de changer. Elle n'était même pas sûre que Deb ait vécu et travaillé à Cochin. En avril celle-ci avait prononcé le nom d'une ville que Charlotte n'avait pas retenu.

Elle récupéra sa bécane et put à peine s'asseoir sur la selle bouillante. Aux hôtels succédèrent les magasins d'épices. Les coups de klaxon des conducteurs de rickshaw la faisaient sursauter. Une écolière en jupe vichy assise en amazone sur le porte-bagages d'une camarade lui adressa un large sourire. Elle pensa à ses filles. Hier elle leur avait parlé, dix-huit heures à Kovalam, sept heures et demie du matin à New York. Charlotte était assoupie sur son grand lit blanc, détendue à la fin d'une exquise après-midi de nage et de promenade — la première bonne journée depuis son arrivée en Inde — quand le téléphone avait sonné. La voix d'Adam, proche dans son oreille mais surgie de très loin en elle, l'avait emplie d'une langueur sensuelle. Elle aurait souhaité lui décrire la chambre, l'hôtel, Kovalam, lui dire qu'elle était nue sur le lit et qu'il lui manquait. Il n'y avait pas le temps : les filles devaient courir attraper leur car scolaire. « Suzanne voulait te parler. — Tout va bien ? — Oui. Je te la passe. » Son ton pressé d'avocat d'affaires, dont il ne se départait plus. « Bonjour, maman ! » La frêle voix de Suzanne dans l'écouteur, au bord des larmes, l'avait brutalement ramenée sur terre. « Tu vas bien, mon cœur ? — Maman, j'ai eu C en maths sur mon livret scolaire. — Oh ! Ce n'est pas juste. La maîtresse est trop sévère. Tu as fait beaucoup de progrès, tu mérites un B. Tu es déçue ? — Un peu. » Gros soupir de brave petite fille qui refuse de pleurer alors même qu'elle a tant envie d'un bisou de maman partie à l'autre bout de la terre. « Maman ! » criait à l'arrière-plan une voix robuste, tandis que trépignaient des pieds sur le plancher. Et pardessus, la voix d'Adam : « Suzanne, laisse le téléphone à ta sœur. C'est l'heure de partir. » Inès, d'une voix joyeuse, avait raconté à sa mère que Cassidy du car lui avait donné une sucette à la cerise. Après avoir raccroché, Charlotte n'avait pu reprendre sa rêverie sensuelle, soudain terriblement triste sans savoir pourquoi, tout en sentant que sa chute d'humeur était liée à Suzanne. Dans sa tête elle écrivait des e-mails furieux à la prof de maths.

Elle arrivait sur une place où il y avait des stands touristiques et des bus garés. Elle trouva facilement la synagogue au fond d'une ruelle derrière le Dutch Palace. Il y avait la queue à l'entrée. Devant elle un guide expliquait à un couple américain que la communauté juive de Cochin était réduite à dix personnes depuis la mort d'un vieil homme deux semaines plus tôt. Les billets étaient vendus par une femme d'une quarantaine d'années en jupe et chemisier stricts, sans doute une des dernières Juives de Cochin. Charlotte lui sourit avec sympathie. Elle allait se déchausser pour entrer dans la synagogue quand la caissière l'appela d'un ton sec en désignant une porte sur sa droite : la visite commençait là.

Dans la petite salle sans climatisation, remplie de gens et suffocante, des peintures numérotées accrochées aux murs montraient les premiers Juifs débarquant sur la côte de Malabar, le Kerala actuel, au Ier siècle après Jésus-Christ, la fondation au Ve siècle d'une synagogue à Cranganore, puis l'incendie de leurs maisons et de leurs synagogues quand les Juifs de Cranganore avaient été attaqués par les Maures au XVIe siècle, et leur fuite par la mer pour échapper à la mort. On les voyait alors débarquer à Cochin, accueillis par le Rajah qui leur donnait des terres, où était édifiée la synagogue encore en place aujourd'hui, nommée « Pardeshi », l'étrangère.

Charlotte regarda attentivement les tableaux avant de sortir de la petite salle qui s'était vidée depuis longtemps. Elle ôta ses sandales dans la courette et entra dans la synagogue, où seuls se trouvaient encore le couple américain et son guide.

La fraîcheur et la clarté du lieu la surprirent. De hautes fenêtres ouvertes des deux côtés du bâtiment créaient un léger courant d'air. Au plafond de bois étaient suspendus d'énormes lustres en cristal. Si Fort-Cochin était une ville indienne calme, la synagogue représentait dans ce calme une bulle de silence absolu, comme du blanc sur un tableau blanc. On n'entendait même pas le guide qui parlait à voix basse aux Américains, et ces derniers, bruyants partout dans le monde, se contentaient ici de hocher la tête. Elle fit à petits pas le tour de la salle et s'arrêta devant la plaque gravée dans une écriture inconnue qui représentait l'acte de donation et de protection par le Rajah de Cochin au XVIe siècle. Elle s'assit un instant sur un banc près d'une fenêtre ouverte avant de reprendre sa marche à l'intérieur de la synagogue. Il y avait dans le contact des plantes de pieds nus avec ces carreaux de faïence ancienne, tièdes, une sensualité diffuse : on se serait cru dans la cuisine d'une vieille maison au fin fond de la Provence.

Les Américains sortirent avec leur guide, le grand chapeau de la femme effleurant Charlotte qui entamait son troisième tour de la synagogue. Alors qu'elle avançait, yeux baissés sur les dessins des carreaux bleu et blanc, arbres, chiens et pagodes, elle eut une vision : Debarati, assise dans son fauteuil à bascule en rotin sur son porche devant la mer, dans les minutes précédant l'absorption des cachets. Debarati aux longs cheveux noirs mêlés de mèches grises, se balançant lentement face à la mer, son châle en laine enserrant ses épaules, les yeux dans le vide. Debarati telle que Charlotte ne l'avait jamais vue puisqu'elle n'était pas allée dans le Maine du vivant de Deb. C'était une image si forte, si réelle, d'une solitude si absolue, qu'elle en eut le souffle coupé.

Elle s'assit sur un banc en bois au fond de la synagogue. Comme les trois mers qui se rencontrent au cap Comorin à la pointe sud de l'Inde, plusieurs chagrins se confondaient en elle : la mort de Debarati, la diaspora des Juifs et leur persécution, la voix triste de Suzanne hier au téléphone, et l'angoisse d'une fillette à nattes brunes qui rentre sa clef dans la serrure d'une porte au sous-sol d'une maison d'East Los Angeles en se demandant ce qui l'attend de l'autre côté : une mère souriante avec un goûter ou une ivrogne affalée près d'une bouteille vide ? Debarati à dix ans, le jour où elle avait trouvé sa mère baignant dans son sang. Elle avait appelé le Samu, toute seule. La première d'une longue série de tentatives de suicide. « Elle ne voulait pas mourir. Juste que je m'occupe d'elle. » Deb était devenue la mère de sa mère, de cette hippie révoltée qui s'était battue contre la justice californienne pour enlever sa fille aux grands-parents chéris qui l'élevaient à

South-Orange. Pour finir la mère ne s'était pas tuée. La fille, oui.

Charlotte ne prêtait pas attention aux gens qui entraient et sortaient de la synagogue, pour la plupart des familles indiennes mais aussi quelques Occidentaux. Debarati remontait en elle. Leur rencontre à Berkeley quand elles avaient vingt-trois ans et que son ami Max, étudiant en thèse au département où Charlotte était lectrice de français, lui avait présenté la fille au visage racé dont il était amoureux : avec son chignon, son chemisier blanc et sa longue jupe grise, Debarati avait l'air d'une élève d'un pensionnat catholique ; elle était si belle et silencieuse que Charlotte l'avait prise pour une ravissante idiote, puis l'avait carrément détestée en comprenant que Max ne jouait plus au squash et n'allait plus au café avec elle après les cours parce que sa jalouse amie voyait d'un mauvais œil cette amitié avec une Française. La nuit à Paris, l'année de leurs vingt-cinq ans, où Charlotte avait quitté précipitamment le night-club rue des Petites-Écuries, désespérée par l'abandon de l'Américain, et où Debarati, qui ne savait rien d'Adam Greene ni du chagrin d'amour de Charlotte, l'avait suivie dans la rue et avait posé la main sur son épaule : « *Dump him !* » « Plaque-le ! » Sa conviction était plus forte qu'une main tendue à celui qui se noie. Elle était toute certitude en cet instant, les sourcils froncés et les yeux si concentrés qu'elle en louchait presque. Nuit de solidarité. Ce n'était pas Max qui avait consolé Charlotte dans la nuit de janvier, mais Debarati qu'elle connaissait à peine : ce moment avait soudé leur complicité. La force que lui avait transmise Deb avait permis à Charlotte de faire son deuil d'Adam. Pendant le reste de cette année parisienne elles ne s'étaient plus quittées, voyant ensemble tous les films de Buñuel, de Bergman et de Pasolini dans les cinémathèques ou les petits cinémas de quartier pendant que Max, titulaire d'une bourse de recherche sur les poètes symbolistes, s'enfermait du matin au soir à la Bibliothèque nationale de la rue Richelieu. Le soir elles allaient dans des night-clubs et dansaient ensemble, déchaînées et indifférentes aux hommes qui les draguaient sur la piste. Deb avait rencontré les frères et les parents de Charlotte ; elle était partie en vacances avec eux en Normandie ; elle était rentrée dans la famille, comme la sœur que Charlotte n'avait pas. Cet été-là, Deb l'avait invitée en Californie, d'abord dans la luxueuse villa de Monterey avec piscine et vue sur mer où vivaient les parents de Max qui la traitaient comme leur propre fille, puis dans le sous-sol sombre et crasseux d'East LA où elle avait grandi et où demeurait sa mère : Charlotte avait alors compris d'où venait son amie.

Puis il y avait eu les années de l'amitié, quand Charlotte, après son mariage avec Adam qui achevait ses études de droit à la Law School de Berkeley, avait emménagé dans un trois-pièces de Pacific Heights où Deb dormait si souvent qu'elle y avait sa chambre, ses draps, ses chaussons, sa robe de chambre et ses bottes de pluie qui appartenaient à Charlotte et qu'on appelait les bottes de Deb, la robe de chambre de Deb et les chaussons de Deb. Elle-même habitait à Oakland dans un studio lumineux et nu comme une cellule de moine où Charlotte se réfugiait en prenant le Bart après les disputes les plus violentes avec Adam. Elle racontait en pleurant la scène qui venait de se produire, et Deb secouait la tête : « T'es chiante ! Pauvre

Adam ! » Grâce à elle, Charlotte avait appris à se méfier d'elle-même, de son intolérance, de son hystérie, et à accepter la différence. Mais Deb l'avait aussi défendue contre Adam : elle lui avait dit que le silence d'Adam était un acte agressif et qu'il devait l'admettre. Si Charlotte était toujours mariée après vingt ans à cet homme passionnément aimé qu'elle aurait pu quitter mille fois tant il la faisait souffrir les premières années, c'était grâce à Debarati, à sa sagesse, son humour et son sens de la justice. Et Charlotte était là pour Debarati. Elle s'était battue pour l'aider à sortir de l'engrenage de fatalisme et de violence hérité de sa mère. Elle avait tenté de convaincre Deb d'exprimer sa colère ou sa tristesse quand elle était fâchée contre un homme au lieu de les garder en elle jusqu'au point de non-retour. Elle s'était énervée contre Deb, qui était toujours en retard et passait deux heures chaque matin à prendre un bain, s'épiler, se sécher les cheveux et s'étirer, jusqu'au jour où elle avait compris qu'il était essentiel pour Deb d'être le plus soigné possible, le plus loin de l'image de vieille sorcière puante que présentait sa mère. Elle avait froncé les sourcils quand Deb avait sans raison quitté après huit ans de vie commune Max qui voulait l'épouser alors qu'ils formaient un couple parfait et qu'on ne pouvait même plus dissocier leurs noms, Deb-et-Max, et fini par apprendre de sa pudique amie que Max, sous ses dehors charmants, buvait et l'abusait verbalement comme sa mère. Elle avait été surprise de découvrir que Deb, pour gagner sa vie pendant ses études, travaillait comme gérante de son immeuble dans le quartier pauvre où elle habitait et avait même appris l'espagnol toute seule, avec des cassettes, pour réclamer aux locataires hispaniques les loyers impayés. Plus tard elle avait trouvé du travail dans un bar de Berkeley, et passait ses soirées à servir de la bière et préparer des cocktails. Barmaid. Il y avait cela chez elle, une énergie qui lui permettait de faire face à une trentaine d'hommes ivres la nuit, attirés par sa beauté comme des papillons par une flamme, et de les contrôler. À deux heures du matin elle les mettait dehors avec une tranquille autorité, fermait le bar et rentrait chez elle à vélo, un long trajet nocturne par les collines. Pas un ne l'avait agressée : elle savait se faire respecter. Mais le drame était survenu la nuit où elle avait oublié de mettre l'alarme et que la caisse avait été forcée ; son patron l'avait renvoyée.

Ce qui faisait peur à Charlotte, c'était l'enthousiasme de Deb, son assurance qui masquait les fissures par où l'échec s'engouffrait. Plus Deb était contente, plus elle s'inquiétait. Après un an de chômage et de dépression pendant lequel Charlotte, qui avait déjà déménagé à New York avec Adam, téléphonait régulièrement à Deb pour lui remonter le moral et l'exhorter en vain à finir son mémoire sur Marcel Duchamp, celle-ci l'avait jointe un matin, triomphante : elle avait trouvé un boulot à Boston avec un vrai salaire, un travail qui lui convenait comme un gant. Elle rejoindrait Charlotte et Adam sur la côte Est ! Elle voyagerait en Europe, pratiquerait son espagnol et son français. Son nouveau patron, rencontré par hasard chez un ami artiste, possédait des galeries d'art à Boston, Paris et Barcelone. C'était un homme de cinquante ans divorcé avec qui elle avait de nombreuses affinités. Charlotte n'avait pu se défendre d'un mauvais pressentiment. Elle lui avait rendu visite à Boston après son emménagement. Debarati habitait un appartement près de la rivière Charles au loyer élevé, qu'elle avait meublé d'antiquités achetées à crédit. Son patron l'invitait à dîner un peu trop souvent. « C'est juste un ami ! Il est vieux », avait dit Deb en haussant les épaules avec nonchalance. Deux ans avaient passé : Charlotte avait fini par admirer Deb de savoir tenir à distance tout en le gardant comme ami un homme visiblement fou d'elle qui était son patron, quand celle-ci l'avait appelée, la voix blanche : licenciée pour désorganisation alors qu'elle n'avait commis aucune faute professionnelle mais seulement refusé de coucher avec son patron ! Plus tard elle avouerait à Charlotte qu'elle avait cédé, puis rompu quand elle avait rencontré Mike. C'était l'humiliation de se faire évincer par un jeune que son patron n'avait pas supportée.

Mike était très amoureux de Deb. Mais il n'avait que vingt-quatre ans et venait de commencer des études de sciences politiques à Columbia. Dès le début, Charlotte la réaliste avait senti la faille. Deb et Mike s'étaient installés dans un squat à Williamsburg et Deb avait commencé une nouvelle carrière de chanteuse, tout en travaillant le midi comme serveuse. Mike avait un groupe de jazz. Ils jouaient la nuit dans des bars de Williamsburg. Charlotte était allée les entendre avec Adam un soir. La voix chaude et puissante de Deb l'avait impressionnée, comme si sortait de sa coquille une talentueuse inconnue. Elle avait exprimé des félicitations sincères mais un peu trop emphatiques, où Deb avait perçu une réticence ; pour réussir dans ce métier, il ne fallait pas juste du talent, mais une rigueur et un acharnement dont Charlotte la savait dépourvue. Et Deb n'était plus toute jeune : trente-trois ans, bientôt trente-quatre, et puis trente-cinq. Mike ne pouvait pas épouser une goy ; sa famille juive pratiquante s'y serait opposée. Quand Charlotte s'était étonnée qu'il soumette une décision si personnelle à l'approbation de ses parents, Deb l'avait défendu d'un ton dur : toute la famille du grand-père polonais de Mike était morte à Auschwitz ; Charlotte ne pouvait pas comprendre. C'était l'époque où Debarati et Charlotte se voyaient rarement alors qu'elles vivaient toutes deux dans la même ville, séparées par un pont, Charlotte dans un élégant appartement de Greenwich Village à Manhattan, Deb dans un loft délabré d'un immeuble industriel de Brooklyn où on gelait l'hiver. Adam travaillait dans un grand cabinet de droit des affaires, Charlotte enseignait à l'université, ils se couchaient tôt le soir, ils essayaient de concevoir un enfant ; Deb vivait la nuit sans se soucier de l'avenir. Quand elles se retrouvaient, il y avait toujours une tension entre elles, un jugement sous-jacent. Deb se rendait compte que Charlotte ne croyait ni à son avenir de chanteuse ni à son avenir avec Mike. Lors d'un dîner chez Charlotte, alors que les hommes buvaient un verre au salon et qu'elles coupaient des melons dans la cuisine, Deb lui avait dit brusquement : « En fait, quelqu'un comme toi n'est pas mon genre. — Quelqu'un comme moi ? — Oui, quelqu'un qui réussit tout, une première de la classe. »

Charlotte, blessée, avait mis cette dureté sur le compte de l'envie. Elle réussissait ce qu'elle entreprenait et ne commettait pas d'erreur, c'était un fait : elle avait à peine achevé sa thèse sur Proust qu'elle avait décroché un poste convoité d'*assistant professor* à New York University ; une fois professeur, elle avait suivi pour s'amuser un cours de technique cinématographique avec un cinéaste enseignant à NYU, puis obtenu un congé payé qui lui avait permis d'achever un premier long-métrage en français couronné par un prix. Deb, quant à elle, avait perdu son boulot de serveuse, sans révéler à Charlotte la cause de ce licenciement. Elle se prétendait très contente : elle avait besoin de temps pour travailler sa voix et chercher un agent. Mike, qui travaillait à la mairie de Brooklyn tout en poursuivant ses études, pouvait payer le loyer.

Quand Suzanne était née, Deb avait été la première à venir à l'hôpital. Elle avait apporté une magnifique couverture rose en cachemire. L'amitié avait semblé renaître. Avec la maternité Charlotte s'était adoucie. Deb avait trouvé un agent, qui lui avait trouvé un producteur, et elle avait signé son premier contrat : ils avaient bu le champagne tous les quatre ensemble pour fêter l'événement. Avec le chèque qu'elle avait touché, Deb s'était acheté une robe à deux mille dollars. « Dans ce métier, la robe est essentielle. C'est un investissement », avait dit Deb devant le silence réprobateur de son amie, les sourcils froncés et les yeux louchant légèrement, d'un ton agressif où Charlotte entendait sonner les trompettes de l'échec. Mais après tout, peut-être avait-elle tort. Peut-être y avait-il d'autres façons de vivre, puisque Deb s'en sortait toujours, qu'elle avait un agent, qu'elle vivait depuis huit ans avec Mike, et qu'elle semblait heureuse. Le disque tardait à paraître, et quand Charlotte lui avait posé la question, un éclair de contrariété avait traversé les yeux de Deb ; la boîte de production avait fait faillite, mais son agent lui en trouverait une autre bientôt. Puis il y avait eu cette promenade, un après-midi gris le long de l'Hudson, où l'eau clapotait contre les berges en béton. Elle poussait Suzanne, qui dormait. Deb venait de lui révéler qu'elle était enceinte et que Mike ne voulait pas du bébé. Il lui avait demandé d'attendre deux ans — le temps de finir ses études. « Tu as trente-huit ans, Deb. Garde-le. On t'aidera. Tu verras : Mike changera d'avis quand il le tiendra dans ses bras. » Deb l'avait laissée parler, de plus en plus pâle et maussade, avant d'articuler du bout des lèvres : « J'ai avorté ce matin. » Charlotte avait fait face à son amie, bouche bée. Elle lui avait ouvert les bras, et Deb avait éclaté en sanglots.

Six mois plus tard, Deb l'avait appelée en pleurant. La nouvelle que Charlotte anticipait depuis le premier jour de leur liaison était tombée comme un couperet : Mike était amoureux d'une étudiante juive qui avait dix ans de moins qu'elle. Deb l'avait découvert par hasard en utilisant son portable. Ils venaient de rompre. « Viens chez nous », avait tout de suite proposé Charlotte.

Deb avait débarqué avec sa valise dans l'appartement de Greenwich Village. Du matin au soir elle ne cessait de parler de Mike. Elle pleurait. Elle était déprimée. Adam et Charlotte, compatissants, lui répétaient toutes les banalités habituelles sur le temps, les hommes, l'incroyable personne qu'elle était, la chance qu'elle avait d'être toujours aussi belle à presque quarante ans. La nuit, avant de s'endormir, Adam et Charlotte parlaient encore de Debarati. Ils cherchaient que faire pour l'aider, mais se disaient aussi qu'il était temps que Deb grandisse et assume les conséquences de ses choix. Adam se levait à cinq heures et demie du matin pour être au bureau à sept heures et quand il rentrait à huit heures du soir, il avait besoin de calme avec sa femme et sa fille. Il était d'autant plus tendu qu'il espérait cette année-là devenir partenaire de sa firme. Suzanne avait deux ans : pas un âge facile. Ils essayaient de concevoir un deuxième enfant. Le matin, Debarati s'isolait une heure dans l'unique salle de bains. Quand Charlotte lui avait suggéré de prendre une douche au lieu d'un bain, les yeux de Deb s'étaient assombris : « T'es chiante ! » Au bout de dix jours Adam avait demandé : « Elle va rester combien de temps ? » *Elle.* Le lendemain Charlotte avait questionné Deb : « Quels sont tes projets ? — Pourquoi ? Je vous dérange ? — Pas du tout, mais Adam a une vie dure en ce moment au boulot… — Pourquoi est-ce que tu ne m'as pas prévenue que je dérangeais Adam ? — Tu ne le déranges pas, Deb. Adam t'adore. C'est juste que ce serait plus facile si on savait combien de temps tu comptes rester. — Pas plus de deux ans », avait répondu Deb en riant, son œil noir s'allumant d'une étincelle d'humour.

En rentrant de la crèche avec Suzanne à cinq heures, Charlotte avait vu sur la table un bouquet de roses et, à côté, un gros tigre très doux dans un sac en carton rouge brillant du plus beau magasin de jouets de New York, ainsi qu'une bouteille de Chivas pour Adam, alors que Deb n'avait pas un sou. Le cœur serré, Charlotte en avait voulu à son mari. Deux jours plus tard, sans nouvelles de Deb, elle avait appelé Mike. Il ne savait rien. Elle avait joint sur son lieu de travail, en trouvant le numéro sur l'Internet, Max à qui elle n'avait pas parlé depuis dix ans, et laissé un message sur un répondeur. Il l'avait rappelée une heure après. Deb l'avait en effet contacté pour lui demander d'acheter en son nom un billet d'avion qu'elle lui rembourserait. « Pour où ? — Bombay. Elle n'est jamais allée en Inde, elle voulait retourner aux sources. » Charlotte avait soupiré de soulagement. Deb ne s'était pas tuée. Un mois plus tard ils avaient reçu la carte postale, les filets chinois de Cochin sur fond de soleil couchant.

« *We are closing.* »

La femme de la caisse était devant elle, l'air réprobateur. Charlotte s'excusa, remit ses sandales à la sortie et se retrouva dans la rue. La plus jeune des dix Juifs de Cochin ferma la synagogue et s'éloigna d'un pas rapide. Charlotte récupéra son vélo. La chaleur dehors était pesante, même à cinq heures. Il était trop tard pour visiter le Dutch Palace et, de toute façon, elle n'en avait aucune envie. Tout en poussant son vélo, elle remonta Jew Town Street en regardant les étalages dans les vitrines. Les marchands assis devant leur porte l'invitaient à entrer. Elle s'arrêta devant un magasin où personne ne la sollicitait.

Grâce à la climatisation, il y faisait agréablement frais. Au fond du magasin une famille indienne était en train de régler un achat. Charlotte aperçut sur un comptoir en verre des châles écrus comme ceux qu'elle avait essayés la veille à Kovalam. La famille sortit du magasin et le vendeur s'approcha d'elle.

« Vous regardez les pashminas ?

— Ils coûtent combien ? »

Les yeux félins, l'air intelligent et froid, le beau jeune homme à la peau sombre ressemblait à Jagdish.

« Ceux-là sont fabriqués à la main, pas à la machine. Ce sont des pashminas en pur poil de chèvre himalayenne. Tenez, prenez-en un dans votre main. Vous voyez comme il est fin ? Vous pouvez le passer à travers une bague. Chiffonnez-le : il ne fera pas de plis. Entièrement naturel. Et chaud ! Vous n'aurez jamais froid l'hiver. Il vous durera toute la vie. Un siècle, même. C'est ce qu'on a de mieux ici. D'ailleurs, on ne garde pas ces pashminas en rayon. Ils sont rangés dans une valise, pliés dans ce tissu, pour qu'ils ne s'abîment pas. Je les ai sortis simplement parce que je viens d'en montrer un à cette famille. Je vais vous faire un bon prix. Direct d'usine. Le propriétaire du magasin les fait venir du Cachemire où sa famille les fabrique. Vous ne trouverez pas moins cher ailleurs. »

Charlotte haussa les sourcils. C'était mot pour mot le boniment qu'elle avait entendu hier dans les boutiques de Lighthouse. Seul variait le prix. Du coup elle avait renoncé à acquérir un châle. De toute façon elle n'en avait pas besoin.

« Il y a une école où on apprend à vendre les pashminas ? »

Il la regarda interloqué, puis rit.

« Si vous avez déjà entendu ça ailleurs, le magasin avait de vrais pashminas.

— Vous ne m'avez pas dit le prix.

— Normalement, c'est sept mille. Mais pour vous, parce que vous vous y connaissez, parce que vous êtes ma dernière cliente de la journée et que les touristes ne se bousculent pas, ce sera cinq mille. C'est le prix de gros. Aucun bénéfice pour nous. »

Il parlait courtoisement, cherchant à la convaincre mais sans exercer de pression trop forte. Charlotte se demanda quelle mafia régnait ici. Mais au fond, qu'elle se fasse avoir ou pas n'avait guère d'importance. Ces châles étaient d'une finesse sans pareille et elle souhaitait s'envelopper dans leur douceur quand elle serait de retour à New York. Elle hocha la tête.

« D'accord. »

La porte s'ouvrit et un homme un peu plus âgé entra, qui félicita Charlotte d'avoir choisi un si beau châle. Elle le suivit au fond du magasin pour payer par carte de crédit.

« *You look sad* », dit-il abruptement.

Elle leva la tête, stupéfaite que cet homme qu'elle ne connaissait pas, ce marchand, ait remarqué sa tristesse. Elle se mit à pleurer et lui dit qu'elle était triste à cause d'une amie qui s'était tuée. Il tendit le bras et lui prit la main sur le comptoir, en un geste spontané et humain.

« La vie est ce qu'elle est, dit-il sans lâcher sa main. Elle est triste parfois, mais belle aussi. Il faut voir le positif. Mes parents sont morts dans un accident de camion quand j'avais trois ans. Il n'y avait personne pour s'occuper de moi. J'ai grandi à Bombay dans un orphelinat. Je n'avais pas de quoi manger. On me battait. J'ai dû apprendre à me défendre. Et aujourd'hui j'ai ce magasin, il est à moi : tu vois ? »

Elle détacha sa main de la sienne.

« Comment tu as eu ce magasin ?

— J'ai eu beaucoup de chance. Quand j'avais quinze ans, j'ai réussi à fuir l'orphelinat et je suis descendu dans le Sud, à Goa. J'ai trouvé du travail. Quelques années plus tard j'ai rencontré une Américaine qui venait en Inde acheter des objets et des bijoux pour une chaîne de magasins. J'ai négocié des deals pour elle. Un hôtel de luxe américain a eu besoin de deux mille mètres de chaîne en argent, et elle m'a réservé cette affaire : j'y ai gagné de quoi ouvrir le magasin. »

Il n'était pas vraiment bel homme, le visage et le corps un peu trop ronds, mais il y avait dans ses yeux clairs aux longs cils une douceur. Une cicatrice dessinait un accent grave au-dessus de sa lèvre supérieure. L'Américaine qui lui avait donné la chance de sa vie, beaucoup plus âgée que lui, avait été sa maîtresse. Avec une fierté de petit garçon, il lui révéla qu'il avait connu huit femmes. Il allait bientôt se marier avec une jeune fille qu'avait choisie sa famille. Charlotte lui dit qu'elle était mariée depuis vingt ans, avait deux enfants, et habitait New York.

« Qu'est-ce que tu fais ce soir ? »

Inévitablement on en venait là. Il aurait été naïf de croire autre chose. Le simple fait de parler ouvertement à une femme était déjà un acte sexuel dans ce pays refoulé. Le jeune homme qui lui avait vendu le châle avait quitté le magasin juste après l'arrivée de son patron. Peut-être faisait-il le guet à la porte. Peut-être le patron avait-il l'habitude de draguer les touristes, même si ce chiffre dont il se vantait, huit femmes, semblait indiquer le contraire. Quand il lui avait raconté son histoire, il y avait un accent de sincérité dans sa voix. Elle sourit.

« Je reprends l'avion pour Trivandrum dans deux heures.

— Dommage. Tu es où, à Trivandrum ?

— Au Taj de Kovalam.

— Je connais. Bel hôtel. »

Charlotte bougea du bout du doigt les boucles d'oreilles sur le comptoir.

« Comment tu t'appelles ?

— Charlotte.

— Moi, c'est Nassir. »

Ils se serrèrent la main par-dessus le comptoir.

« Tu es sûre que tu ne peux pas rester ce soir ?

— Sûre. »

Tout en lui parlant, il tendait l'oreille et guettait les bruits de dehors. On entendait des voix devant la porte. De toute évidence le jeune vendeur parlait avec des gens pour avertir le patron de leur entrée. Qu'est-ce qui était plus important pour lui ? Avoir une chance de séduire une Française, sa neuvième femme, ou vendre un châle de plus ? La porte du magasin s'ouvrit : les Américains qui avaient visité la synagogue plus tôt dans l'après-midi entrèrent.

« *Hello, my friends ! Welcome back !* s'écria Nassir d'une voix chaleureuse.

— Vous voyez : on vous avait dit qu'on repasserait. »

Le jeune homme dépliait déjà des écharpes en soie et les tendait à l'Américaine au grand chapeau. Nassir accompagna Charlotte jusqu'à la porte, lui donna sa carte et la regarda avec insistance.

« Si tu reviens à Cochin, appelle-moi. »

La chaleur était toujours aussi écrasante, même s'il était près de six heures. Il lui restait une bonne heure à tuer avant d'aller reprendre le ferry. Elle n'avait pas envie de retourner dans les rues du centre de Fort-Cochin fréquentées seulement par de rares touristes. Détachant son vélo, elle l'enfourcha et roula droit dans la rue du Bazar. Au bout de cinq minutes les magasins pour touristes s'espacèrent, puis disparurent. La rue vide, sans circulation, était bordée par des maisonnettes en béton. Charlotte s'arrêta et regarda le plan rudimentaire de Cochin que lui avait donné le vieil Indien à qui elle avait loué le vélo. La presqu'île se divisait en deux parties séparées par une petite rivière : d'un côté Fort-Cochin, de l'autre Mattancherry. Elle était du côté de Mattancherry. Articulant le mot dans sa tête, elle sursauta. Elle revoyait Debarati à New York, six mois plus tôt, prononcer un nom qui ressemblait à « Manhattan chéri » quand elle lui avait parlé de sa vie en Inde. Mattancherry : c'est là qu'elle avait vécu.

Charlotte roulait lentement sur la droite de la route où les maisons projetaient une ombre insuffisante pour la protéger du soleil encore très fort à cette heure. Le goudron crevassé et couvert de bosses l'obligeait à se redresser sur les pédales pour ne pas sentir les cahots. Elle tourna à droite dans une ruelle. Des immondices empilées sur le côté dégageaient une odeur nauséabonde. Des enfants jouaient à côté d'animaux, des chiens, des chèvres. Ils levèrent la tête, étonnés, puis lui sourirent en dressant la main : « *Hello !* » Peu de touristes devaient s'aventurer au-delà du bazar. Des morceaux de tissu coloré et effiloché séchaient sur un fil. Des femmes vaquaient à leurs occupations. Toutes se retournaient sur le passage de Charlotte et lui souriaient. Malgré leur pauvreté évidente, plusieurs portaient des boucles d'oreilles en or qui brillaient sous le soleil. Charlotte se rappela ce que lui avait dit Roland : les bijoux servaient ici de banque. Elle obliqua dans une rue encore plus petite, mais une femme pieds nus, un balai dans la main, lui montra par un geste expressif qu'elle devait faire demi-tour ; elle s'était aventurée dans une cour privée. Elle tourna dans une autre ruelle, attirée par son étroitesse et la pauvreté des maisons aux murs écaillés et aux toits de tôle, et sortit son appareil photo pour prendre un cliché de cette rue peut-être semblable à celle où avait vécu Debarati. Elle regretta de ne pas avoir emporté sa caméra. Des enfants s'approchèrent. Elle les photographia en se demandant s'ils allaient s'enfuir. Non : ils voulaient se voir sur l'appareil. Le garçon et la fille, qui devaient avoir huit ou neuf ans, s'esclaffèrent en découvrant leur image, et leur rire frais, communicatif, fit à Charlotte l'effet d'un baume. D'autres enfants accoururent ; ils voulaient tous voir leur photo. Leurs rires roulaient par saccades. Ils se succédaient pour regarder, se laissant la place l'un après l'autre sans oublier personne, même les plus petits qui n'auraient jamais eu accès au spectacle si les plus grands ne s'étaient pas écartés pour les pousser en avant. Charlotte s'accroupissait pour se mettre à leur hauteur. Les éclats de rire ne cessaient de résonner.

Une femme s'approcha et sourit en découvrant la raison de ce rassemblement enfantin, bientôt suivie d'une autre, et d'une vieille. Elles regardaient les enfants et la touriste à chapeau de soleil qui les amusait si bien. Charlotte leur demanda par gestes si elles voulaient être photographiées aussi et elles se mirent à glousser comme des jeunes filles coquettes, secouant la tête de droite à gauche pour dire oui et se poussant l'une l'autre. Et prenant la vieille entre elles. Charlotte appuya sur le bouton et leur montra la photo. Elles rirent aussi fort que les enfants. La première petite fille qu'elle avait prise en photo la regarda. « *Pen ?* » demanda-t-elle d'un ton plein d'espoir.

Charlotte avait deux Bic dans son sac et les tendit à la fillette et à son frère. Aussitôt des dizaines de mains se tendirent :

« *Pen ! Pen !* »

Elle ouvrit grand son sac et, d'un geste du plat de la

main, indiqua qu'elle n'en avait pas d'autre. Elle donna à la vieille un billet de cent roupies. Celle-ci la remercia d'un hochement de tête et désigna les deux femmes à côté d'elle. Charlotte sortit deux nouvelles coupures, de cinquante roupies chacune. Les femmes lui sourirent. D'autres gens s'approchaient, des femmes, des enfants. La vieille se tourna vers elle et leur dit quelques mots en malayalam d'une voix rauque et comme colérique. Pour leur dire de partir ? Les femmes s'approchèrent. La vieille les prit par le bras et les présenta à Charlotte. Elle ouvrit sa bouche édentée pour articuler ce mot : « *money.* » Charlotte sortit quelques billets de son sac. Il était agréable de répandre la joie à si peu de frais.

Il y avait maintenant tout un attroupement autour d'elle. La gentillesse de ces femmes et leur respect mutuel la frappaient. Sur le côté de la rue une chèvre bêla très fort. Un bébé chèvre la tétait, formant un tableau si mignon qu'elle dirigea son appareil vers les animaux. Les femmes et les enfants éclatèrent de rire. Pensaient-ils que Charlotte comptait présenter à la chèvre son reflet d'elle-même ? Même si l'idée leur semblait la plus farfelue qui fût, ils s'écartèrent en demi-cercle autour de la chèvre, invitant Charlotte à la photographier, respectant la bizarrerie de son désir. Elle leur montra les photos de la chèvre et de son petit, suscitant de nouveaux rires.

Les gens de ce quartier semblaient vivre autant dans la rue que dans leurs baraques. Certains d'entre eux avaient-ils connu Debarati ? La présence d'une Américaine à Mattancherry pendant des années ne devait pas être passée inaperçue, d'autant plus que Deb avait ouvert une école avec un ami. Charlotte regretta de ne pas avoir apporté de photo. Mais elle ne pouvait pas deviner qu'elle se rendrait dans la ville, dans le quartier où Debarati avait vécu. Certaines de ces femmes avaient pu fréquenter l'école où Debarati donnait des cours d'anglais. Elle les regarda :

« *Did you know an American woman, Debarati Patel, who lived here, in Mattancherry ? Debarati ? Deb ? An American woman ?* »

Elles ne parlaient pas l'anglais mais l'écoutaient attentivement en inclinant la tête de gauche à droite. La question de Charlotte suscita un foisonnement de mots roucoulants.

« *Debarati ?* reprit-elle. *An American woman with long black hair ?* ajouta-t-elle en désignant ses cheveux. *Who opened a school ?* »

Une toute jeune femme avec une tresse noire et un point noir entre les yeux, qui portait un bébé contre son épaule, la regardait, un peu à l'écart. La vieille se tourna vers elle et lui dit quelque chose. La jeune fille s'approcha.

« *Money* », dit la vieille.

Charlotte ouvrit son sac et en sortit vingt roupies. La vieille eut l'air déçu. Charlotte arrivait au bout de ses coupures. Bientôt ne lui resteraient que deux billets de mille. Elle trouva un autre billet de dix. La jeune fille tendit la main, prit l'argent et lui sourit. Elle était d'une beauté et d'une jeunesse émouvantes. Seize ou dix-sept ans à peine, entre l'adolescente et la femme : mère ou sœur de ce bébé ? Charlotte jeta un coup d'œil à sa montre et l'approcha de ses yeux car elle ne distinguait pas les aiguilles dans la pénombre. Six heures et demie ; il fallait amorcer le retour. La jeune fille l'observait, regardant sa montre. Charlotte hésita une seconde, puis défit le bracelet de la Swatch et la lui tendit. La Kéralaise ouvrit de grands yeux.

La vieille lui dit quelque chose et l'adolescente accepta la montre. Une autre femme s'approcha et l'attacha autour de son poignet.

« *Nice !* » s'exclama la jeune fille en adressant à Charlotte un sourire ravi.

Des femmes parlant vivement malayalam entre elles lui firent signe de les suivre.

« Debarati ? » reprit Charlotte.

Elles secouaient la tête de gauche à droite pour dire oui. Charlotte sentit l'excitation monter en elle comme une bouffée d'ivresse. Avaient-elles connu Debarati ? L'emmenaient-elles chez quelqu'un qui l'avait connue et qui parlait anglais ? L'une d'entre elles avait-elle gardé un objet lui ayant appartenu ? Était-il possible que ce voyage au bout du monde, cette journée à Cochin, et cette rue sans fin dans Mattancherry la conduisent à son amie ? La nuit tombait et elle ne s'était pas renseignée sur les horaires du ferry pour Ernakulam, mais elle ne pouvait pas être venue jusqu'à cette ville où Debarati avait vécu pendant six ans et partir sans découvrir la surprise que lui réservaient ces femmes. Elle abandonna son vélo et les suivit, tandis que les enfants trottaient derrière elles. Il faisait sombre et elle regardait attentivement le sol pour éviter les crottes de chèvre et autres saletés. Les femmes tournèrent à droite, puis à gauche, et s'arrêtèrent devant une cahute de béton gris. La maison où Deb avait vécu ? Allait-elle retrouver ses affaires ? Son journal ? Elle ne l'aurait pas laissé derrière elle en rentrant aux États-Unis. Un papier écrit de sa main ? Un livre lui appartenant ? Un vêtement ? Une paire de boucles d'oreilles que lui avait offerte autrefois Charlotte ou la mère de Max ?

Elle franchit le seuil, entra dans la maison en se courbant pour franchir la porte basse, et se retrouva dans une pièce sans fenêtre, sombre, où une odeur d'urine, de sueur et de maladie lui souleva le cœur. Elle respira avec la bouche pour contrôler sa nausée. Ses yeux mirent quelques secondes à s'habituer à l'obscurité. La pièce était presque entièrement remplie par un petit lit. Des casseroles, des vêtements et toutes sortes d'objets suspendus à des clous couvraient les murs abîmés. Il y avait une bassine dans un coin. Et sur le lit étroit reposait quelqu'un. Une femme allongée, endormie, autour de laquelle volaient des mouches. À un mètre de distance, Charlotte sentait la chaleur émaner de son corps. Cette femme devait avoir une forte fièvre.

« Qui est-ce ? demanda Charlotte en anglais, à voix basse de crainte de la réveiller. Pourquoi m'emmenez-vous ici ? Elle a connu Debarati ? »

La vieille s'avança et posa sa main maigre sur le bras de Charlotte.

« *Money.* »

Charlotte la regarda, interloquée. Devait-elle payer pour obtenir la révélation ? À moins que ces femmes n'aient pas compris un mot de ce qu'elle leur disait et qu'elles aient simplement cherché le meilleur usage possible de leur étrange visiteuse porte-monnaie tombée du ciel ? Ou bien la malade s'appelait-elle Debarati ? Elle ouvrit son sac et en sortit un billet de mille roupies. Le cinquième de ce qu'elle avait dépensé dans le magasin tout à l'heure, et qui sauverait peut-être une vie. La vieille joignit les mains et inclina la tête.

Le groupe de femmes et d'enfants l'escorta jusqu'à son vélo.

Elle retrouva sans mal la rue droite qui retournait vers le bazar de Jew Town et pédala vite dans le noir, les yeux fixés devant elle pour percer l'obscurité et anticiper les obstacles. Les mots que Debarati lui avait balancés à toute volée dans la cuisine à Manhattan lui revinrent à l'esprit. « *Quelqu'un comme toi n'est pas mon genre. — Quelqu'un comme moi ? — Quelqu'un qui réussit tout, une première de la classe.* »

Elle voyait Deb se retourner, le couteau à la main. Une minute plus tôt, Charlotte lui avait demandé de prendre ce couteau-là pour couper les melons au lieu du couteau à pain et Deb avait riposté avec un grognement : « Grrr. T'es chiante. » Et soudain, sans avertissement : « Quelqu'un comme toi n'est pas mon genre. » Des mots prononcés sur le ton dur avec lequel Deb masquait sa vulnérabilité.

Elle avait cru que Debarati l'enviait. Que l'image de sa réussite professionnelle et de son bonheur conjugal lui était douloureuse. Elle avait cru que Deb, comme le peintre de son film, s'était tuée parce qu'elle n'avait pas supporté l'insuccès.

Elle n'avait rien compris. RIEN. Elle venait de passer une demi-heure à Mattancherry. Deb y avait vécu six ans. Elle venait de donner à ces femmes mille cinq cents roupies après en avoir dépensé cinq mille pour un châle en cachemire, et ne leur avait même pas laissé le deuxième billet de mille roupies — qu'elle avait gardé pour quoi ? Acheter un souvenir à l'aéroport ? Deb avait ouvert une école d'anglais avec un ami et dépensé pour ce projet tout l'argent qu'elle gagnait en travaillant dans un hôtel.

Cet ami, était-ce l'Indien que Charlotte avait vu au côté de Debarati sur un cliché qu'elle avait trouvé dans un tiroir de bureau en vidant la maison du Maine ? L'homme était-il originaire de Cochin ? De Mattancherry ? Avait-il été l'amant de Debarati ? Le camion accidenté au capot froissé comme un accordéon que Charlotte avait vu sur une autre photo lui appartenait-il ? Était-il mort dans cet accident ? Est-ce la raison pour laquelle Debarati n'était pas retournée en Inde après la mort de sa mère, deux ans et demi plus tôt ? Charlotte ne saurait jamais. À New York, en mars, elle avait entendu Deb lui dire : « J'ai ouvert une école avec un ami pour apprendre l'anglais aux Indiens pauvres, c'est leur seule chance de s'en sortir. » Elle n'avait posé de question ni sur l'école ni sur l'ami. Enfermée dans sa vision étriquée du monde et du succès, elle avait pensé : encore un projet farfelu de Deb, voué à l'échec, qu'elle n'a pas poursuivi d'ailleurs puisqu'elle est rentrée aux États-Unis. L'Inde était si loin de New York, si loin de son nouveau loft pour lequel elle cherchait un canapé à la fois élégant et confortable (on ne trouvait rien à moins de cinq mille dollars), si loin des cours de danse, de poterie et de guitare de ses filles. Les six ans que Debarati avait passés en Inde ne l'intéressaient guère. Six ans, résumés en trois phrases. Elle n'avait rien imaginé. Au lieu de parler d'elle, Debarati avait posé des questions aux filles, sur leur école, leur maîtresse, leurs amies, leurs peluches. Deb, à New York, ne s'était pas mise au centre. Charlotte, à Cochin, parmi ces Indiennes à la vie si différente de la sienne, n'avait pensé qu'à retrouver une trace de son passé et rapporter dans ses valises un moment essentiel pour elle. On sortait plus facilement de son pays que de sa tête.

Elle freina et fit impulsivement demi-tour. Rien ne semblait plus urgent, soudain, que de donner son dernier billet aux femmes de Mattancherry. Elle pédalait le plus vite possible dans la rue obscure et déserte, l'esprit fixé sur les femmes qui lui souriraient tout à l'heure, surprises de sa réapparition, et sur la vieille qui hocherait la tête avec approbation en la voyant ouvrir son sac pour en sortir la coupure. Il ne lui resterait plus un sou, mais elle n'avait pas besoin d'argent : elle avait déjà son billet de ferry et le chauffeur payé par le collège Sainte-Thérèse l'attendait de l'autre côté pour la conduire à l'aéroport. À Trivandrum aussi une voiture était réservée pour elle.

Elle se sentit piquer du nez vers le sol comme un avion en train d'atterrir et eut le temps de penser qu'un vélo n'était pas un avion, qu'il n'était pas normal de voler vers la terre.

Quand elle rouvrit les yeux, elle était allongée sur le dos et quelque chose de lourd pesait sur elle : un vélo. Elle avait mal partout. Des larmes jaillirent de ses yeux. Plusieurs hommes debout autour d'elle parlaient avec des voix fortes dans une langue roucoulante. Elle mit quelques secondes à se rappeler où elle était : en Inde, à Cochin, dans une rue de Mattancherry. Elle venait de faire une chute. Un des hommes attrapa et souleva le cadre du vélo. Un autre s'accroupit près d'elle.

« *Hospital ?* »

Charlotte remua les doigts et les orteils : elle avait le contrôle de ses membres. Rien de cassé.

« *No. It's okay. I'm just scared.* »

L'homme accroupi la prit sous les aisselles par-derrière pour l'aider à se relever. Quand elle fut sur ses pieds, il ne la relâcha pas tout de suite, comme pour lui fournir un appui et l'aider à retrouver son équilibre. C'était un homme jeune et moustachu qui portait une chemise beige et le pagne typique des conducteurs de rickshaw, replié sur les hanches. Il n'avait sans doute jamais tenu d'aussi près de touriste aussi peu vêtue. Un autre homme alla chercher son sac qui avait roulé dans la poussière et le lui tendit. Un troisième vérifiait que la bicyclette fonctionnait en la soulevant et en imprimant un mouvement aux roues. La chaîne avait déraillé. Il la remit en place sans se préoccuper de la graisse salissant sa main.

Elle n'avait plus de montre et ne savait pas l'heure. Elle n'aurait certainement pas le temps de rapporter le vélo à Fort-Cochin et de récupérer sa caution mais peut-être qu'en le laissant au débarcadaire du ferry, elle pourrait encore avoir son avion. Il fallait partir tout de suite. S'enfuir. Qu'est-ce qui lui avait pris de jouer les Mère Teresa ? Elle n'était pas Debarati. Elle ouvrit son sac et en sortit le billet de mille roupies, qu'elle tendit à l'homme qui avait réparé son vélo. Il refusa de le prendre. Elle insista d'une voix implorante.

« *Please. I must go. Please take it. Please.* »

Il finit par céder. Elle enfourcha la bécane et fila.

ROLAND

Chennai, vendredi 11 décembre

À peine s'approcha-t-il de la Toyota que le chauffeur, qui devait le guetter dans son rétroviseur, en sortit et lui ouvrit la portière. Roland lui serra la main avec un sourire amical. La veille, pendant les six heures en voiture, il avait appris des bribes de la vie de Ravi, qui, à quarante-quatre ans, venait de devenir grand-père, et qui s'était étonné que Roland, vu son grand âge, n'ait pas encore de petits-enfants. Il avait une fille mariée et deux fils qui étudiaient l'*engineering* à l'université de Trivandrum, ce dont il n'était pas peu fier.

« Merci encore pour hier, Ravi. Vous n'êtes pas trop fatigué ?

— *No problem, Sir. Madam not coming ?*

— Pas aujourd'hui. »

Roland se glissa sur le siège en cuir et appuya sa tête sur le dossier. Il ferma les yeux et écarta les cuisses, plein d'énergie malgré le peu de sommeil. La journée avait la couleur des pochettes-surprises « spécial garçon » que lui achetait sa mère quand il était petit, dans lesquelles il trouvait chaque fois le même sucre d'orge poisseux et le même coloriage. Le plaisir était dans l'anticipation, bien sûr. Mais à soixante-quatre ans, rares étaient les journées qui vous réservaient des surprises sans désagrément.

Devant lui la pochette-surprise — le rendez-vous clandestin avec Srikala — et derrière, le problème avec Renata réglé. Lui qui fuyait d'habitude toute confrontation, hier il avait *géré* — pour reprendre un mot de Clém qu'il trouvait très laid.

Depuis le moment où Renata lui avait annoncé la nouvelle, il n'avait cessé d'y réfléchir. Il avait feint d'ignorer son silence. Elle ne riait à aucun de ses blagues. Il avait mis au point une stratégie. Avec l'aide de Manon, il avait organisé une journée dans les Backwaters. Il avait fait cette traversée quarante ans plus tôt avec Hélène et décidé que ce serait l'endroit où il parlerait à Renata. Elle ne voulait pas venir, se prétendant trop fatiguée pour une excursion touristique. « Vas-y avec Manon. » Elle l'avait vu disparaître avec elle dans un bureau de l'Alliance et pensait sans doute qu'il avait passé deux heures à batifoler. « Tu te reposeras dans le bateau. Viens. — Je n'ai pas envie. — Renata, s'il te plaît, fais-moi confiance. » Il avait mis la main dans son cou et l'avait sentie près de s'effondrer. Mais elle résistait encore.

La jonque avait deux sièges à l'avant et, entre les sièges et le rameur, un lit surplombé d'un dais l'abritant du soleil. Se doutant que Renata se méfierait du tissu à la propreté douteuse où s'étaient allongés bien des couples avant eux, Roland avait emporté une serviette. Ils longeaient des rives à la végétation touffue abritant des maisons en béton peintes de couleurs vives, des cabanes de bois ou de roseaux. Des femmes lavaient du linge dans l'eau de la rivière ; des hommes se brossaient les dents ; des enfants nombreux couraient le long du bateau, leur faisaient des signes et leur criaient « *photo !* ». Renata avait sorti le Leica numérique qu'il lui avait offert peu avant le voyage. Il sentait son humeur s'apaiser. On aurait pu craindre que la vue des enfants souriants et des bébés aux grands yeux ronds accrochés au cou de leur mère ne fût pas le meilleur allié de Roland en un moment pareil, mais l'appareil photo distanciait Renata de ces mères. Ils voguaient depuis plus de deux heures quand il prit la parole :

« Renata, tu souhaiterais que je pousse des cris de joie. Mais je ne veux pas d'enfant, tu le sais. » Elle tressaillit sans le regarder, les yeux fixés sur l'eau lisse, son bras fin posé sur le bord de la barque. « J'ai soixante-quatre ans. Les enfants ont chaque fois détruit mon couple. Je t'aime. Je ne veux pas te perdre. »

Elle ne bougea pas mais un imperceptible mouvement de son cou indiqua qu'elle était sensible à ces dernières phrases. Elle devait se sentir très seule.

Il commença par la question du désir d'enfant. Dans la vie d'une femme, il y avait un moment où elle désirait un enfant très fort : entre trente-cinq et quarante ans, quand son horloge biologique approchait du point de non-retour. Une histoire d'hormones. Même les féministes les plus indépendantes se laissaient piéger à ce moment précis de leur vie. Piéger, oui. Ce que la femme désirait, ce n'était pas tant l'enfant que l'adorable bébé, la fusion avec cet appendice corporel, la perte de soi dans les humeurs et les liquides, le lait coulant de son corps à la bouche de l'enfant. Le bébé était une drogue dont il fallait ensuite se sevrer. Si les femmes avaient plusieurs enfants, c'était par désir de reproduire ce moment magique où elles avaient un bébé. Mais le bébé grandissait. On en prenait pour vingt ans. Vingt ans de couches et de tétées, de genoux écorchés et de rhinopharyngites, d'école, d'examens, de compétition, d'avenir à assurer — quand tout se passait pour le mieux. On se retrouvait un jour face à soi-même et il était trop tard. Voilà pourquoi si peu de femmes créaient. Renata voulait devenir styliste. Il lui suggérait de se donner les moyens de réaliser son désir. Il la soutiendrait.

Renata l'écoutait sans rien dire, en regardant droit devant elle.

Roland avait ensuite développé les autres points de son argumentation. Dès que c'était devenu sérieux entre eux, il avait mis cartes sur table. Elle était jeune : il ne souhaitait pas la contraindre. Elle l'avait assuré qu'elle trouvait la vie trop compliquée et sa relation à sa mère trop douloureuse pour s'encombrer à son tour d'un enfant. Pour elle, il avait quitté sa femme et sa fille. Même si les relations entre les êtres humains n'étaient pas fondées sur la rationalité, il était infantile d'exiger de l'autre une adhésion à un désir impulsif qui signifiait une rupture de leur contrat initial.

« Avant, je ne savais pas comme j'avais envie d'un enfant, objecta Renata avec son accent qui faisait danser les syllabes. Mais maintenant je le sens : il est dans mon ventre, il est vivant.

— Soit : tu as *envie* d'un enfant. Et si j'avais *envie* de coucher avec Manon, devrais-je suivre mon désir ?

— Ce n'est pas pareil ! C'est *notre* enfant, Roland !

— Non. C'est un accident. Je refuse de me laisser faire par la nature. »

Il lui parla de son passé, qu'il s'était contenté jusque-là d'évoquer brièvement. Il avait cessé de désirer Hélène au moment où son ventre avait commencé à enfler. Après la naissance des jumeaux, toute passion avait disparu de sa relation avec Irina. Quant à Valérie, alors même qu'il avait déjà cinquante ans et un désir de stabilité, la naissance de Clémentine avait porté le coup de grâce à son désir. Que Renata n'aille pas mettre en cause l'usure du temps ou l'inconstance de Roland : avec la naissance d'un enfant son désir mourait.

Il avait soixante-quatre ans. C'était l'âge de vivre pour soi, sans les contraintes qu'imposait quotidiennement un môme. Chez lui il voulait le silence et la paix. Partir quand il le souhaitait. Ne pas se réfugier dans une chambre de bonne pour y écrire. Il n'en avait plus l'âge. Il était en bonne santé, Renata le savait, il le lui prouvait : mais il avait besoin de toute son énergie pour garder son corps en forme, pour elle, pour eux. Il lui promettait encore de nombreuses années de voyages, de sorties, de week-ends chez les uns et les autres. Se rendait-elle compte qu'ils devraient renoncer à cette vie joyeuse et riche ? Enfin, il y avait autre chose qu'il ne lui avait pas dit : juste avant de la rencontrer, il avait eu un cancer. Il l'avait découvert à temps par une coloscopie, alors qu'il ne sentait rien. Le choc d'avoir un ennemi mortel logé dans son propre corps à son insu lui avait donné la conscience de sa mortalité. La rencontre de Renata l'avait réjuvéné. Mais il ne pouvait pas avoir un enfant, il ne le pouvait simplement pas. Elle devait le comprendre.

Il avait hésité à lui révéler le cancer. Comme il s'en doutait, elle s'indigna : « Tu as eu un cancer et tu ne me l'as pas dit ? — Je ne voulais pas t'apparaître comme un homme malade. La pitié est le contraire du désir. J'étais guéri. Pourquoi t'aurais-je inquiétée ? » La tumeur du côlon n'avait pas métastasé. On la lui avait enlevée. Il restait sous surveillance et en toute probabilité ne mourrait pas d'un cancer. Mais son rapport au temps avait changé ; il vivait avec la conscience d'entamer de jour en jour un capital limité qu'il ne pouvait se permettre de gaspiller.

Renata avait baissé la tête et ne disait rien. Ils s'étaient allongés sur le lit et avaient passé des heures à contempler le ciel et l'eau verte où flottaient des nénuphars. Une brise adoucissait la chaleur. De sa première virée sur les Backwaters, Roland se rappelait ce vent caressant. Le rameur tournait dans de minuscules canaux entre des rives plantées d'arbres étendant sur la barque l'ombre protectrice de leurs larges feuilles. Les habitations se faisaient plus rares. En quarante ans rien n'avait changé. On n'entendait que le clapotis de la rame dans l'eau et le cri des oiseaux. Ils avaient mangé des sandwiches préparés à leur hôtel et dormi, allongés l'un contre l'autre en se tenant la main. Au réveil, le jour tombait sur les eaux vertes. Sortant de l'enchevêtrement des canaux, ils avaient débouché sur une vaste étendue d'eau que traversaient au même moment des centaines de canards bruns poussés par deux Indiens dans de petites barques. À l'horizon, le ciel et la rivière se rejoignaient dans une sorte de brouillard bleuté. Il était difficile de se représenter le paradis sous une autre forme.

Après huit heures de navigation, ils étaient arrivés à Alleppey vers six heures. Un tuk-tuk les emmena sur la vaste plage de Marari. Il y avait tant de cahots qu'un espoir effleura Roland : une fausse couche réglerait peut-être le problème. À Marari ils virent se coucher un soleil rouge vif, seuls Occidentaux entourés de quelques Indiens pauvres qui dévisageaient Renata. Ravi les attendait à Alleppey pour les ramener à Kovalam. De retour à minuit, malgré la fatigue de la longue journée ils avaient fait l'amour avec une lenteur exprimant une tendresse nouvelle. Il savait qu'il avait gagné.

« *Here we are, Sir.* »

Ravi venait d'arrêter la voiture devant le terminal. Huit heures dix. Roland n'avait pas cédé à la Legac, qui voulait qu'il quitte l'hôtel à six heures et demie du matin. Il avait un peu plus d'expérience qu'elle des vols provinciaux : sans bagage à enregistrer, il suffisait d'arriver une demi-heure avant le départ. Géraldine prenait très à cœur sa tâche d'organisatrice : il glisserait quelques mots gentils sur elle à l'ambassadeur pour compenser les angoisses qu'il lui avait causées.

Il faisait chaud dans l'avion, un coucou d'une quarantaine de places. Roland confia au steward la veste en lin Comme des garçons, fleuron de sa garde-robe printanière, qu'il avait emportée au cas où le restaurant où Srikala lui avait donné rendez-vous serait réfrigéré par la climatisation. À sa gauche, près du hublot, une toute jeune fille aux cheveux courts blond pâle lui rappela vaguement Manon. Renata n'avait pas tort : l'assistante de Géraldine lui trottait dans l'esprit. Elle lui inspirait l'envie, précisément, d'enfoncer son sexe au fond de sa gorge tout en la tenant par sa queue de cheval. L'effet du fantasme fut immédiat. Il aurait dû garder sa veste et la poser sur ses genoux pour le masquer.

Plongée dans son livre, sa voisine ne leva même pas la tête quand le steward énonça en kéralais, en hindi et en anglais les consignes de sécurité. L'appareil décolla. Dans le petit avion rempli d'hommes d'affaires indiens, il n'y avait que deux ou trois Occidentaux, et la seule femme était la jeune fille assise près de lui, placée là comme par hasard. Elle tendit la main pour prendre un verre d'eau quand l'hôtesse passa dans la rangée. Il en profita pour lui sourire.

« *How are you ?* »

Elle le regarda comme si elle s'avisait de sa présence. Elle avait les yeux noisette et des taches de rousseur. Elle était très mignonne. Ses sourcils étaient plus foncés que ses cheveux blond pâle, qu'elle devait teindre. Elle avait l'air si jeune, vingt ans à peine, qu'il se demanda ce qu'elle faisait seule en Inde, imprudemment vêtue d'un débardeur moulant et d'une minijupe. Ses épaules couvertes de taches de rousseur avaient une rondeur adorable. Elle se contenta d'un petit hochement de tête avec un rictus avant de repiquer le nez vers son livre.

« *Where are you from ?* » reprit Roland.

Elle leva les yeux ; une ombre de contrariété traversa son regard.

« *Sweden.*

— La Suède ! répondit-il avec son accent le plus british. Un grand pays, la Suède : la seule vraie démocratie socialiste. Vous savez que vous avez un compatriote dans l'avion ? Je lui ai parlé en embarquant. Le blond au troisième rang. »

Elle hocha la tête avec indifférence et baissa les yeux vers son livre.

« Il y a des vacances en Suède en ce moment ?

— Non, dit-elle sans même le regarder.

— Vous êtes d'où ? de Stockholm ?

— De Malmö.

— Jolie ville. »

S'il n'avait pas été d'aussi bonne humeur, elle aurait presque réussi à le déprimer en lui tendant par sa réticence un miroir de son âge. Il y avait si peu de touristes dans cet avion qu'il était logique qu'ils bavardent, non ? La résistance de cette fille le piquait — pas désagréablement.

« Vous voyagez seule en Inde ?

— Oui, marmonna-t-elle.

— Combien de temps ?

— Une semaine. Excusez-moi, j'ai envie de lire. »

Il sourit en coin. Elle renonçait à toute courtoisie. Pour voyager seule en Inde, vêtue comme elle l'était, il fallait qu'elle sache se défendre. Elle l'intriguait. Il aurait aimé connaître son histoire. Partie de Malmö sur un coup de tête après un chagrin d'amour ?

« C'est un bon livre ? »

Elle le regarda dans les yeux. Il sentit qu'elle avait envie de le gifler. Il tendit la main pour prendre sur sa tablette le gobelet vide et le tendre à l'hôtesse qui passait dans la rangée. Elle le remercia d'un hochement de tête. Quand elle tourna la page, il aperçut le nom de l'auteur en lettres dorées en relief sur la couverture : James Patterson.

Un seul James Patterson et Roland aurait pu acheter à Renata l'appartement de ses rêves, dans le VIe arrondissement et pas dans le Xe où ils louaient un trois-pièces de quatre-vingts mètres carrés.

Les essais, même best-sellers, ne rapportaient pas suffisamment. Lui-même était capable d'écrire un bon thriller. Il l'avait prouvé. Mais il n'avait pas eu envie de récidiver. Il n'aimait pas se retrouver enfermé, même dans un genre littéraire. Sortir de la littérature pour aller carrément vers un autre art, comme le cinéma ? Il admirait Charlotte Greene d'en avoir été capable mais avait compris en discutant avec elle que le cinéma n'était pas une panacée : son deuxième film, pourtant accepté dans plusieurs festivals importants et apprécié des critiques, avait été mal distribué. Des acteurs pas assez connus. Il fallait Mathieu Amalric ou Vincent Cassel, sinon ce n'était pas la peine.

El s'il écrivait ses *Illusions perdues* ? L'histoire d'un homme qui serait l'histoire des femmes, l'histoire de la seconde moitié du XXe siècle, l'histoire d'une génération. *Femmes* : déjà pris. *Un enfant du siècle* : idem, et un peu suranné. *Serial Lover* : pas mal.

Il sortit son calepin en moleskine et son Montblanc de sa sacoche. En se redressant, il s'aperçut que la Suédoise regardait vers l'avant de l'avion. Elle baissa aussitôt les yeux. Roland vit la fin du mouvement de la tête de son compatriote assis à l'avant — qui s'était retourné, donc. Se connaissaient-ils ?

Il prit quelques notes. Il était l'enfant du printemps et de la victoire, né le 18 mai 1945, exactement neuf mois après la libération de Paris que son père, qui se cachait en Touraine, avait regagné à pied et à vélo. Isaac Weinberg avait donné à son dernier-né le nom bien français du héros qui avait défendu la France de Charlemagne. Enfant heureux, enfant couvé de trois femmes, sa mère et ses deux sœurs plus âgées que lui de sept et dix ans, enfant dont la vocation avait été de faire rire les femmes, surtout après le divorce, en 1955, quand son père avait quitté Paulette pour une goy. Plus tard, dès qu'une femme le serrerait trop fort, il s'esquiverait. *L'esquive* : autre joli titre. Il avait vu le film avec Clém. Elle avait aimé, pas lui.

Anne-Marie, rencontrée à la bibliothèque Sainte-Geneviève en octobre 61. Féministe, grande lectrice de Simone de Beauvoir, elle initie à la sexualité ce puceau rieur qui a deux ans de moins que ses camarades et une tête de bébé. Elle lui donne à lire *Les infortunes de la vertu* et *Les liaisons dangereuses*. Ils assistent ensemble à des conférences à la Sorbonne et à l'École normale supérieure. Ils entrent dans un cercle de jeunes philosophes gauchistes. Ils se prennent pour la marquise de Merteuil et le vicomte de Valmont. C'est Anne-Marie qui le défie de séduire une de leurs condisciples, sainte-nitouche protestante débarquée de son Alsace natale, fille sérieuse à lunettes logeant chez une veuve chargée par son père de la surveiller de près. Roland tombe amoureux d'Hélène. Rupture du contrat avec Anne-Marie.

Surprise, en ôtant les grandes lunettes d'Hélène et ses robes sacs, de découvrir la pureté de son visage délicat et son corps à la Cranach. Peau très blanche, petits seins ronds à la pointe rosée, cheveux noirs épais qui tombent sur ses épaules une fois qu'on a défait son strict chignon, yeux gris de myope derrière les verres des lunettes, lèvre inférieure pulpeuse, hanches solides. Hélène de dix-neuf ans sensuelle et passionnée, Hélène révoltée qui découvre un an plus tard, grâce à Paulette qui a connu son oncle, Léon-Joseph Zimmermann, ancien associé du père de Roland et héros de la Résistance, que sa famille alsacienne protestante est en fait une famille de Juifs convertis.

La plume en l'air, Roland fit la moue. Il y avait de la matière, mais encore faudrait-il trouver une forme un peu originale. Il vit flotter autour de lui, comme des bulles de savon, des images oubliées, plus réelles que les mots qu'il venait d'écrire. Hélène et lui, sur le matelas à même le sol dans le studio de la rue de la Clef, encastrés en cuiller après avoir fait l'amour et se réveillant au matin dans la même position, poisseux de sperme et collés l'un à l'autre. Le vacarme dans le grenier de Sélestat quand la chaise sur laquelle elle le chevauchait s'était renversée, et leur terreur dans les minutes qui avaient suivi l'épouvantable bruit. Puis leur fou rire. C'étaient des images auxquelles il n'avait pas pensé depuis des dizaines d'années. Qu'avait-il de commun avec ce garçon de vingt ans à la chevelure ondulée qui avait aimé Hélène pendant cinq ans avec ardeur ? S'il avait vu sur un écran le film de sa jeunesse, il n'est pas certain qu'il aurait identifié ses propres sensations. Des couches de passé s'étaient détachées de lui comme des peaux de serpent. D'Hélène, les deux souvenirs les plus précis qu'il gardait étaient ceux de la fin de son désir : leurs retrouvailles ratées à l'aéroport en juillet 68 quand elle l'avait rejoint à Delhi où il faisait sa coopération et qu'il avait compris en la voyant qu'il ne l'aimait plus. Et sept mois plus tard, l'image de son corps amaigri par la dysenterie, au ventre inexplicablement gonflé par une maladie tropicale inquiétante sur laquelle le médecin qu'ils avaient fini par consulter avait mis un nom familier : un bébé. Le corps d'Hélène l'avait dégoûté.

Il serait plus facile d'écrire sur Irina. Les souvenirs étaient plus nets. La voix de camionneur dans le récepteur, à Sélestat, le matin du 18 octobre 69, une date inscrite en lettres d'or dans sa mémoire. Hélène était au lycée, Catherine chez la nourrice. Roland, qui écrivait la nuit, ne se levait pas avant deux heures de l'après-midi. La bouche pâteuse, il grogne un bonjour irrité, avant que le fouette la réponse : « Roland Weinberg ? Irina Mihaïlovitch, des éditions du Seuil. » Voix rauque et masculine. Voix de fumeuse. Un accent que confirme le patronyme : il imagine la grosse Russe moustachue fumant sans arrêt, un cendrier devant elle, un verre de whisky posé sur son bureau. Mihaïlovitch a lu son essai et souhaite le rencontrer.

Irina, le 21 octobre 69. Roland a franchi le seuil de l'hôtel particulier de la rue Jacob — le seuil d'une nouvelle vie. Il a donné son nom à la réceptionniste méfiante. Il attend, nerveux, les fesses au bord du fauteuil. La voix rocailleuse prononce son nom tandis que des talons martèlent l'escalier : « Roland Weinberg ? » Il se lève. Pas une grosse moustachue de cinquante ans mais une femme d'une trentaine d'années petite et mince aux courts cheveux blond pâle en tailleur gris foncé, foulard Hermès et chaussures à talons aiguilles. Ses sourcils épilés s'arquent aussi de surprise : elle ne s'attendait pas que l'auteur de *La révolution spirituelle : l'Occident colonisé par l'Orient* soit si jeune et si mignon. Une semaine plus tard ils dînent ensemble chez Lipp. Elle insiste pour régler l'addition. Elle l'invite à boire un verre chez elle rue Vaneau.

Irina, dans son tailleur blanc Chanel et son bibi à voilette, descendant à ses côtés l'escalier monumental de la mairie du VIIe le 8 novembre 71. Il a vingt-cinq ans et le sentiment de dominer le monde. C'est l'époque la plus balzacienne de sa vie : Irina est sa Coralie et sa Louise de

Bargeton, qui contemple avec indulgence l'enfant prodige et en oublie de l'arracher au tourbillon de vanité qui l'enivre. Elle a trente-huit ans. Elle veut un enfant. Fin mars 72, ils partent en voyage semi-officiel en Union soviétique, où vit encore la mère d'Irina. Il en revient avec des notes pour un nouvel essai et elle, avec deux embryons dans le ventre. Les jumeaux naissent en novembre 73, Ivan tout petit mais parfaitement formé, Lucien aux poumons inachevés qui a failli mourir asphyxié pendant l'accouchement. Fin du règne de Roland. Irina est mère. Il n'est plus que le géniteur, relégué au second plan. En 75, après la sortie de *La fin du communisme*, il songe à partir. Irina est d'accord : elle aussi pense que Roland, pour créer, a besoin de quitter l'air raréfié de Saint-Germain-des-Prés. En 76, il obtient une bourse pour étudier les religions comparées à l'Institut français de Pondichéry et écrire un livre qui ne verra jamais le jour. Il restera quatre ans à Pondichéry.

Srikala.

Il resta le stylo en l'air. Au lieu du restaurant de l'hôtel Orient à Pondichéry où il avait rencontré, peu après son arrivée en septembre 76, l'étudiante indienne anglophone de Chennai venue faire un documentaire sur Auroville, surgit dans sa mémoire, avec la précision d'un cliché photographique, l'immeuble de la rue Madame. La lourde porte cochère, le hall étroit avec son carrelage de carreaux anciens dans les tons bruns et rouges, et les rangées de boîtes aux lettres en bois accrochées au mur sur la droite, parmi lesquelles celle qui porte les noms de Weinberg et de Raghavan, d'où il extrait une épaisse liasse de courrier un matin de mars 83, une heure et demie après son arrivée à Roissy en provenance de New York, sa grosse valise Delsey à ses pieds. Il la feuillette rapidement et repère tout de suite les timbres indiens et l'écriture aux boucles exotiques. Cela fait quinze jours qu'il n'arrive pas à joindre Srikala, qui est allée en Inde voir ses parents et renouveler son visa pendant qu'il enseignait à New York, et qui devait l'attendre à Paris à son retour. Il ouvre l'enveloppe et en retire deux feuilles de papier fin couvertes recto verso d'une écriture serrée, qu'il parcourt en montant lentement l'escalier, sa valise à la main. Sur le palier du premier étage, il s'arrête, pose sa valise et relit la lettre. À la fin des deux feuilles où s'enchaînent de longues phrases dont il sent chaque terme pesé avec réflexion, un mot déchire son cœur avec une scie très fine. Il monte l'escalier quatre à quatre jusqu'au septième étage en abandonnant son bagage, tourne la clef dans la serrure et entre chez lui. Il claque la porte, traverse le salon, ouvre la porte-fenêtre. Sur le balcon il s'accoude à la balustrade. Il fait froid et très beau. Le ciel est bleu, traversé de petits nuages blancs. Il contemple la courette sept étages plus bas, maintenant silencieuse, d'où montent en fin d'après-midi le bruit du ballon et les cris du fils de la concierge avec qui Roland tape parfois la balle. Il voit son corps en bas, disloqué sur le béton. Seule fois de sa vie où il ait jamais eu pareille tentation.

Roland reboucha son stylo. La Suédoise poursuivait sa lecture sans manifester aucune curiosité pour les notes manuscrites de son voisin dinosaure, en tournant les pages avec une régularité si mécanique que Roland se demanda si elle lisait vraiment. Le capitaine annonça l'atterrissage. Roland rangea son calepin dans sa sacoche. Ce n'est pas avec ce *Serial Lover* qu'il achèterait son cent cinquante mètres carrés dans le VIe arrondissement. Au XXIe siècle, le *Bildungsroman* n'avait plus cours. Mieux valait inventer. Cette fille était un bon point de départ. Elle captiverait davantage le lecteur que le passé de Roland.

L'avion freina si brusquement en touchant le sol que les passagers échangèrent des regards inquiets. La Suédoise ne leva pas les yeux. Avant de quitter l'avion, il récupéra la veste suspendue à l'avant. Sa jolie voisine était partie sans lui dire au revoir.

Dans le groupe de gens qui attendaient à la sortie du terminal il y avait un seul Occidental, un petit chauve à lunettes qui s'avança tout sourire et lui tendit la main :

« Monsieur Weinberg, bienvenue à Chennai. Jacques Lefèvre, consul de Pondichéry. Quel honneur vous nous faites en venant jusqu'ici !

— L'honneur est pour moi, monsieur le consul.

— J'aurais aimé vous recevoir à Pondichéry. C'est dommage que vous n'ayez pas le temps.

— D'autant que je n'y suis pas retourné depuis vingt-huit ans ! »

La voiture du consul attendait devant le terminal. Juste avant d'y monter, Roland aperçut la jeune fille aux courts cheveux blond pâle — qui ressemblait un peu à Jean Seberg dans *À bout de souffle.* Des chauffeurs de taxi indiens s'approchaient d'elle pour lui proposer leurs services, et Roland allait demander au consul s'ils pouvaient la conduire en ville quand l'autre Suédois de l'avion franchit la porte vitrée, prit le bras de la fille et l'entraîna vers un véhicule garé un peu plus loin. Pourquoi ne lui avait-elle pas dit qu'ils étaient ensemble ? C'était la meilleure façon de se débarrasser d'un importun. Pourquoi ne les avait-on pas placés côte à côte dans l'avion qui n'était pas plein ?

Chennai. Madras telle qu'en elle-même. Roland écoutait le consul lui parler de la politique du Tamil Nadu et regardait par la vitre la ville tentaculaire d'où Srikala était originaire. En 76, peu après leur rencontre, elle avait déménagé à Pondichéry. Ils allaient parfois rendre visite à Chennai aux parents de Srikala qui habitaient un appartement dans un immeuble cossu du front de mer. Larges d'esprit, ils avaient accueilli comme un fils le Français qui avait détruit la réputation de leur fille unique.

Alors que les bus, les motos, les voitures et les rickshaws fonçaient en klaxonnant sur la route crevassée et que le consul lui parlait d'Auroville, qui comptait aujourd'hui deux mille habitants — pas les cinquante mille qu'on espérait en 1968 — et où des femmes avaient été récemment violées par des bandes d'Indiens, Roland se rappela les longues rues tranquilles de Pondichéry bordées d'immeubles aux façades jaunes, rue Romain-Rolland, rue Suffren, rue François-Martin… Et le Goubert Salai longeant la mer où il se promenait en fin d'après-midi après ses heures d'écriture à la paisible bibliothèque de l'Institut français, avant de retrouver Srikala. 23 rue Dumas, la maison jaune vif avec sa terrasse sur le toit abritée du soleil par un auvent de chaume et entourée d'un filet qui empêchait les singes et les oiseaux de venir se servir sur la table. Une petite ville de province française sous les tropiques. Ville blanche somnolente écrasée de chaleur. Il y avait beaucoup écrit et beaucoup fait l'amour. L'ennui concentrait le sentiment.

Mais à son retour à Paris, en 80, il n'avait pas cessé de

l'aimer. Même pendant leur séparation de huit mois avant qu'elle le rejoigne, il n'avait pas regardé d'autre femme. La seule femme à qui il ait été fidèle, pendant six ans et demi. Amoureux d'elle en 82 comme en 76. Elle avait échangé le sari pour le jean et s'était adaptée à la fourchette. À Paris, Madras ou Pondichéry, c'était la même Srikala et le même amour.

Ils approchaient du centre-ville et tournèrent bientôt sur College Road, où ils arrivèrent devant les bâtiments blancs de l'Alliance française. Une immense banderole arborant le visage de Roland était suspendue à l'entrée. Le directeur de l'Alliance les emmena boire un café sur la terrasse au premier étage. L'air crispé, il prévint Roland que leurs élèves travaillaient le matin en semaine. Quand ils descendirent dans la bibliothèque à onze heures, il n'y avait en effet pas grand monde : à peine dix personnes sur les quarante chaises installées entre les rayonnages. Il avait intitulé sa conférence : « Comment peut-on être français ? » et repris de vieilles idées sur le rôle de la France depuis les Lumières, sur la francophonie, le rapport hégélien entre colonisateur et colonisé, et les contradictions d'une nation prise entre arrogance et culpabilité, dont les élites avaient du mal à comprendre que le contenu du mot « français » s'était modifié avec l'immigration. Des gens entraient dans la bibliothèque, s'asseyaient, et ne repartaient pas. Quand Roland cessa de parler, à midi, les chaises étaient toutes occupées. En France, il ne se déplaçait plus pour des rencontres avec une poignée d'auditeurs, mais il était plaisant de constater qu'il avait encore le pouvoir de passionner des gens qui n'avaient jamais entendu son nom. Le directeur les invita à boire un jus de fruits à l'étage. Quand le consul s'approcha et lui annonça qu'il l'emmenait déjeuner au Raintree avec le directeur de l'Alliance, sa femme, et la directrice du département de français de l'Université de Madras qui n'avait pu assister à la conférence, Roland garda un masque souriant alors même qu'il apprenait que ce déjeuner auquel il ne comptait pas participer avait lieu au restaurant même où il retrouvait Srikala : il était trop tard pour prévenir cette dernière. Il imaginait déjà les ragots circulant de Pondichéry à Trivandrum, du consul à la Legac, de cette dernière à Jagdish, de Jagdish à Renata.

« Je suis désolé, mais je ne suis pas libre pour déjeuner.

— Vous n'êtes pas libre ? reprit le consul interloqué.

— J'ai un rendez-vous de travail. J'ai oublié de le mentionner à Géraldine Legac.

— Bien sûr… Je comprends. J'aurais dû vous demander…

— C'est ma faute. Je suis confus. Veuillez transmettre toutes mes excuses à votre femme. Vous déjeunez au restaurant Raintree du Taj Connemara ?

— Non : au restaurant de l'hôtel Raintree, tout près d'ici. Vous voulez nous rejoindre pour le café ? »

Deux Raintree ! Il l'avait échappé belle. De remerciement en remerciement, il parvint à partir et déclina fermement l'offre du consul de garder la voiture avec le chauffeur.

Il prit un rickshaw sur College Road. Après un quart d'heure de secousses et de bruit infernal dans la chaleur étouffante de midi, il parvint au Taj. Il passa sous un portillon détecteur de métal avant d'entrer dans le vaste hall climatisé du palace, majestueux, paisible et frais. Une réceptionniste souriante lui indiqua le couloir qui menait au Raintree. Il poussa une porte et retrouva la lourde chaleur du dehors. Il emprunta d'un pas frétillant une longue allée sous de hauts arbres qui formaient en pleine ville une oasis bienvenue de verdure et d'ombre, tout en songeant à l'exceptionnel concours de circonstances qui l'avait conduit en ce point précis de l'espace et du temps. En avril dernier, Clém, craignant sans doute qu'il ne se fossilise, avait insisté pour lui créer une page Facebook ; un mois plus tard il avait reçu un message de Srikala, dont il n'avait aucune nouvelle depuis vingt-sept ans. Après deux ou trois échanges d'une cordialité prudente sous laquelle couvait quelque chose de grisant, Srikala avait interrompu une correspondance qu'ils n'auraient pu poursuivre sans aborder un sujet que le temps avait prescrit. En juillet il avait reçu l'invitation à ce festival qui ne se déroulait pas juste dans les lieux habituels, Delhi, Calcutta ou Bombay, mais dans le sud de l'Inde, dans l'État voisin du Tamil Nadu. Quand la roue du destin pointait dans une direction, il fallait la suivre — ou même donner un petit coup de pouce en suggérant à la directrice de l'Alliance française de Trivandrum de l'envoyer faire une conférence à Chennai, tout en convainquant Renata qu'un aller-retour d'une journée dans cette immense ville chaotique n'avait aucun intérêt pour elle.

Il arrivait au bout de l'allée et au but de son voyage. Deux statues de dieux hindous décorées de guirlandes de fleurs se reflétaient dans l'eau sombre d'un bassin rectangulaire. Il n'y avait personne aux tables dehors, sans doute à cause de l'excessive chaleur. Il allait se diriger vers la salle climatisée quand il aperçut en retrait sur la droite, sous un toit de béton auquel était fixé un ventilateur, une femme seule en sari vert clair assise à une table. Elle leva la tête. Roland haussa les sourcils : Srikala lui avait envoyé sa mère. Il eut une bouffée de colère. Quelle désinvolture, vingt-sept ans après ! Avait-elle pris peur ? Ou l'avait-elle prévenu d'un empêchement ? Il n'avait bêtement pas vérifié ses e-mails ce matin. Mme Raghavan était une femme intelligente et charmante que Roland avait beaucoup appréciée autrefois, mais il n'était pas venu à Chennai pour elle : il aurait préféré accompagner le consul. Trop tard : elle l'avait vu et lui souriait. Il s'avança. Elle se leva.

« Roland. »

Son nom prononcé par la voix au *r* roucoulant évoqua instantanément un corps svelte et foncé sur un matelas par terre recouvert d'un drap blanc, 23 rue Dumas. Il faillit éclater de rire. Obnubilé par son rendez-vous secret, il en avait oublié les outrages du temps. Srikala de soixante ans ressemblait beaucoup à sa mère par son allure générale — la taille épaissie, les longs cheveux gris, les lunettes, le troisième œil — mais il était impossible, de près, de la prendre pour sa mère. Elle avait le beau visage de Srikala : la bouche au dessin délicat avec la lèvre supérieure légèrement avancée, le grain de beauté au-dessus du coin droit de la bouche, les hautes pommettes, le nez fin et busqué, les grands yeux soulignés de traits noirs. Roland reconnut le collier de larmes en quartz qu'il lui avait offert pour leur premier anniversaire de rencontre.

« Tu n'as pas changé, dit-elle en anglais avec un sourire.

— Toi non plus, Sri. »

Il était sincère, même s'il ne l'avait pas reconnue. Le diminutif lui revint spontanément.

« Il fait froid à l'intérieur. J'ai pensé qu'on serait bien ici, avec le ventilateur. »

Roland mit sa veste sur le dossier d'une chaise à l'écart et s'assit face à Srikala. Elle alluma une cigarette tandis qu'un serveur apportait des menus.

« Ils préparent un thali avec des crevettes. Ça te dit ? Et des parathas ? »

Elle se rappelait son goût pour les crevettes et le pain indien chaud et gonflé. Le serveur revint. Elle passa la commande en tamoul. Ils se regardèrent à nouveau en silence. Une minute s'écoula sans qu'ils ouvrent la bouche ni qu'ils baissent le regard. Ce face-à-face silencieux était plus intime que toute parole. Roland, qui était allé à ce rendez-vous mû par la curiosité, sans attente particulière, anticipa la suite. Dans une heure ou deux ils seraient allongés sur un lit du Taj et il déroulerait lentement son sari — ou rapidement, c'est selon. Le sexe était la seule vérité. L'unique raison pour laquelle Srikala lui avait envoyé un message sur Facebook vingt-sept ans après. Il n'y avait rien d'autre à faire que suivre le courant. Elle sortit une autre cigarette de son paquet et l'alluma avec le mégot de la précédente qui n'était pas encore éteint, puis inspira une longue bouffée.

« Tu fumes toujours autant.

— Je sais. Mes fils sont indignés.

— Tes fils. Quel âge ? »

Sans rien savoir de sa vie des vingt-sept dernières années, il éprouvait un étrange — *unheimlich* — sentiment de familiarité. Deux fils de vingt-six et vingt-cinq ans : elle les avait eus coup sur coup juste après leur rupture. Il se demanda si elle n'allait pas lui révéler qu'il était le père de l'aîné.

Une grossesse aurait expliqué ce mariage précipité. Avait-elle paniqué par crainte qu'il ne respecte pas les conventions sociales ? La vieille notion de déshonneur était toujours en usage en Inde.

« Ils vivent à Chennai ?

— Non. Harsha travaille à Calcutta pour une ONG et Arun fait un Ph.D de physique à MIT aux États-Unis.

— Deux fils brillants. »

Elle l'interrogea sur les jumeaux. Elle se rappelait leurs prénoms. Elle fut contente d'apprendre que Lucien aussi s'en sortait, grâce au poste pour handicapé que sa mère lui avait dégoté à la médiathèque d'Ivry.

« J'ai beaucoup pensé à lui quand j'ai eu mes fils. C'était un enfant si tendre et attachant. Je n'ai jamais vu un garçon aussi câlin.

— À l'adolescence c'est devenu un problème. Il a fallu lui apprendre à ne pas se précipiter sur les filles pour leur baver dessus. C'est un joli garçon, d'ailleurs. Il ressemble à sa mère : blond, les traits slaves. Ivan tient de moi : on s'est trompés dans les prénoms.

— Tu as eu d'autres enfants ?

— Une fille, Clémentine. Quinze ans. Le baume de mes vieux jours.

— Tu as de la chance. Les garçons partent, les filles restent. »

Roland n'aurait supporté une conversation aussi triviale avec personne d'autre. Peut-être se montreraient-ils bientôt des photos. C'était ainsi quand on se retrouvait après vingt-sept ans, deux vieilles personnes. Mais il ne se sentait pas vieux du tout. Au contraire. Une complicité fluide coulait entre eux, abolissant les années. Leurs esprits, comme leurs yeux, adhéraient l'un à l'autre, se chargeant d'électricité comme des pôles magnétiques. Il éprouvait la même excitation qu'avec l'inconnue de l'aéroport de Delhi.

« J'aimerais quand même que tu m'expliques », dit-il quand le serveur apporta les plats.

Elle leva la tête. Sous sa peau foncée, il la sentit rougir.

Les ragoûts de légumes, les sauces et les crevettes étaient servis dans de jolies coupes d'étain dont Srikala répandit le contenu au milieu de son assiette. Elle mangeait avec les doigts sans rien perdre de sa contenance aristocratique. Il prit sa fourchette.

« Je t'avais écrit une lettre, Roland. Tu ne l'as pas reçue ?

— En mars 83 ? Je l'ai trouvée le matin où je suis rentré de New York. Je l'ai lue en montant l'escalier — sept étages, si tu te rappelles. Je me suis jeté par la fenêtre du salon. Douze fractures. J'ai passé un an à l'hôpital. »

Elle le regarda avec effroi avant de se raviser et d'éclater de rire.

« Tu ne me crois pas ?

— Non. Je ne connais personne de plus attaché que toi à la vie.

— Tu n'as pas tort. Mais je ne plaisante pas totalement, Sri. J'ai besoin de comprendre ce trou noir dans ma biographie.

— Il n'y a vraiment rien de plus à dire que ce que je t'avais écrit.

— Tu m'as quitté parce que tes diplômes ne valaient rien en France ? Quand même. Tu pourrais me faire l'honneur d'un meilleur prétexte.

— Pourquoi tu n'es pas resté en Inde, Roland ? Tu aurais eu un poste n'importe où.

— J'avais passé six ans en Inde. Mon travail, ma pensée, mes amis étaient français. J'avais besoin de retrouver mes racines. »

Elle sourit.

« Tu es si merveilleusement misogyne qu'il ne te vient même pas à l'idée que j'aie pu avoir les mêmes besoins. Il y a des choses plus fortes que l'amour : les racines, la langue, l'appartenance. Je m'en suis rendu compte en France.

— Je suis misogyne, d'accord. Et toi, féministe : c'est pour revendiquer l'égalité entre les sexes que tu as fait un mariage arrangé ?

— Il n'y avait pas d'autre solution. Sinon tu serais venu me chercher.

— Ton mari sait pourquoi tu l'as épousé ?

— En Inde on n'attend pas d'un mariage arrangé des flots d'amour brûlant. C'était un homme très bien, un vrai ami. Il me respectait. Je le respectais. »

Les coudes sur la table, penchés l'un vers l'autre, ils en oubliaient de manger.

« Pourquoi ne pas m'avoir averti, Sri ? Qui te dit que je ne t'aurais pas suivie en Inde ?

— Tu n'aurais pas été heureux.

— Tu crois que j'ai été heureux ? »

Elle répétait les arguments de sa lettre. Il avait l'impression de tourner en rond et de buter contre sa mauvaise foi. Il était absurde de lui demander des comptes vingt-sept ans après, mais malgré lui il voulait comprendre.

La tête baissée, elle semblait réfléchir. Elle le regarda avec le même mélange de douceur et de défi qu'autrefois.

« Il y avait autre chose.

— Ah ! Quoi ?

— En septembre 82 je t'ai accompagné à un Salon du livre à… Nancy, je crois.

— Possible. C'est l'année où est sorti *Le collectionneur*.

— J'étais assise à côté de toi, à la table où tu signais tes livres, quand une femme est passée devant nous. Tu l'as appelée : "Hélène !" Elle a tourné la tête, elle t'a vu et elle a filé en entraînant une jeune fille avec une natte noire. Je t'ai demandé qui c'était, et tu m'as dit : "Hélène Zimmermann, mon amie avec qui j'étais en Inde il y a treize ans. La petite brune doit être ma fille, Catherine." Je t'ai dit : "Ta fille ? Tu as une fille ?" et tu m'as raconté en quelques mots cette époque de ta vie, le retour d'Inde, la rencontre d'Irina, comment tu avais quitté Hélène et le bébé. Elle avait disparu sans laisser d'adresse. Tu savais juste qu'elle était partie vivre quelque part au centre de la France. Tu venais de voir ta fille pour la première fois en onze ans : ça ne te faisait ni chaud ni froid. Tu savais que tu me choquais profondément, et ça t'amusait. »

Roland plissa les yeux. Un vague souvenir d'une silhouette brune prépubère remontait en lui. Il piqua dans une crevette et l'avala. Les différentes petites préparations du thali, très épicées et fines, étaient exquises.

« Et alors ?

— Comment t'expliquer ? J'ai senti en toi une cruauté dont tu n'avais même pas conscience, Roland. La cruauté des enfants trop aimés par leur mère. J'ai eu l'intuition qu'un jour tu tomberais amoureux d'une autre femme et que tu nous effacerais comme Hélène et Catherine, moi et les enfants que nous aurions eus ensemble. Je ne pouvais pas m'exposer à un tel abandon dans un pays où je n'avais pas d'amis, pas de famille, pas de racines.

— Tu m'as quitté à cause d'une prémonition fondée sur une peur purement imaginaire ? J'hallucine, comme dirait mon autre fille. Pourquoi pas à cause de l'éléphant de Pondi ?

— L'éléphant de Pondi ?

— L'éléphant devant le temple de Ganesha, qui posait sa trompe sur la tête des passants lui donnant une offrande. Tu voulais absolument qu'on se fasse bénir ensemble par cette vieille trompe dégoûtante qui avait des débris de nourriture incrustés dans ses poils. Tu n'as pas réussi à me convaincre. »

Srikala rit.

« Tu vois : tu as refusé la bénédiction. Mais tu m'accorderas qu'un vieil éléphant à la trompe dégoûtante et ta fille, ce n'est pas la même chose. »

Il reconnaissait la femme avec qui il pouvait discuter des heures sans qu'elle se départe de son calme ou que sa logique soit mise en faillite.

« Et pourquoi ce message sur Facebook, vingt-sept ans après ?

— Facebook sert à retrouver les amis perdus.

— Ton mari respectable et respectueux, ça ne le dérange pas ?

— Il est mort il y a un an d'un cancer des os.

— Tu t'es dit que je pourrais consoler ton veuvage ? » Elle le dévisagea en silence. « Quoi ? Je suis vulgaire, superficiel, inhumain : c'est pour ça que tu m'as quitté. Qui était-ce ?

— Un collègue de mon père. Un chirurgien.

— Vingt ans de plus que toi ?

— Quinze. Et toi, Roland ?

— Moi quoi ? Tu veux savoir ce qui m'est arrivé depuis ta fuite ? »

Elle hocha la tête.

« D'abord, je me suis amouraché d'une de mes étudiantes à Sciences-Po, Élisabeth. Dix-huit ans. Une âme en perdition, dépressive au possible. Une poisse qui s'est collée à moi pendant dix ans. Impossible de la quitter : j'avais trop peur qu'elle se tue. J'ai fini par rencontrer une autre femme. Une fille saine, indépendante, solide : le contraire d'Élisabeth. C'est la mère de ma fille Clémentine.

— Et Élisabeth ?

— Je lui ai acheté un appartement qui a vidé mon compte en banque et j'ai divorcé. Au lieu de se tuer, elle a rencontré quelqu'un. Ils vivent dans l'appartement que je lui ai offert. Elle va très bien.

— Tu la déprimais.

— Si j'avais deviné, je me serais libéré plus tôt, crois-moi.

— Et la mère de Clémentine ? C'est ta femme ?

— Elle m'a quitté, comme toi, sauf qu'elle avait une raison : j'avais une liaison, elle l'a découvert par des Texto sur mon téléphone. Elle m'a foutu à la porte.

— Pauvre Roland.

— Je sens que je verse de l'eau à ton moulin. Permets-moi quand même de te signaler que ces errances n'ont eu lieu que parce que Mon Grand Amour, ma moitié, m'a brisé le cœur. Tu comptes recoller les morceaux ?

— Roland ! »

La voix de Srikala contenait la tendresse d'autrefois. Roland songea qu'il s'était trompé tout à l'heure : le passé ne mourait pas, ses peaux ne tombaient pas comme celles d'un serpent. Même s'ils se séparaient ce soir après une brève étreinte pour ne jamais se revoir, elle resterait en lui, et lui en elle. Ce halo immatériel de mémoire donnait au présent une intensité de vie qui était du bonheur.

« Et maintenant ? Tu vis avec quelqu'un ? »

Voilà où elle voulait en venir, femme entre les femmes.

« Une Italienne. *Elle* a quitté son pays pour moi. Trente-sept ans. C'est la chance des hommes, de pouvoir attirer des femmes beaucoup plus jeunes. Pour moi une femme n'en est plus une après quarante ans. »

Srikala ne cilla pas, mais il la sentit se recroqueviller. Il s'étonna lui-même d'une muflerie qu'il n'avait pas préméditée ; il devait être plus en colère qu'il ne le croyait. Après tout, elle l'avait condamné par contumace sans lui laisser une chance : qu'elle assume. En tout cas, il venait de détruire la possibilité d'un après-midi alangui sur un lit d'hôtel.

Elle ouvrit son paquet pour en extraire une cigarette. Il approcha le briquet de son visage. Le serveur apporta l'addition. Roland la régla. Srikala secoua la tête.

« Tu n'as pas changé. Ce besoin d'avoir le dernier mot, après toutes ces années ! » Elle lui tendit la main : « Eh bien : la paix ? »

Sa voix était parfaitement amicale. Elle avait une mémoire infaillible pour se rappeler si longtemps après les mots de la marquise de Merteuil, « Eh bien, la guerre ! » Il y avait entre Srikala et lui une proximité qu'il n'avait éprouvée avec personne. Elle le connaissait trop pour qu'il puisse la blesser : c'était reposant. Ils étaient égaux. Un regret l'étreignit. L'avait-il perdue par sa superficialité ? S'était-il amusé à la choquer quand il lui avait parlé d'Hélène et de Catherine ? Il ne se rappelait rien. Il prit sa main et la serra.

« La paix.

— À quelle heure est ton avion ?

— Huit heures dix.

— Tu veux aller te balader quelque part ? Saint-Georges ? Mylapore ? La plage ?

— Il fait trop chaud. Si on allait boire le thé chez toi ? Tu habites où ?

— West Mambalam. Pourquoi pas ? On a le temps. »

Ils empruntèrent la longue allée sous les arbres, bras enlacés comme deux vieux amis. Il lui tint la porte et la suivit dans la fraîcheur climatisée de l'hôtel. Une bande de peau nue dans le dos de Srikala entre le sari et le haut en coton lui rappela le passage où Barthes écrit qu'un fragment de chair aperçu entre deux vêtements est plus érotique qu'un corps nu. Elle était grande et restait belle même si sa taille s'était épaissie. Le chauffeur les attendait devant l'hôtel. En voiture Srikala l'interrogea sur son travail. Le bruit de la ville entrait par les vitres qu'elle gardait ouvertes pour fumer. Il aimait s'adresser à elle. De toutes ses femmes, c'était la plus intellectuelle — même plus qu'Irina. Elle lui parla de ses cours à l'université, de ses élèves dont les plus brillants obtenaient parfois une bourse pour faire leur thèse aux États-Unis — elle venait d'envoyer un protégé à Berkeley — et de ses poèmes en tamoul et en anglais : elle lui enverrait les recueils. Alors qu'ils étaient arrêtés à un feu rouge, un mendiant surgit dans l'ouverture de la vitre. Plus rapide que Roland, Srikala lui tendit dix roupies, et il la bénit en joignant les mains. Dix ans plus tôt, continua-t-elle, elle avait fondé avec des amis une revue de littérature dont ils publiaient un numéro annuel en trois langues — hindi, tamoul et anglais. Ils fêteraient cette année le dixième anniversaire par un numéro marquant. Roland éclata de rire.

« Et je suis là à faire le joli cœur : j'aurais dû me douter que tu ne me contactais pas juste par nostalgie romantique ! Qu'est-ce que tu veux ?

— Un article sur l'Inde et la Chine. Il est temps de défendre notre pauvre Inde. On ne paie pas beaucoup mais la revue a une renommée dans les cercles intellectuels de Delhi et de Calcutta. Un article de toi fera connaître tes livres ici.

— Tu n'as pas besoin de vendre ta camelote. Je t'écrirai quelque chose. »

La main de Srikala reposait sur le siège entre eux. Roland la prit. Fatigués après cinq heures passées à parler, ils se turent et fermèrent les yeux, la tête appuyée contre le dossier. Seules communiquaient leurs peaux. Il était évident qu'une fois chez elle, ils ne boiraient pas le thé mais iraient directement dans sa chambre et que, malgré la grossièreté de Roland tout à l'heure, elle n'aurait pas honte de lui montrer son corps. Ce serait la première fois qu'il ferait l'amour avec une femme de soixante ans. À soixante-quatre ans, il y avait encore des premières fois. Ses doigts entrelacés aux siens, il lui caressait du pouce le dessus de la main. Il se rappelait, pour l'avoir citée dans un livre, la définition de l'amour selon Aristophane dans *Le banquet* : « Quand le hasard lui fait rencontrer cette moitié de lui-même, son complément, l'amoureux est saisi d'un sentiment d'amitié, de familiarité, d'amour, et ne veut plus la quitter. » N'était-ce pas ce sentiment qu'il éprouvait pour Srikala ? Quelle était cette force qui le propulsait vers elle ? Pourquoi avait-il été si ému de trouver son message sur Facebook ? Pourquoi n'avait-il jamais prononcé son nom devant Renata ? La vie aurait-elle pu suivre un autre cours ? Pouvait-on bifurquer vingt-sept ans après ?

Ils s'avisèrent que la voiture était prise dans un gigantesque embouteillage et n'avançait pas. Ils auraient dû déjà arriver chez Srikala. À ce rythme, leur thé était compromis. Elle se pencha et interrogea le chauffeur en tamoul.

« Il ne sait pas ce qui se passe, dit-elle à Roland. Ce n'est jamais comme ça.

— Il n'y a pas d'autre route ?

— Il va essayer. »

Mais les rues parallèles étaient tout aussi encombrées. Un concert assourdissant de klaxons résonnait dans l'air, doublé par des sirènes dans le lointain.

« Il doit y avoir un accident ou un incendie, remarqua Srikala. Ce n'est pas normal.

— Il est sept heures moins vingt.

— Il faut qu'on t'accompagne à l'aéroport directement. »

Un regret flottait entre eux. Il posa sur sa cuisse leurs mains entrelacées, et la chaleur de la main de Srikala eut sur lui un effet immédiat. Son sexe se réveilla. Au même moment, il eut le sentiment d'avoir oublié quelque chose — à dire ? à faire ? — et pensa à la Suédoise de l'avion. Il laissa échapper une exclamation.

« Qu'est-ce qu'il y a, Roland ?

— Ma veste ! Je l'ai laissée au restaurant ! On peut y retourner ?

— Ce n'est pas la direction. Tu vas rater ton avion.

— Quel ennui ! Je l'ai posée sur une chaise et ne l'ai pas vue en partant.

— Je te l'enverrai par la poste.

— Tu peux me passer ton téléphone ? »

Dans sa sacoche, il retrouva la feuille de route et composa un numéro.

« Monsieur le consul ? Roland Weinberg… Très bien, merci. J'ai un problème. J'ai oublié ma veste au restaurant Raintree du Taj Connemara… Non, ça ne peut pas attendre trois semaines : mon passeport est dans la poche intérieure. Oui… D'accord. Au terminal des départs. Parfait. Je vous remercie. »

Il raccrocha, rendit le portable à Srikala et se mit à rire.

« Ma veste n'a pas de poche intérieure.

— Où est ton passeport, alors ?

— Je l'ai. Il me fallait un argument choc. Le consul va en France dans trois semaines et n'avait pas l'air convaincu de l'urgence de la situation.

— Tu exagères ! Tu lui fais perdre deux heures !

— Il est là pour ça.

— Tu es méchant. »

Mais sa voix souriait et sa main naturellement retrouva celle de Roland, qui la caressa distraitement tout en se demandant si le consul parviendrait à temps à l'aéroport. L'oubli de sa veste lui semblait soudain beaucoup plus réel que tout l'après-midi avec Srikala. Qu'est-ce qui lui avait pris ? Une femme au corps élastique et ferme l'attendait à Kovalam, et il avait été sur le point de séduire ce fantôme aux dents jaunies par la cigarette qui émergeait de son passé. Il n'avait pas menti à Srikala quand il lui avait dit que, pour lui, une femme après quarante ans n'en était plus une. C'est sans doute ce qu'il lui avait dit de plus vrai. Le reste n'était que chimères. De retour à

Paris, il fallait absolument prendre rendez-vous chez le professeur Vasseur. Il y avait de quoi craindre un début d'Alzheimer.

Tout en roulant comme des escargots et en poursuivant une conversation vaguement politique, ils finirent par arriver à l'aéroport, où ils se retrouvèrent bloqués dans une file qui n'avançait pas. Il y avait partout des véhicules de police et des militaires. Srikala ouvrit sa vitre et interrogea un policier. Pour toute réponse, elle apprit qu'on ne passait pas.

« L'avion de mon ami part dans un quart d'heure ! »

Le policier haussa les épaules. Roland n'avait jamais vu un tel capharnaüm. Il était fatigué de l'Inde. Il est vrai qu'en France ce n'était guère mieux, avec les grèves.

« Srikala, je vais y aller.

— C'est sans doute raisonnable. À pied tu arriveras plus vite au terminal. »

Ils s'enlacèrent. Srikala l'étreignit fortement. Il ouvrit la portière et sortit de la voiture, puis se pencha vers elle. Elle le regardait comme si c'était à lui de conclure cette rencontre qui tournait en eau de boudin. Il lui pinça affectueusement la joue.

« *So long*, Sri. Je t'envoie l'article.

— Merci. » Une fossette creusa sa joue. « N'aie pas si peur de vieillir, Roland.

— Pardon ?

— Tu sais, les mères sont aussi des femmes. Et vice versa. »

Elle n'avait pas bougé la main, mais il eut l'impression qu'à son tour elle lui pinçait la joue. Qui voulait avoir le dernier mot, déjà ?

Il lui sourit, ferma la portière et s'éloigna rapidement vers le terminal. Il montra son billet et son passeport à un militaire armé d'une mitraillette. À l'intérieur, il y avait des militaires partout. Il chercha sur l'écran des départs le numéro de la porte où il embarquait et découvrit que son vol était retardé « indéfiniment ». Cela laissait au moins au consul le temps d'arriver. L'Inde étant bien équipée en téléphones publics, Roland put appeler sa fille. Il laissa un message à Clémentine sur son portable en lui racontant la journée d'hier dans la Venise de l'Inde, et lui demanda des nouvelles de son devoir d'histoire. Puis il appela le consul. La plaque diplomatique l'aidant à franchir certains barrages, il approchait de l'aéroport.

Un quart d'heure plus tard ils se retrouvèrent dans le terminal. Il était huit heures et demie, et aucune heure de départ n'était affichée pour le vol de Roland. Le consul portait sur son bras la veste en lin gris clair. Au moment où Roland la récupéra, il éprouva un tel sentiment de complétude qu'il songea que cette veste était sa véritable moitié. Le consul avait l'air embêté.

« J'ai appelé un policier haut placé que je connais personnellement et je viens d'apprendre quelque chose qui risque de compliquer votre départ. Il y a eu un attentat tout à l'heure devant l'hôtel Raintree où nous devions déjeuner.

— Un attentat terroriste ?

— Pas exactement. L'exécution, très probablement organisée par le Mossad, d'un haut dignitaire du Hamas qui avait rendez-vous à Chennai aujourd'hui avec un Iranien.

— Non !

— Au moment où le Palestinien est descendu de voiture, il a été bousculé par un couple de touristes. La fille tenait une bombe aérosol à la main et lui a pulvérisé quelque chose dans l'oreille. Son garde du corps l'a vu et s'est précipité pour attraper les touristes. Ils ont réussi à se sauver, mais un complice qui couvrait leur fuite, un Indien, a été arrêté. Sur le moment personne n'a rien compris parce que le type du Hamas n'avait rien. Trois heures plus tard il a commencé à sentir des vertiges. On l'a hospitalisé. Il est dans le coma. Il est en train de mourir. Ce qu'on lui a pulvérisé dans l'oreille est un poison très fort.

— Quelle histoire ! Comment sait-on que ce sont des agents du Mossad ?

— Par leur complice.

— Mais pourquoi cet assassinat empêche-t-il mon avion de partir ?

— Les agents israéliens sont arrivés par le même avion que vous ce matin. Ils étaient supposés le reprendre ce soir — quoiqu'ils aient sûrement fait des plans différents. Voilà pourquoi le vol est retardé indéfiniment.

— Les agents israéliens ? Mais il n'y avait personne dans l'avion qui… Oh ! Les touristes suédois !

— Vous les avez remarqués ?

— La fille était assise à côté de moi !

— Vraiment ? Je vous conseille de ne pas le dire trop fort, monsieur Weinberg. Si on vous entend, on va vous garder ici comme témoin, vous n'en sortirez pas.

— Maintenant je comprends pourquoi elle n'avait guère envie de bavarder ! Quel dommage que je ne sois pas allé déjeuner avec vous !

— Quelle chance, vous voulez dire. Je n'ose pas penser à ce qui se serait passé si elle vous avait reconnu. »

Roland prit congé du consul et franchit la sécurité. Cet attentat du Mossad, c'était la cerise sur le gâteau. Et le sort avait assis cette fille à côté de lui dans l'avion ! Il le voyait, son best-seller international. Pas un *Serial Lover*, pas *Un enfant du siècle*. Une histoire d'amour peut-être, mais sur fond de terrorisme international. Sur fond de quelque chose de réel et de dur. Il s'assit sur un siège de la salle d'attente et sortit son carnet.

GÉRALDINE

Trivandrum-Kovalam, samedi 12 décembre

« Et vous, monsieur Weinberg, que pensez-vous de la terreur et des intellectuels ? »

Géraldine se rétracta sur son siège. C'était mot pour mot, sans une variante dans l'intonation, la question que Lakshmi Balasubra Moniam avait posée d'abord au journaliste du *Times*, puis au vieux cinéaste. Elle venait de remercier ce dernier avec un sourire lisse, avant de se tourner vers le Français : « Et vous, monsieur Weinberg… » On aurait dit une machine. Ce n'était pas la faute de Lakshmi, bien sûr. Elle ne connaissait rien au sujet ; elle n'était pas supposée être la modératrice de cette table ronde. En cet instant elle aurait dû se trouver chez elle en train d'accueillir ses invités. Elle avait abandonné son époux le soir de son anniversaire afin de sauver Géraldine. Comment trouver un modérateur au pied levé pour l'événement le plus important du festival ?

L'événement le plus important du festival.

Un désastre. C'était le mot qu'elle ne cessait de marmonner dans sa tête depuis une heure. Désastre, désastre. Des astres. Ses sonorités lumineuses lui permettaient de ne penser à rien d'autre qu'aux étoiles en dentelle de papier brillant dans les rues de Trivandrum. Elle n'avait pu écouter un mot de ce qu'avaient dit le journaliste et le cinéaste. De toute façon, même attentive elle n'aurait pas compris leur anglais déformé par l'accent malayalam. Et les micros sifflaient. Elle les avait pourtant testés tout à l'heure avec le gérant du Taj. Mais le cinéaste avait une voix forte. Chaque fois qu'il s'était approché du micro, l'appareil avait produit un sifflement crissant qui donnait envie de plaquer ses mains sur ses oreilles. Il avait reculé sa tête chenue avec un effroi théâtral. Même Géraldine avait ri. Au fond du désastre il y avait quelques lueurs. L'humour du cinéaste, qui faisait oublier l'inconvénient technique. La bonté du vieil homme qui, loin de sembler gêné par la question plate de Lakshmi, lui avait tapoté l'épaule d'une main paternelle avant de se mettre à parler. La beauté de la jeune Indienne qu'on prenait un vrai plaisir à regarder, comme l'avait dit Sandhya à Géraldine quand elle l'avait appelée une heure plus tôt des bureaux de l'Alliance française pour l'avertir, d'une voix contrôlée qui cachait sa panique, qu'il y avait un e-mail du modérateur : sa grand-mère était morte dans la nuit et il était parti à Madurai pour la veillée funèbre. Les prévenir par e-mail alors qu'il savait que les nombreuses coupures de courant rendaient intermittent l'accès à l'Internet ! Quelle lâcheté ! Les laisser tomber à la dernière minute pour sa grand-mère, alors que Géraldine n'avait même pas pu aller à l'enterrement de son grand-père !

La voix harmonieuse de Weinberg avait un effet calmant. Dans son élégant accent anglais, il tenait des propos que Géraldine devinait intelligents. Elle identifiait ici et là quelques mots, « The Enlightenment », « Reason »,

« Nazism », et les noms de Descartes, Voltaire, Leibniz, Adorno, Levinas. Autre lueur. Grâce à Weinberg, les quelques assistants ne se seraient pas déplacés pour rien. Les quelques. Elle résista à la tentation de se retourner. La vue de la vaste salle aux murs grenat avec son damier de trois cents chaises noires et blanches, dont une vingtaine était occupée, et ses piliers rectangulaires recouverts de miroirs qui renvoyaient à Géraldine le reflet de sa robe-bustier beaucoup trop sexy pour l'occasion l'humiliait tant qu'elle craignait de s'empourprer à nouveau des épaules jusqu'au front. Oh, elle s'était admirée tout à l'heure dans la robe en soie sauvage turquoise qu'elle avait choisie pour mettre en valeur la pierre de lune, pendentif de pacotille devenu son plus précieux bijou. Elle avait été contente quand Rosemary s'était exclamée avec révérence en malayalam : « Vous êtes belle ! » Vaine comme une gamine de quinze ans qui va à son premier rendez-vous. Elle n'avait qu'une crainte alors — et ce n'était même pas une vraie peur —, éveillée par les recommandations d'Imtiaz qui lui avait dit de se méfier de tout paquet abandonné et de toute silhouette enveloppée d'une veste trop ample : lors d'un raid, la police kéralaise avait découvert un ordinateur qui contenait des indices faisant craindre un attentat pendant le festival de cinéma dans une salle montrant des films américains ou israéliens ou dans un hôtel Taj pour l'anniversaire des attaques de Bombay. La première chose qu'elle avait faite en arrivant au Taj avait été de s'agenouiller et de soulever les housses des tables et des chaises. Maintenant c'était le cadet de ses soucis.

Elle ne devait pas se mentir. Le désastre, c'était qu'il ne lui avait pas souri, ne lui avait même pas dit bonjour. Le reste était anecdotique. Il était assis à quelques mètres d'elle, à la droite de Charlotte Greene, tout au bout de la table recouverte d'une longue nappe blanche. La tête baissée, il prenait des notes — ou gribouillait, comme un enfant qui s'ennuie à l'école. La jeune traductrice à lunettes, penchée vers lui, lui parlait à l'oreille. Elle était si proche qu'il devait sentir son odeur — s'il pouvait sentir, avec le rhume. Parfois il buvait quelques gorgées d'eau ou se mouchait. Pas une fois il n'avait croisé son regard.

Mais quelle raison aurait-il eue de l'éviter ? C'était le rhume, tout simplement. Il était épuisé. Il l'avait dit tout à l'heure : il n'avait qu'une envie, s'allonger et dormir. Quand Géraldine lui avait demandé pourquoi il n'était pas resté à l'hôtel, il avait répondu qu'invité par le gouvernement français, il payait son dû en faisant son travail. Elle avait cru qu'il était venu parce qu'il voulait la voir. Il leur restait si peu de temps ! Ce soir et demain : après-demain à l'aube il rentrait à Paris. Et même s'il regrettait ce qui s'était passé entre eux, pourquoi se montrer discourtois puisqu'il partait dans deux jours ? Ça n'avait aucun sens. Le rhume expliquait sa froideur apparente. Il avait très mal dormi les deux dernières nuits. Le lever à cinq heures du matin et le voyage en avion la veille n'avaient pas arrangé les choses. Quand Charlotte Greene, tout à l'heure, lui avait suggéré de se faire préparer à l'hôtel une infusion de gingembre frais — une recette africaine pour dégager les sinus —, il l'avait grossièrement rembarrée : elle lui avait filé son rhume, elle ferait mieux de se taire. Malade, on devenait un autre. Certains aspects de la personnalité de Raphaël étaient évidemment peu plaisants. Géraldine ne devait pas prendre à son compte cette mauvaise humeur. Pour se rassurer, il lui suffisait de concentrer son esprit sur leur rencontre fortuite au magasin Parthos avant-hier.

Trois jours auparavant, quand Géraldine avait quitté Raphaël devant le Taj à deux heures du matin, ils n'avaient fait aucun plan pour se revoir pendant la journée de congé le lendemain. Rosemary ne travaillait pas ce jour-là : Géraldine devait s'occuper du bébé et de la maison qu'elle négligeait depuis une semaine. Contrairement à la jeune fille dans la nouvelle de Zweig, elle était lucide et n'attendait rien, certaine que Raphaël avait cédé à l'influence de l'alcool et des souvenirs de jeunesse, et consciente qu'elle avait d'une certaine manière abusé de lui en utilisant Rimbaud pour s'introduire par effraction dans la forteresse de son intimité. Elle avait décidé, pour le mettre à l'aise quand elle le reverrait, de se montrer aussi distante et cordiale que si rien ne s'était passé. Quand elle s'était réveillée le matin aux côtés d'Imtiaz qui dormait encore, un amour chaud et solide avait gonflé sa poitrine en contemplant son mari. L'épisode avec Raphaël n'était qu'un cadeau gratuit que lui avait fait la vie — une revanche méritée sur un passé de souffrance masochiste.

Avant-hier, donc, elle avait laissé Joseph avec Imtiaz dans l'après-midi pour aller chercher un coupon de tissu chez Parthos. À peine entrée dans le magasin, elle s'était figée. Raphaël était là. Elle l'avait tout de suite reconnu de dos. Planté devant le comptoir, il observait le vieux vendeur en train de couper une luxueuse soie pourpre brodée d'or avec une énorme paire de ciseaux. Alors qu'elle esquissait un mouvement discret vers la sortie, il s'était retourné comme s'il avait senti l'incandescence du regard posé sur la bande de nuque nue entre ses cheveux châtains coupés court et le col de la chemise verte enserrant ses épaules. Un sourire avait illuminé son visage : « Géraldine ! » La joie dans sa voix ne trompait pas : loin de renier ce qui s'était passé, il pensait à elle comme elle pensait à lui. « Jagdish t'a dit que j'étais là ? — Non, je ne savais pas, c'est par hasard, je suis venue acheter du tissu. — Tu crois qu'il y a du hasard ? » Elle avait ri, troublée par une question qui sonnait comme une déclaration d'amour. « Mais toi, qu'est-ce que tu fais chez Parthos ? Ce n'est pas un magasin pour touristes. — Je cherche des cadeaux pour mes nièces. Un serveur de l'hôtel nous a parlé de ce magasin et Jagdish m'y a conduit tout à l'heure. — Il est où ? — Il avait des courses à faire. Je lui ai dit que je me débrouillerais pour rentrer. — Il t'a largué dans Trivandrum ? » Son étonnement choqué avait fait sourire Raphaël. « Tu préférerais qu'il nous serve de chaperon ? » Ensemble ils avaient fouillé les portants et trouvé de jolis ensembles traditionnels dont le prix modique étonnait Raphaël. Dehors il pleuvait ; ils ne s'en souciaient pas. Elle l'avait guidé sous la pluie, au milieu d'une foule qu'ils ne remarquaient pas, jusqu'au marché Saint-Joseph, qu'illuminaient des étoiles de toutes les couleurs suspendues aux toits de tôle des baraques. Il en avait choisi plusieurs dont une en plastique rose fuchsia, identique à celle qui se trouvait dans le salon de Géraldine. Elle ne le lui avait pas dit. Quand il avait attrapé sur un étal la pierre bleu pâle au bout d'un fil d'argent, elle avait cru qu'il l'achetait pour une nièce, sa sœur, ou une amie. Il lui avait tendu le sachet de papier. Ce n'était pas un bijou cher, mais la délicatesse de ce geste l'avait saisie. Il y avait dans son regard, au moment où il lui avait tendu le petit cadeau, quelque chose de plus dangereux que du désir physique. Juste avant de se séparer, ils s'étaient brièvement étreints. Au milieu de la foule, ils ne pouvaient pas s'embrasser.

Dans le tuk-tuk, alors que coulait dans son esprit, goutte à goutte, le concentré de bonheur pur qu'avait été cette rencontre, elle s'était interrogée sur le risque qu'elle prenait : un gouffre allait-il s'ouvrir sous ses pieds ? Elle n'avait rien senti d'aussi intense depuis Pierre — ou depuis Jean-Michel Guéguéniat quand elle avait treize ans. Le désir à treize, vingt-trois ou trente-sept ans était le même : une coulée de lave brûlante. Ce qu'elle sentait pour Imtiaz n'était pas de la même espèce : quelque chose de doux et de serein. Mais justement : la lave carbonisait tout sur son passage. Le sentiment moins brûlant qui la liait à Imtiaz n'était pas incompatible avec le désir. Elle aimait son corps bien proportionné, ses épaules rondes, son torse imberbe, sa peau douce, son sexe, son odeur. Elle aimait tout de lui, et même la naissance de Joseph n'avait pas altéré leur désir. Il n'y avait pas de raison d'avoir peur. Elle n'était plus la Géraldine de Caen, celle qu'un homme peut briser. Elle n'était plus la Géraldine de Pierre. Elle pouvait aimer Raphaël sans danger. Il serait parti dans deux jours. Rien ne changerait dans sa vie.

Il y avait une seule chose qu'elle n'avait pas prévue : que Raphaël change avant son départ. Qu'il l'ignore.

Elle se redressa sur sa chaise en entendant crépiter quelques applaudissements et y joignit vigoureusement les siens. Roland avait fini de parler. Le buste très droit dans son élégante robe noire, Lakshmi tourna vers lui son magnifique sourire.

« Merci beaucoup, monsieur Weinberg. Ce que vous

avez dit était très intéressant. » Elle inclina la tête vers Charlotte Greene : « Madame Greene, que pensez-vous de la terreur et des intellectuels ? »

Géraldine haussa les sourcils. On pouvait seulement admirer la jeune journaliste de garder une contenance si digne dans une situation où elle n'avait aucun contrôle. Elle se retourna. Il n'y avait pas plus de monde que tout à l'heure. Jagdish avait compté les auditeurs : vingt et une personnes qui, réparties sur les trois ou quatre premiers rangs, rendaient le reste de la salle encore plus vide. Sur les trois cents invités, à peine huit étaient présents. Manon jurait qu'elle avait envoyé le rappel trois jours plus tôt. Les autres étaient des professeurs de l'Alliance — et les trois amies que Sandhya avait appelées au début de la séance et convaincues de venir en les alléchant grâce au cocktail.

Le cocktail ! Il était prévu pour cent cinquante personnes. Elle se leva et sortit. La moquette épaisse effaçait le bruit de ses pas. Alors qu'elle poussait la porte, elle entendit Charlotte Greene répondre à Lakshmi qu'elle n'avait rien à dire : elle faisait des films, pas de la théorie. Elle demanda Sengupta à la réception.

« Madame Legac, que puis-je faire pour vous ? »

L'assistant du directeur, un petit homme d'une trentaine d'années au ventre rebondi qu'on lui avait donné comme interlocuteur parce qu'il avait pris des cours à l'Alliance et avait plaisir à pratiquer le français, semblait toujours content de la voir. Elle le suivit dans une pièce qui se trouvait derrière la réception et lui expliqua la situation.

« Je comprends, mais les plats sont déjà préparés, voyez-vous. On mettra les restes dans des boîtes pour que vous les emportiez. »

Elle poussa un soupir. Elle s'en doutait. On ne décommandait pas à la dernière minute. Au moins Imtiaz et Rosemary goûteraient-ils les samosas et les brochettes de l'excellent cuisinier du Taj. Elle en donnerait à Rosemary pour toute sa famille, ainsi qu'à Sandhya et à Ravi.

« Mais les bouteilles de vin ? Pourriez-vous en garder la moitié ?

— Madame Legac, ce n'est pas notre contrat. J'ai obtenu du directeur de l'hôtel la permission de vous offrir la salle gratuitement — et elle est très demandée en cette saison, croyez-moi — parce que vous avez commandé ce cocktail en contrepartie.

— Je sais. Mais nous sommes une toute petite organisation, pas une banque. Nous n'avons pas beaucoup d'argent. Pourriez-vous parler au directeur, monsieur Sengupta ? C'est une faveur que je vous demande…

— J'aimerais vous rendre service, car vous m'êtes très sympathique. Mais la vente du vin nous permet de rentrer dans nos frais. Je vais voir ce que je peux faire. Voudriez-vous boire un verre un soir de la semaine prochaine pour que nous en discutions ? »

Il regardait ses épaules nues avec une insistance qui ne laissait guère de place au doute. Géraldine s'empourpra. Il savait qu'elle était mariée avec un Kéralais. Habillée comme elle l'était, elle devait lui paraître une femme facile. C'était la première fois de sa vie qu'elle se trouvait dans cette situation cliché que décrivaient les magazines féminins. Qu'espérait-il, ce petit homme bedonnant ? Qu'elle se donnerait à lui contre vingt mille roupies ? Elle eut un haut-le-cœur et se leva.

« Je vous remercie, bredouilla-t-elle en se dirigeant vers

la porte. En ce moment je suis très occupée mais on verra, peut-être la semaine prochaine, je vous appellerai. »

Elle ouvrit la porte du bureau avant qu'il se soit approché d'elle, et sortit.

Quand elle rentra dans la vaste salle, Raphaël était en train de parler. Charlotte Greene avait donc refusé de jouer le jeu. Ce n'était pas plus mal. Mieux valait écourter ce calvaire. Raphaël s'exprimait en français et s'interrompait fréquemment pour laisser à la traductrice le temps de traduire. Il parlait d'un intellectuel français nommé Jean Paulhan, dont Géraldine se rappelait vaguement avoir entendu le nom lors de ses études de licence à la fac de Caen, qui avait publié en 1941 un livre intitulé *Les fleurs de Tarbes, ou la Terreur dans les lettres.* Ses propos n'avaient de rapport ni avec ceux de Weinberg ni avec ceux du cinéaste ou du journaliste indien. La discussion passionnante qu'avait imaginée Géraldine n'aurait pas lieu. Chacun monologuait. Raphaël but de l'eau pendant que la jeune femme traduisait. Géraldine, la tête levée vers lui, le regardait — légitimement, comme les autres auditeurs.

« Qu'est-ce que la terreur selon Paulhan ? La volonté de la littérature de faire oublier qu'elle est littérature. La récusation littéraire de la rhétorique. Le choix de l'originalité et de la différence. L'invention d'un langage neuf. En littérature comme en politique, la terreur prétend libérer les idées contre le langage ! »

Sa voix tranchante éveillait l'attention du public, même de ceux qui ne parlaient pas français. Géraldine fronça les sourcils. Raphaël était-il en train de prêcher la terreur ? Elle pâlit. Heureusement, aucun journaliste n'avait répondu à l'invitation. Mais le participant assis à l'autre bout de la table, M. Anathamurty, était journaliste ! S'il rapportait ces propos dans *The Times of India* ? Elle entrevit l'incident diplomatique dont elle serait responsable. Elle fixa sur Raphaël des yeux implorants. Il ne semblait pas la voir.

Elle finit par comprendre qu'il ne défendait pas la terreur mais la condamnait en l'opposant à la rhétorique. Ces idées complexes et subtiles passaient au-dessus de sa tête — et de celle du public, qui s'ennuyait. Le couple indien élégant qui était arrivé en premier se leva et s'éclipsa par le côté de la salle. Ils n'étaient même pas restés pour le cocktail. Géraldine sentit s'envoler avec eux leur don annuel à l'Alliance française.

« Hugo a écrit : "Le poète ne doit pas écrire avec ce qui a été écrit, mais avec son âme et son cœur." Je vais donc conclure sur ces mots : le poète n'écrit pas avec son âme et son cœur, mais avec ce qui a été écrit ! »

Il se tut. Quand la voix de la traductrice se fut à nouveau éteinte, il y eut un silence, avant que résonnent quelques applaudissements, dont les plus soutenus étaient ceux de Géraldine. Lakshmi le remercia pour son intéressant discours et se tourna vers le public.

« Mesdames et messieurs, auriez-vous des questions à poser à nos invités ? »

Il n'y eut pas de question sauf celle d'un vieil homme qui s'adressa au journaliste indien et l'interrogea sur le Cachemire. Celui-ci répondit brièvement en renvoyant à un livre ou un article dont il était l'auteur. Géraldine applaudit à nouveau pour clore la session, et quelques personnes suivirent mollement son exemple. Elle se leva et marcha courageusement vers l'estrade, un sourire aux lèvres. Elle commença par féliciter et remercier les

Indiens — le journaliste devait partir à l'instant et ne pouvait rester pour le cocktail — puis se dirigea vers les Français. Raphaël gagnait déjà la sortie, sans doute pour aller fumer. Roland et Charlotte riaient.

« Ça fait du bien quand c'est fini, dit Charlotte. J'ai préféré ne rien dire pour ne pas ennuyer les gens davantage. C'était mortel.

— Le problème, c'est que la ravissante Lakshmi est trop jeune. Elle ne savait pas rebondir sur ce qu'on disait pour lancer un débat. Du coup il n'y avait aucune unité. Et avec le bruit du climatiseur, on n'entendait même pas les Indiens ! De toute façon c'est un sujet trop vaste et trop sérieux. Je vous avais prévenue, Géraldine. À Delhi, à la table ronde sur l'amour au XXIe siècle, il y avait foule ! Vous auriez dû m'écouter. »

Géraldine eut un sourire crispé.

« Je pensais que c'était un sujet très actuel…

— Et en plus il y a le festival de films en ce moment, reprit Charlotte. Franchement, si on m'avait donné le choix, moi aussi j'aurais préféré voir un film !

— Bon, oublions tout ça et allons dîner, dit Roland. J'ai faim.

— Ça tombe bien : on nous sert un délicieux cocktail… »

Il secoua la tête.

« Non, Géraldine. On veut dîner assis dans un bon restaurant.

— Mais c'est un excellent traiteur, qui…

— J'en suis sûr. Le Leela, ça vous dit ?

— Oh oui ! s'exclama Charlotte.

— Alors allons-y. Il est déjà huit heures. Renata est fatiguée.

— Vous ne voulez même pas un verre de vin ? C'est du très bon vin…

— On voudrait partir tout de suite. Cet hôtel est horriblement déprimant. »

Elle baissa la tête. Désastre, d'un bout à l'autre. Si elle n'allait pas dîner avec eux, elle les abandonnait alors qu'ils étaient déjà passablement énervés. Si elle les accompagnait, il faudrait payer l'addition. Au Leela ! Jagdish s'approcha.

« Je vais dîner avec les amis de Manon. Vous n'aurez pas besoin de moi ce soir ? »

Au moins il n'avait ajouté aucun commentaire humiliant sur l'échec de la table ronde. Il devait avoir pitié d'elle. Elle s'avisa soudain que, si Jagdish ne venait pas, elle pourrait faire le trajet seule avec Raphaël. Trente minutes en voiture à côté de lui.

Les Weinberg et Charlotte étaient déjà partis. Elle salua quelques personnes rapidement puis sortit de l'hôtel. Roland et Renata étaient en train de monter dans l'Ambassador. À l'avant, sur le siège à côté du chauffeur, elle aperçut Raphaël.

« Vous nous rejoignez avec Charlotte ? Elle est aux toilettes », lui dit Roland avant de claquer la portière.

Elle aurait eu beaucoup de mal à bavarder avec la Française pendant la demi-heure de trajet jusqu'à Kovalam. Heureusement celle-ci la prévint qu'elle avait mal au cœur en voiture et préférait se taire. Géraldine ne pensait plus à la table ronde ni à l'addition du Leela. Pourquoi Raphaël ne l'avait-il pas attendue ? L'avait-elle irrité en arborant la pierre de lune ? De quoi avait-il peur ? Ou sa distance était-elle le simple effet du rhume ? Était-il monté en voiture avec Roland parce que celui-ci le lui avait proposé et qu'il avait craint des plaisanteries de potache s'il répondait qu'il attendait Géraldine ?

Ce qu'elle avait anticipé l'avant-veille se produisait maintenant. Au moment où elle avait reconnu Raphaël au magasin Parthos, elle avait encore toutes ses défenses : sa froideur ne l'aurait pas atteinte. Le cadeau inattendu des deux heures passées ensemble et de la pierre de lune les lui avait ôtées. L'éloignement de Raphaël la frappait là où elle était le plus vulnérable. Elle reconnaissait l'abattement qui tombait sur elle, pour l'avoir vécu autrefois.

Mais elle n'était plus la nunuche de vingt-deux ans trop timide pour ouvrir la bouche en présence d'un groupe, se sentant partout comme une intruse, que Pierre avait sortie du néant. Quand il lui avait demandé l'heure dans un café du centre de Caen où elle révisait seule ses partiels et s'était assis à sa table sans qu'elle l'y invite, elle avait été stupéfaite que ce garçon brun aux traits symétriques qui ressemblait à un acteur, ce Parisien qui enseignait l'histoire-géo trois jours par semaine dans un lycée de Caen, s'intéresse à elle. Chaque lundi elle était sûre qu'elle n'entendrait plus parler de lui. Elle n'aurait pas été surprise de le croiser dans un café en compagnie d'une autre fille. Mais de semaine en semaine, et d'année en année, ils étaient devenus un couple. Au bout de trois ans, il s'était installé à Caen avec elle. La prochaine étape logique semblait le mariage, puis l'enfant. Géraldine attendait, discrète et patiente. Ils étaient ensemble depuis six ans quand il avait disparu. Il n'était pas mort : ses affaires étaient parties avec lui ainsi qu'un sac à dos Lafuma appartenant à Géraldine. Elle avait essayé de joindre ses amis à

Paris ; personne ne savait ce qu'il était devenu. Ou bien on lui mentait.

Pendant des semaines, chaque soir en rentrant chez eux elle espérait le trouver dans le salon ou la cuisine, en train de lire, de corriger des copies ou de préparer le dîner. Sa sœur l'avait appelée de Lille un soir. Quand Géraldine lui avait dit : « Pierre est devenu fou, non ? » Marion avait calmement essayé de la convaincre qu'il ne reviendrait pas ; Géraldine devait s'occuper d'elle-même. Le lendemain elle n'avait pas réussi à sortir de chez elle pour aller au travail. Elle restait prostrée près du téléphone — au cas où il appellerait. Marion avait fini par se rendre compte que quelque chose ne tournait pas rond. Elle avait débarqué à Caen et trouvé sa grande sœur maigrie de quinze kilos, déshydratée, dans un état de faiblesse tel qu'elle pouvait à peine marcher. Elle l'avait fait hospitaliser. C'est en sortant de l'hôpital que Géraldine avait enfin compris que Pierre ne reviendrait pas. Elle n'avait pas besoin de demander pourquoi. Elle avait toujours su qu'il la quitterait. Pas parce qu'il se rebellait comme un adolescent contre les carcans de la vie — l'enseignement, la province, le mariage, la famille, l'installation —, même si c'était l'explication qu'elle évoquait avec sa sœur et sa mère pour avoir l'air raisonnable. Il s'était enfui pour survivre, pour échapper au pot de colle néantisant qu'elle était, pour ne pas être englouti par sa nullité gluante. Dans les trois mois précédant la disparition de Pierre, ils avaient fait l'amour deux fois. Géraldine en souffrait mais ne voulait pas créer de pression et attendait patiemment que Pierre revienne vers elle. Attendait, parce qu'elle avait peur de dire quoi que ce soit. Attendait comme une vache qui regarde passer les trains. Attendait, molle, lâche, veule, passive, dégoûtante. Un mollusque. Il avait eu raison de se secouer pour la décoller de lui. Le médecin, qui se méfiait d'elle, avait refusé de lui prescrire des somnifères. Pendant six mois elle avait été obsédée par l'idée de la pendaison. Elle savait admirablement faire le nœud du pendu. Elle avait acheté une corde. Un matin elle l'avait accrochée à la lampe de la salle. Elle avait été arrêtée par la pensée de sa mère qui lui rendait visite le dimanche et lui apportait à manger dans des Tupperware.

Elle avait mis sept ans à s'en sortir. Elle avait essayé tour à tour la psychanalyse, la danse contemporaine, la danse africaine, le tango, le yoga, la méditation. Peu à peu son âme s'était musclée en même temps que son corps. Il lui semblait qu'elle ne pourrait plus jamais tomber amoureuse. Qu'elle ne se marierait pas. Qu'elle n'aurait pas d'enfant. Qu'elle resterait vieille fille. Au moins elle n'avait pas causé de chagrin mortel à sa mère.

Lors d'un week-end à Lille chez sa sœur, elle avait rencontré un Indien qui passait un an en France. Attentif et distant, il lui témoignait un respect qui lui avait plu. Il lui avait rendu visite à Caen. Il avait dormi sur le canapé. Elle était allée le voir à Lille sans le dire à sa sœur. Il lui avait laissé son lit et avait dormi par terre. Ils se parlaient au téléphone tous les soirs. L'année suivante il devait retourner en Inde : elle ne voulait pas y penser. Elle irait sans doute le voir là-bas. Elle s'était fait un ami. Quelqu'un qui l'écoutait et n'attendait rien d'elle. Avant de quitter la France, il avait prévu de voyager en Europe pendant trois mois avec un Europass, et lui avait proposé de se joindre à lui. Les auberges de jeunesse ne coûtaient pas cher. Ici et là il proposerait ses services pour gagner de l'argent, particulièrement pendant la saison des vendanges. Elle avait réussi à prendre six semaines et l'avait rejoint. Ils allaient enfin coucher ensemble : le changement de lieu, l'intimité forcée due aux chambres et aux tentes partagées rendraient sûrement Imtiaz moins timide. Elle faisait des rêves érotiques où il lui touchait simplement le poignet et où elle se liquéfiait de désir. Quand elle l'avait rejoint à Gênes, elle avait senti entre eux un désir très fort. Il n'était pas homosexuel, comme l'avait supposé sa sœur. Elle en était sûre. Cette nuit-là, il ne l'avait pas touchée. Allongé près d'elle sur le lit, il s'était écarté quand elle s'était coulée contre lui. Avait-il une déformation physique dont il avait honte ? Elle l'avait interrogé, même si la pudeur d'Imtiaz n'encourageait pas le questionnement.

Il lui avait répondu sans hésiter. Il l'aimait. Musulman, il ne pouvait pas la toucher avant le mariage. Même s'il n'était pas strictement pratiquant, il craignait qu'une telle infraction à la loi ne leur porte malheur. Un amour pur devait être vécu avec pureté. « Alors marions-nous demain », avait dit Géraldine avec un sourire. Mais elle devait d'abord se convertir.

Imtiaz était cet homme qui avait eu la force intérieure de voyager avec elle pendant six semaines, de dormir presque chaque nuit de ces six semaines sur un lit ou par terre à côté d'elle, de partager avec elle un sac de couchage, et de ne pas la toucher. Même pas un geste. Car il savait que les gestes, alors, ne s'arrêteraient pas. Plus d'une fois il avait dû la repousser avec une ferme douceur, car elle n'en pouvait plus. Elle avait besoin de sentir qu'il éprouvait, comme elle, ces poussées ardentes de désir. Un soir où il l'avait laissée effleurer son érection à travers le tissu du pantalon, il s'était levé brusquement et s'était éloigné. Elle n'avait plus recommencé de tentation si forte. Elle était tombée amoureuse de sa rigueur.

À l'automne, elle avait suivi les cours pour sa conversion puis récité la chahada. À Noël ils s'étaient mariés, à Caen, pour permettre à Imtiaz de rester en France. Ils avaient fait l'amour, et Géraldine avait découvert que la sensualité d'Imtiaz égalait son respect de la loi. Ils avaient décidé de partir vivre dans le sud de l'Inde, où Imtiaz avait pour ambition d'ouvrir une agence de voyages.

Quelques mois avant leur départ, le téléphone avait sonné. Pierre. Il avait eu son numéro par sa mère.

Pendant sept ans elle avait attendu cet appel. En entendant sa voix, elle avait vu surgir une image : celle de leur enlacement sur un quai de la Seine, une nuit d'hiver, et de sa jupe évasée en laine grise qu'avait remontée Pierre sur ses cuisses pour lui faire l'amour contre le parapet sans souci des passants.

Il voulait la voir. Elle devait aller à Paris avec Imtiaz le week-end suivant. Pierre lui avait donné rendez-vous dans un café de Belleville.

Elle y était allée avec Imtiaz. Elle aurait pu refuser de le rencontrer, mais c'était un signe de lâcheté. Il fallait une clôture.

Il était là, dans le café, coiffé d'un fedora, vieilli, de petites rides sous les yeux, toujours aussi beau, l'homme pour qui elle avait voulu se tuer. Elle lui avait présenté Imtiaz au sourire confiant — Imtiaz incapable d'imaginer le mal. Pierre avait raconté les années passées en Amérique du Sud. Imtiaz et Géraldine avaient évoqué leur futur départ en Inde. Tout cela restait courtois et neutre. Quand Imtiaz était descendu aux toilettes, Pierre s'était penché vers elle : « Tu es ce qui m'est arrivé de meilleur. » Il avait l'air triste. Il lui faisait pitié. Elle avait compris que la rupture avait été le problème de Pierre et pas le sien. En sortant du café, elle tenait la main d'Imtiaz et se sentait légère.

La voiture s'arrêta devant le Leela. Elle avait l'impression que le trajet avait duré à peine deux minutes. Un employé de l'hôtel ouvrit la portière.

« Je vous attends ? » demanda Ravi.

Elle avait oublié cet autre problème. Ravi avait attendu Roland jusqu'à deux heures du matin à l'aéroport la nuit dernière. Depuis cinq jours il n'avait pas eu une soirée ni une nuit complète. Il n'était pas son esclave.

« Rentre chez toi. Je prendrai un taxi. »

Quatre cents roupies en plus, à ses frais.

Charlotte et elle traversèrent les vastes salons du Leela d'un luxe plus tape-à-l'œil que celui du Taj. Renata, Roland et Raphaël avaient déjà pris place sur la terrasse. Raphaël était en train de se moucher, si longuement et si bruyamment qu'on aurait cru que la cervelle lui sortait par le nez. Il était assis à côté de Renata, qui gardait prudemment la main sur sa bouche. Charlotte prit la chaise libre à gauche de Raphaël en disant à Géraldine :

« Je suis vaccinée.

— C'est dommage qu'on ne voie pas la mer », remarqua Roland.

La nuit noire et les projecteurs illuminant la piscine turquoise devant eux les privaient de la vue magnifique entourant de tous côtés le promontoire du Leela.

« Et cette musique disco est horrible, constata Renata.

— C'est vrai, dit Charlotte.

— Notre hôtel est beaucoup plus raffiné, conclut Roland. Excellent choix, Géraldine. »

Elle lui sourit et imita Raphaël, plongé dans la contemplation du menu. Un serveur vint prendre la commande. Elle s'excusa et se leva pour aller aux toilettes.

Quand elle en sortit, Raphaël n'était visible nulle part. S'il avait voulu lui parler en tête à tête, il n'était pas difficile de saisir cette occasion pour descendre à son tour. Elle attendit quelques minutes tout en se passant un trait de rouge à lèvres devant un miroir. Elle eut envie d'arracher la pierre de lune. Son téléphone sonna. Elle fouilla son sac précipitamment. Elle éprouva une telle déception en reconnaissant la voix d'Imtiaz qu'elle comprit qu'elle s'était attendue à recevoir un appel de Raphaël la cherchant.

« Ça n'a pas l'air d'aller ? »

Les larmes lui montèrent aux yeux.

« La table ronde était une catastrophe. Il n'y avait personne.

— Pauvre Jay ! Tu dois être déçue. Mais ce n'est pas ta faute. »

Elle entendit pleurer Joseph.

« Qu'est-ce qu'il a ?

— Il est tellement irrité qu'il saigne. Je n'arrive pas à trouver la pommade antibiotique.

— Sous la table à langer, à côté des couches.

— Je la vois. À tout à l'heure. Ne t'inquiète pas. Profite de ta soirée. »

Elle raccrocha, le cœur lourd, honteuse de mentir à Imtiaz, et monta lentement l'escalier. On avait apporté les plats. Roland et Charlotte étaient plongés dans une conversation sur les sites touristiques qu'ils avaient vus la veille et l'avant-veille, à laquelle participaient Renata et Raphaël par instants. Il évitait de la regarder. Leurs voix parvenaient à Géraldine à travers un mur ouaté. Elle avait l'impression de tomber dans un puits à une vitesse vertigineuse sans que personne autour d'elle s'en rende compte. Elle avait déjà éprouvé autrefois, après le départ de Pierre, cette sensation de chute et de paralysie. Elle sombrait dans un trou noir sans fond. Elle était certaine que Raphaël s'en rendait compte et fuyait ces sables mouvants qui l'auraient englouti s'il s'était laissé attraper par elle. Elle sentit un tel désespoir qu'elle aurait voulu marcher jusqu'à la rambarde et se jeter du haut de la falaise. « Pourquoi le silence de l'autre vous affecte-t-il tant ? » lui avait demandé autrefois le psychanalyste à Caen. Elle ne savait pas. Il y avait de l'irrémédiable. Un homme ne rentre pas un soir. Vous ne le reverrez pas. Vous n'entendrez plus sa voix. Votre père quand vous avez sept ans. Votre amant quand vous en avez vingt-huit. Comment Raphaël, en trois jours à peine, avait-il pu ressusciter l'ancienne Géraldine, celle qui se haïssait et n'avait qu'une envie, en finir ?

« Tout s'est très bien passé jusqu'à maintenant, Géraldine, lui disait Roland. Ne vous laissez pas démonter par une petite déception. »

Tous la regardaient. Elle rougit et s'efforça de sourire. Du fond de son puits elle voyait se tendre vers elle la main de Roland, mais le silence de Raphaël était plus fort.

« Comment étaient vos plats ? demanda Roland. Mon poisson était fade et plein d'arêtes. J'attendais mieux du Leela.

— Et mon plat, beaucoup trop épicé ! s'exclama Charlotte.

— Le risotto était lourd, renchérit Renata.

— Moi, mon curry était bon, dit Raphaël. De toute façon je ne sens rien. »

Le garçon apporta l'addition. Roland sortit son portefeuille, mais Géraldine l'assura que ce n'était pas la peine, tout en se demandant où elle trouverait les sept mille roupies qu'avait coûté le dîner — presque le quart de son salaire.

« Si on rentrait à pied par la plage ? suggéra Charlotte.

— Il est tard. Renata est fatiguée.

— Au contraire, Roland. Après cet après-midi enfermée et ce repas lourd, j'aimerais marcher.

— Bonne idée », approuva Raphaël.

Avec son rhume, il n'était pas difficile de dire qu'il préférait rentrer à l'hôtel en taxi ou en tuk-tuk. Elle l'aurait raccompagné. Il fuyait toute occasion de se retrouver seul avec elle.

Ils descendirent du promontoire par les jardins du Leela, bien éclairés. L'étendue bleu-noir de la mer scintillait sous la lune. À vol d'oiseau le trajet du Leela au Taj de Kovalam était court, à peine un kilomètre. Par la plage il fallait suivre une série de petites criques qui longeaient la falaise découpée. Roland craignait d'abîmer ses mocassins. Les escarpins de Géraldine s'enfonçaient dans le sable. Ils convinrent qu'il valait mieux ne pas ôter leurs chaussures. Plus ils avançaient, moins la plage était éclairée. Ils risquaient de se couper en marchant sur un coquillage cassé ou un morceau de verre.

« Sans parler des immondices », dit Roland.

Leurs yeux s'étant habitués à l'obscurité, ils aperçurent en passant de la deuxième à la troisième crique un monceau de sacs en plastique, de bouteilles et d'autres débris.

« Quel dommage, dit Roland. L'Inde est un beau pays, mais si sale. Les Indiens n'ont aucune notion d'hygiène ou d'écologie. »

Ils sont plus écologiques que vous, songea Géraldine : ils utilisent de l'eau, pas du papier toilette. Elle n'eut pas le courage d'ouvrir la bouche pour défendre l'Inde. Ils marchaient lentement en cherchant le passage. Roland et Charlotte ouvraient le chemin, suivis par Raphaël et Renata, derrière lesquels marchait Géraldine, ralentie par ses escarpins et préférant garder la distance au cas où elle se mettrait à pleurer.

« Je ne suis pas sûr que c'était une bonne idée de rentrer par la plage, dit Roland. On n'est pas en Europe. La plage, ici, n'est pas un endroit où on marche la nuit.

— On abandonne et on cherche la route ? proposa Charlotte.

— La route ne longe pas la plage, intervint Raphaël.

— Si on tourne dans la direction opposée à la mer, on finira par tomber dessus, non ?

— Elle est loin. Au point où on en est, mieux vaut continuer par la plage.

— Raphaël a raison, Charlotte. Allez, courage. »

Roland prit le bras de Renata, qui commençait à fatiguer. Raphaël leur emboîta rapidement le pas, comme s'il craignait que Géraldine ne s'approche. Il fut rejoint par Charlotte, qui lui demanda comment était Trichy.

Que lui avait-elle fait ? Était-ce un jeu pervers ? Et pourquoi ne pouvait-elle rester indifférente au mépris d'un homme qui n'était rien pour elle et qui serait parti après-demain ?

Des aboiements de chiens, d'abord lointains, percèrent la nuit. Ils se rapprochaient à toute allure. Des aboiements féroces. Ils s'arrêtèrent et se regardèrent, comprenant à l'instant qu'une bande de chiens errants allait les attaquer. Il n'y avait pas le temps de réfléchir et de s'organiser. Dans moins de dix secondes les chiens seraient sur eux. Charlotte poussa un hurlement. Elle saisit le bras de Renata et l'entraîna sur le talus qui s'éloignait de la plage. Géraldine avait l'impression d'assister de loin à un film d'horreur. Roland se penchait en avant. Soudain Raphaël fut devant elle. Il lui prit le poignet et la poussa vers la butte.

« Remonte. »

Elle obéit à son injonction. En deux secondes il avait pris place aux côtés de Roland et, comme lui, ramassait des cailloux. Roland ôta la ceinture de son pantalon. Les chiens arrivaient. Les premières pierres les atteignirent avant qu'ils se jettent sur Roland et Raphaël. Les deux hommes les lançaient l'une après l'autre à toute vitesse et de toute leur force, sans interruption, leur bras droit se déployant comme un ressort avec rapidité. Un chien hurla de douleur. Roland fit siffler la ceinture en cuir. Les chiens restaient à une distance de quelques mètres. Puis ils reculèrent. Les aboiements s'éloignèrent. Roland aboya férocement après les chiens qui s'enfuyaient, puis se mit à rire.

« Quelle bande de pleutres ! On a gagné. Bravo, camarade.

— Bravo à toi, Roland. Tu aboies bien, dis donc.

— C'est mon rêve.

— D'être un chien ?

— Les aventures du club des Cinq. J'ai l'impression de vivre un rêve d'enfance.

— C'est vrai, on est cinq ! Dans le club des Cinq, le chien ne serait pas plutôt avec nous ?

— Vous ne croyez pas qu'ils vont revenir ? demanda Charlotte d'une voix tremblante. Il faut qu'on trouve la route ! Je ne retourne pas sur la plage ! »

Elle escalada la butte, suivie de Renata qui interpella Roland.

« Tu viens ? Là j'en ai vraiment marre.

— Tu ne félicites pas ton héros ? »

Roland semblait enchanté, comme si cet incident lui avait rendu sa jeunesse. Raphaël plaisantait avec lui. Ils riaient, entre hommes, liés par leur courage face au danger qu'ils venaient d'affronter. Géraldine regardait Raphaël. Les manches de sa chemise blanche étaient relevées sur ses avant-bras. Jamais un avant-bras ne lui avait inspiré un désir aussi fort de le dévorer de baisers. Elle sentait encore sur son poignet le contact et la pression de sa main chaude. Elle entendait résonner dans son oreille sa voix impérative : « *Remonte.* » Il savait qu'il pouvait lui donner cet ordre et qu'elle obéirait. Il ne lui avait pas dit un mot de la soirée et pourtant, dans le danger, sa première impulsion avait été de s'approcher d'elle et de la protéger. Elle existait pour lui. Elle n'était pas folle. Une joie chaude coulait dans ses veines.

En haut de la butte, ils ne trouvèrent pas la route, mais quelques huttes. Ils virent s'approcher un Indien avec une lampe de poche, qui eut l'air étonné de trouver là cinq Occidentaux.

« *Taj Hotel* ? » lui dit Roland.

L'Indien répondit dans un anglais correct qu'il fallait retourner sur la plage. La route était éloignée de plusieurs kilomètres. Ce serait beaucoup plus rapide par la plage. Quand Roland expliqua qu'ils venaient d'être attaqués par des chiens, il secoua la tête.

« *Dangerous. You need a lamp.* »

Il se proposa de les guider. Ils descendirent la butte en file indienne et le suivirent sur la plage. Un quart d'heure plus tard, ils arrivaient près des jardins du Taj, que le Kéralais pointa du doigt avant de faire demi-tour. Charlotte et Roland lui tendirent chacun un billet de cinquante roupies qu'il refusa obstinément, la main sur la poitrine. Ils le remercièrent avec effusion.

« Ils sont vraiment gentils, ces Indiens, dit Charlotte.

— On a eu de la chance de tomber sur lui », remarqua Renata.

Ils marchèrent jusqu'à l'entrée des jardins du Taj, cernés par une haute palissade. Un garde en képi et chemisette blanche assis sur un tabouret surveillait la barrière rudimentaire, simple barre en bois posée sur deux supports, et se leva à leur approche, surpris de voir des touristes arriver de ce côté-là à une heure si tardive. Ils passèrent l'un derrière l'autre à côté de la barrière. La mer était toute proche. On entendait les vagues éclater contre la digue en pierre qui séparait la plage du Taj de la plage publique.

« Je me demande pourquoi il y a une palissade et un garde, dit Charlotte, puisque n'importe qui peut entrer au Taj en contournant la digue. Pendant le reflux, on doit même avoir pied.

— Pas au Taj, Charlotte, remarqua Roland. Dans les jardins du Beach et du golf.

— Ne vous inquiétez pas, vous êtes en sécurité, dit machinalement Géraldine.

— Oh, je ne m'inquiète pas. »

Ils longèrent le lac où se reflétaient les palmiers sous la lune. Elle tressaillit en reconnaissant sur sa droite, au fond de la pelouse éclairée par quelques réverbères, devant la palissade, le haut cocotier au tronc large. Raphaël marchait devant. Il ne s'était toujours pas rapproché d'elle mais elle était certaine qu'il allait trouver le moyen de rester seul avec elle. Ils sortirent des jardins, traversèrent la route et se retrouvèrent devant l'autre barrière, au bas du chemin qui montait vers les chambres. Roland se retourna.

« Géraldine, merci. C'était une excellente soirée, malgré la piètre nourriture du Leela. Le petit divertissement de l'après-dîner était parfait. »

Il l'embrassa sur les joues, suivi de Renata, puis de Charlotte qui s'exclama en riant qu'elle n'avait pas eu aussi peur depuis longtemps. Raphaël écoutait distraitement en regardant la terre à ses pieds. Il plia le coude pour attraper le paquet de tabac dans la poche de son jean, puis le fin papier dans la poche de sa chemise, et se roula une cigarette. Géraldine devina que la cigarette lui servirait de prétexte pour laisser les autres partir avant lui.

Il l'alluma. Le garde avait ouvert la barrière et Roland, Renata et Charlotte commençaient déjà à remonter la route pavée. Raphaël leur emboîta le pas sans même lui dire au revoir. Elle écarquilla les yeux et l'appela à mi-voix :

« Raphaël ? »

Il se retourna.

« Quoi ? »

Elle espéra que les autres étaient suffisamment éloignés.

« Tu ne voudrais pas boire un verre ?

— Maintenant ? Il est tard. Je suis trop crevé. »

Il lui fit un petit signe de tête et rejoignit Roland. Quelque chose s'effondra en elle.

Le garde referma la barrière. Quand elle se retourna, un Indien en chemise et en pagne bondit de l'ombre où il dormait accroupi. Elle se dirigea vers le tuk-tuk qu'il lui montrait du doigt.

« Trivandrum. Combien ?

— Mille roupies.

— Deux cents. J'habite ici. Je ne suis pas une touriste.

— Cinq cents. Deux cents, c'est pour aller à la plage de Lighthouse, tout près d'ici. Trivandrum, c'est loin !

— Je connais les prix. Trois cents. »

Il haussa les épaules et elle monta dans le tuk-tuk. Voilà tout ce qu'elle avait réussi aujourd'hui : une négociation de quelques centaines de roupies prises à un miséreux.

CHARLOTTE

Kovalam, dimanche 13 décembre

Charlotte montait le chemin de pierre. Après son bain nocturne dans la piscine suivi d'une douche chaude au savon fleurant le bois de santal, elle se sentait merveilleusement légère. C'était le dernier soir avant longtemps où elle dînerait en robe d'été. À sept heures et demie demain matin, ils prendraient l'avion pour Bombay, d'où elle s'envolerait pour Paris, et de là pour New York, où elle retrouverait l'hiver après-demain. Trente-six heures de voyage en perspective.

Elle avait profité jusqu'à la dernière miette de cette dernière journée. Réveillée à l'aube, elle était allée voir le soleil se lever sur la mer, avait suivi une séance de yoga et nagé dans la piscine sous l'œil attentif des corbeaux avant de prendre un petit déjeuner pantagruélique où elle avait goûté de tout comme si son estomac n'avait plus de limite, des papayes fraîches aux ragoûts indiens en passant par les céréales et les croissants chauds. Elle avait passé la journée entre la plage et la piscine et, au retour de la table ronde ce soir, pris un dernier bain solitaire éclairé par des projecteurs. Grâce à toute cette nage, elle sentait son corps tonique et se trouvait plutôt jolie dans sa robe à bretelles, même si des visites régulières au gymnase n'auraient pas été inutiles pour raffermir les muscles de ses bras. Elle s'était autrefois moquée des haltères que Deb lui avait offerts pour un anniversaire et les avait jetés à la poubelle en quittant la Californie : en fin de compte, elle aussi y venait.

Personne n'était encore là. Charlotte s'assit sur le banc en bois devant la réception. Du long bec d'un canard en pierre derrière elle coulait un filet d'eau, dont le bruit régulier la berçait. Elle admira la délicate composition florale dans un bassin rond un peu plus loin en se demandant comment les dizaines de pétales jaunes, blancs et rouges flottant à la surface de l'eau pouvaient garder une immobilité si parfaite sur leur support fluide.

On s'habitue au paradis : nager dans une eau tiède, se promener sur la plage le long d'une mer turquoise, écrire à l'ombre d'un palmier en buvant un thé épicé, manger des mets exquis tout en riant avec des amis. Enfant, elle détestait les groupes et les colonies de vacances. Pendant toute cette semaine, elle avait trouvé un plaisir spécifique au groupe, peut-être grâce à Roland, jamais à court de plaisanteries et de bonne humeur, charmant. Renata était plus taciturne, mais Charlotte appréciait son tact. La gentillesse de Géraldine et sa terrible prononciation de l'anglais la rendaient touchante. Quant à Éleuthère, il lui était étrangement sympathique en dépit de ses manières abruptes, et fournirait sûrement la matière principale de son récit quand elle raconterait sa colonie de vacances en Inde. Le club des Cinq, comme disait Roland. Elle aussi avait dévoré cette série quand elle était petite. Ils étaient liés les uns aux autres par ces huit jours en Inde et surtout par leurs aventures de la veille. L'intrépidité de Roland et de Raphaël face aux chiens l'avait bluffée. Elle sentait que, de ces rencontres et de ces sensations, lui venait enfin le renouveau espéré. Depuis le matin elle songeait à un scénario. Pas une histoire sur une mère et une fille s'achevant par un drame, mais une comédie de mœurs légère et drôle mettant en scène des Français voyageant en Inde. Elle en avait déjà le titre, frais et attirant, entre *Salaam Bombay !* et *Bonjour Tristesse,* directement emprunté au festival : *Bonjour India.* Cette fois-ci il faudrait chercher un producteur avec plus de moyens et surtout, comme l'avait suggéré Roland, ne pas hésiter à envoyer le scénario aux acteurs les plus connus.

Sa sérénité n'était pas seulement due aux longueurs dans la piscine ni au nouveau projet qui la titillait, mais à quelque chose qu'elle avait envie d'appeler, au risque de provoquer le rire moqueur d'Adam, sa « révélation de Cochin ». Dans l'avion qui la ramenait de Cochin avant-hier, les membres encore endoloris par sa chute, elle avait compris pourquoi la mauvaise note en maths de Suzanne l'avait rendue si triste : parce qu'elle redoutait la fragilité de sa fille comme elle avait toujours anticipé et craint les échecs de Deb. Dans une intuition, elle avait su ce qu'elle devait faire : surmonter son angoisse, croire en Suzanne, et surtout ne pas lui transmettre par un geste, un mot ou l'accent de sa voix l'inquiétude qui la vouerait à l'échec. C'était cela, se décentrer. Cet effort exigerait dorénavant une vigilance de chaque instant. Voilà la leçon que lui donnait l'antique courtoisie de l'Inde.

Cet après-midi même s'était produit un minuscule progrès sur le chemin de la zénitude, dont Raphaël avait été la cause à son insu. Une toute petite chose, presque impalpable, mais dont Charlotte sentait l'importance.

Les choses avaient pourtant mal commencé. Lorsqu'elle avait retrouvé Raphaël à cinq heures de l'après-midi devant la réception, il avait sorti un livre de la poche arrière de son jean et l'avait ouvert sous le nez de Charlotte. Quand elle lui avait demandé ce qu'il lisait et qu'il avait répondu « Rimbaud » d'un ton sec sans la regarder, elle avait senti tomber un couperet divisant le monde en deux, les poètes et les non-poètes. Elle s'était morigénée de céder à nouveau au chant de ses sirènes : se comparer, même pour constater son infériorité, c'était encore une façon de se mettre au centre.

La suite n'avait été qu'une série de heurts. Dès qu'elle ouvrait la bouche, elle provoquait malgré elle l'agressivité de Raphaël. Comme Jagdish, qui devait les accompagner à la table ronde, n'arrivait pas et risquait de les mettre en retard, elle avait exprimé son agacement : « Ce n'est pas très professionnel. Il est là pour s'occuper de nous mais on dirait qu'il pense surtout à s'amuser. — Oh là ! Pas de ça. J'aime pas », l'avait interrompue Raphaël en s'éloignant d'elle aussitôt pour se réfugier dans le café climatisé aux parois de verre sous prétexte qu'il mourait de chaud. Elle l'avait suivi, décontenancée, et avait tenté de se racheter en ajoutant d'un ton léger : « Avec Roland, on se demandait qui Jagdish draguait, hier soir : Manon ou un des guitaristes ? Pas évident. Il m'a dit lui-même qu'il était bisexuel. — C'est tellement français, de n'avoir pour horizon que le sexe », avait rétorqué Raphaël avec mépris. Elle s'était empourprée. « S'il préfère dîner avec les jeunes plutôt qu'avec nous, il y a une raison, non ? — Qui ne regarde que lui. Et qui n'est pas celle que tu crois. — C'est-à-dire ? — Il est musulman. — Je sais. — Les amis de Manon aussi. Jagdish voulait rencontrer des musulmans du Sud et établir des contacts. L'un d'eux va monter à Delhi et Jagdish va lui donner l'hospitalité le temps qu'il trouve un boulot. » Elle avait baissé la tête, honteuse. Roland et elle avaient échangé des plaisanteries aux dépens de Jagdish comme des adolescents. Raphaël le prenait au sérieux et le respectait.

Ils avaient fini par appeler dans sa chambre, depuis la réception, l'objet de leur litige. Jagdish s'y trouvait alors qu'il était presque cinq heures et demie, l'heure à laquelle devait commencer la table ronde à Trivandrum. Cinq minutes plus tard il remontait le chemin dallé d'un pas énergique. Il avait l'air furieux. Il les avait à peine salués. Dans la voiture il avait lancé d'un ton accusateur : « Vous étiez où ? — Devant la réception, avait répondu Charlotte assise à l'avant à côté du chauffeur. On t'attendait. — Vous n'y étiez pas. Je vous ai fait appeler dans vos chambres. Je vous ai cherchés partout. Je suis venu plusieurs fois à la réception. — Mais si, on était là ! Raphaël avait trop chaud, alors on est allés attendre au bar. — J'ai regardé au bar. Je ne vous ai pas vus. — Mais on y était, enfin ! Raphaël, dis-le-lui. — Désolé, Jagdish. On ne s'est pas rendu compte que tu ne pouvais pas nous voir. — Raphaël, avait repris Jagdish d'un ton désagréable, tu avais un entretien avec Lakshmi Balasubra Moniam à l'hôtel à 15 heures. — Zut. J'ai oublié. — C'était écrit dans ton programme. Elle s'est déplacée pour toi. — Je suis vraiment désolé. Je me promenais sur la plage. — Tu rates un article de deux pages dans le *Hindu.* »

Le silence s'était installé dans la voiture. Charlotte n'en croyait pas ses oreilles. Manquer de professionnalisme était une chose. Mais rejeter sa faute sur ceux dont on aurait dû s'occuper ne manquait pas de toupet ! Et Raphaël s'excusait ! Elle s'était gardée d'ouvrir la bouche. L'atmosphère était si tendue que la moindre insinuation aurait dégénéré en explosion. Ils étaient comme deux enfants réprimandés et terrorisés par un gamin. Le monde à l'envers. Quand ils étaient descendus de voiture devant le Centre universitaire, elle s'était approchée de Raphaël et lui avait glissé : « Ce n'est pas ta faute si tu as raté l'interview. Jagdish aurait dû te la rappeler. Tu n'as aucune raison de t'excuser et d'être servile avec lui... — Je t'emmerde. » Il l'avait presque bousculée pour suivre Jagdish.

Ils s'étaient retrouvés côte à côte sur une estrade dans une salle encore plus vide que le salon du Taj : il n'y avait aucun public. On ne pouvait pas annuler parce que Géraldine Legac avait réussi à attirer une équipe de télévision en raison du sujet d'intérêt local. Charlotte avait du mal à réprimer un fou rire nerveux. Tout était absurde : cette table ronde sans auditeurs sur un sujet inexistant et les avanies qu'elle subissait de la part de Jagdish et de Raphaël, qui était servile, il n'y avait pas d'autre mot. Il fallait juste traverser stoïquement la demi-heure à venir avant de rentrer à l'hôtel et de prendre dans la piscine un dernier bain qui la purifierait des ondes mauvaises émanant d'Éleuthère.

Comme la veille au Taj, il l'avait surprise en ne se contentant pas, comme elle, de raconter quelques impressions personnelles, mais en se lançant dans une analyse de l'essai de Walter Benjamin *La tâche du traducteur.* À qui parlait-il de l'intraduisible et de la langue pure, *die reine Sprache* ? Aux téléspectateurs kéralais ? Sa voix nasale, catégorique sans être forte, réussissait à créer un suspense. Les yeux étaient rivés sur lui. Il avait quelque chose d'un prophète. Le fait était qu'il intéressait Charlotte, qu'elle avait envie d'en entendre davantage, et qu'elle admirait son indifférence à l'absurdité de la situation. Elle aurait aimé le lui dire et dissiper l'hostilité entre eux.

Après la table ronde, elle avait rejoint Raphaël qui fumait une cigarette dehors : « Excuse-moi pour tout à l'heure. Je ne voulais pas t'insulter. J'étais juste énervée parce que je ne trouvais pas normal que Jagdish te crie dessus. — Il ne me criait pas dessus. Il avait raison. J'aurais dû vérifier mon programme. Fais attention aux mots que tu prononces. — Tu ne m'en veux pas ? — Toi et ton éthique du pardon ! » Raphaël avait l'air exaspéré. Les larmes étaient montées aux yeux de Charlotte.

Pourquoi la haïssait-il ? Haïr, d'ailleurs, était un bien grand mot. Elle l'irritait. Il y avait une expression en anglais qui désignait exactement son effet sur lui : *she pushed his buttons,* elle appuyait sur ses boutons. À peine ouvrait-elle la bouche qu'elle déclenchait en lui une réaction allergique. Ce qui irritait Raphaël, c'était sans doute le fait qu'elle passait si facilement du verbe « irriter » au verbe « haïr » : son hystérie.

Heureusement, Jagdish n'était pas rentré avec eux. Seule en voiture avec Raphaël, elle avait tenté une nouvelle approche : « Tu as travaillé sur Benjamin ? — Travaillé ? — Fait une maîtrise ou une thèse ? — Je l'ai lu. » Sa repartie sèche indiquait son mépris pour l'esprit scolaire de Charlotte. Elle s'était tue. Il avait ouvert sa vitre et allumé une cigarette. L'air chaud ramenait la fumée dans ses narines. Il était grossier : elle n'avait pas à se montrer aimable. La servile, c'était elle. On projette souvent sur l'autre ses propres défauts. « Ça t'ennuierait de ne pas fumer ? J'ai mal au cœur. » Il avait poussé un soupir excédé et jeté sa cigarette en une pichenette après une dernière bouffée. « T'es chiante, dis donc ! » Elle avait sursauté. Depuis Deb, personne ne lui avait dit ces mots. Il les avait prononcés exactement sur le même ton que Deb, comme si s'était réincarnée en Raphaël, moins l'amitié, la Deb qui la voyait sans fard et lui parlait sans pincettes. « C'est drôle que tu utilises ce mot-là. J'avais une amie américaine qui me disait ça en français : "T'es chiante !" Ça doit être vrai. » Il avait ricané. « Vous n'êtes plus amies ? — Elle s'est tuée il y a six mois. — Tu l'as fait chier à ce point ? »

Écarlate, elle avait tourné le visage de l'autre côté. Qu'avait-elle cherché en évoquant le suicide de Debarati ? À éveiller sa pitié, sa sympathie ? Elle se dégoûtait.

C'est au moment où elle ne s'y attendait pas, quand elle avait enfin renoncé, que la voix nasillarde de Raphaël s'était élevée : « Il faut de la médiocrité pour arriver à vivre. Ceux qui n'y arrivent pas sont souvent les meilleurs. » Son ton n'avait plus rien d'acerbe. Elle avait compris qu'à sa façon, il lui faisait des excuses. C'était une belle pensée, dont elle lui avait été reconnaissante.

Tout de suite prête à lécher la main qui lui tendait un sucre, elle avait repris : « Tu me rappelles une histoire que j'ai lue à mes filles. Un vieux moine bouddhiste voyage avec un jeune compagnon. Au moment de traverser une mare, il se fait interpeller par une riche dame qui lui ordonne de la porter pour qu'elle ne mouille pas sa robe et ses chaussures. Il obéit. La dame l'insulte tout au long du trajet. Quand il la pose à terre de l'autre côté, elle ne le remercie même pas. Quelques heures plus tard le jeune compagnon demande au vieux moine : "Maître, pourquoi vous êtes-vous laissé humilier par cette femme odieuse ? Pourquoi avez-vous accepté de la porter ?" Le moine lui répond : "Je l'ai posée à terre il y a cinq heures ; tu la portes encore." » Raphaël avait souri. « C'est une bonne histoire. — Tu me fais penser au vieux moine. Je suis encore au stade du jeune compagnon. — J'aurais plutôt dit de la riche dame. — Merci ! » Ils avaient éclaté de rire.

Leur rire avait percé l'abcès. Pour une fois Raphaël ne s'était pas opposé à elle, et elle n'avait pas été désemparée par sa repartie. Elle avait l'impression de s'être un tout petit peu rapprochée du vieux moine. Elle rentrait aux États-Unis chargée d'une mission : cesser de porter sur ses épaules le souvenir de ce qu'elle avait dit, pas dit, fait ou pas fait. Vivre dans l'instant présent en flottant à la surface des choses comme ces pétales sur leur support fluide.

Des pas résonnaient sur le chemin dallé. Elle leva les yeux. Ce n'était pas Raphaël ni Roland, mais Jagdish, les cheveux encore humides, dans une chemise de lin comme d'habitude blanche et parfaitement repassée.

« Tu dînes avec nous ? constata-t-elle d'un ton faussement joyeux.

— Avec vous ? »

Lui non plus n'avait guère l'air heureux de la voir.

« Oui, avec Roland, Renata, Raphaël, Géraldine… On se retrouve ici à huit heures et demie pour aller à Lighthouse.

— Non. Je suis fatigué. »

Il ne la regardait pas en face.

« Mais alors qu'est-ce que tu fais là ?

— J'attends des amis. »

Elle ne reverrait pas Jagdish, qui prenait un avion pour Delhi plus tard qu'eux le lendemain matin. C'était le moment des réconciliations.

« Si tu viens à New York, Jagdish, n'hésite pas à me contacter. Tu as mon e-mail ?

— Je n'irai jamais aux États-Unis. Au Canada peut-être ; pas aux États-Unis.

— Pourquoi ?

— C'est un pays où on torture mes frères. Je hais les États-Unis. »

Il la regarda d'un air de défi. Elle eut l'impression que la haine brillant dans ses yeux s'adressait à elle. Elle aurait aimé que Raphaël puisse l'entendre en ce moment. Ou lui dirait-il : c'est son opinion, il a le droit de l'exprimer ?

« Tu sais, les États-Unis, c'est un pays où vivent des gens comme toi et moi, qui ont émigré là-bas pour être libres. Ils ne sont pas tous républicains. Ce serait dommage de ne jamais mettre les pieds aux États-Unis, surtout à New York, qui est une ville cosmopolite, plus intéressante que Toronto et que…

— Toute personne payant des impôts à un gouvernement qui torture mes frères est mon ennemi. »

Il se leva et s'avança à la rencontre d'un groupe de jeunes gens qui arrivaient à pied sur le chemin dallé. Manon et ses amis, trois garçons avec des guitares. Derrière eux apparut le personnage préféré de Charlotte, en jean et mocassins au lieu de ses santiags. Il portait une chemise bleu-violet qui enserrait parfaitement ses épaules et moulait sa taille. Dans son genre décontracté, Raphaël était aussi coquet que Roland. Renata, qui le suivait avec ce dernier, le complimenta sur la couleur.

« Indigo, c'est ça ?

— Je crois.

— C'est son adieu à l'Inde, dit Roland. Inde, I go ! »

Charlotte sourit. Renata leva les yeux au ciel. Raphaël rit.

« On dîne tous ensemble ? » reprit Roland avec allégresse.

Jagdish eut l'air gêné.

« Nous, on va boire un verre au bar de l'hôtel. Il y a un spectacle. On dînera plus tard. »

Charlotte devina ce qui allait se passer. Jagdish n'avait pas proposé à Roland de se joindre à eux mais ce dernier, qui aimait la jeunesse, choisirait certainement de rester et entraînerait les autres à sa suite. Elle n'avait pas envie d'aller boire des bières et de dîner dans deux heures. Ou pas envie que Jagdish, qu'elle commençait à détester franchement, impose ses desiderata. Elle fit un pas de côté.

« Moi j'ai faim ; je vais dîner. »

Sa voix avait malgré elle une résonance hostile. La dame riche qui croyait que le monde devait lui rendre hommage : voilà ce qu'elle était. Une eau sans ride, sur laquelle des pétales restaient étales : elle n'atteindrait jamais cette perfection.

Tous levèrent la tête, l'air hésitant. Comme elle s'y attendait, personne ne fit signe de la suivre. La mauvaise humeur était à jamais perdante. Jagdish et ses compagnons promettaient un amusement supérieur. Tant pis. Elle dînerait seule.

« Moi aussi j'ai faim, dit Renata en la rejoignant. Tu viens, Roland ? »

Il haussa les sourcils. Charlotte vit avec soulagement Géraldine descendre de voiture et s'avancer vers eux. En fin de compte, leur groupe se reconstituait.

« Désolée pour le retard, dit Géraldine. Il y avait des embouteillages.

— O.K. C'est dommage, dit Roland en se tournant vers Jagdish, ce serait sympa d'être tous ensemble, mais je suppose qu'on n'a pas les mêmes horaires. On y va ?

— Pas moi, dit Raphaël. Je vais boire un verre.

— Tu nous abandonnes, camarade ? Avec qui vais-je défendre ces dames contre la meute errante ? »

Raphaël sourit sans répondre.

« Qu'est-ce qui se passe ? demanda Géraldine.

— Jagdish et les autres vont boire un verre », répondit Charlotte.

Renata, Roland et Charlotte commençaient à descendre le chemin dallé. Charlotte se retourna.

« Géraldine, tu viens ?

— Je... je reste. Je vous rejoins tout à l'heure. »

Ils s'arrêtèrent et la regardèrent, étonnés.

« Toi aussi ? » s'exclama Roland.

Géraldine était toute rouge.

« Allons-y, intervint Renata d'un ton irrité. Il est tard et j'ai faim. »

Ils descendirent en silence vers la barrière de l'hôtel, à la file l'un derrière l'autre, Renata devant, suivie de Charlotte, puis de Roland. Charlotte se rappelait les jeux de balle à l'école autrefois, quand les enfants choisissaient les membres de leur équipe et qu'elle attendait dans son coin, toujours la dernière choisie, celle qu'on appelait quand il n'y avait plus personne. Roland n'avait aucune envie de dîner avec elle : à cause de Renata il n'avait pas le choix, et c'est elle qui avait entraîné Renata en se désolidarisant du groupe. Maintenant elle avait le sentiment qu'elle devait le distraire pour lui faire oublier sa déception — une pression qui suffisait à gâcher la soirée.

Ils franchirent la barrière, prirent un tuk-tuk et arrivèrent dix minutes plus tard sur la plage de Lighthouse. La promenade de planches était éclairée par des réverbères dont l'éclat se projetait sur la plage, où l'on distinguait quelques chiens au poil ras et jaune allongés sur le sable.

« Tiens, nos amis d'hier », dit Roland.

Il émit un grognement très réaliste. Un chien se redressa et jappa.

« Oh non, s'il te plaît, dit Charlotte. J'ai vraiment peur des chiens.

— Tu as été mordue quand tu étais petite ? lui demanda Renata.

— Même pas.

— Moi oui. Par notre chien, un dalmatien, reprit-elle avec son accent chantant qui roulait légèrement les *r* et mettait des accents aigus sur les *e* muets. Je lui tirais la queue, il m'a mordue juste sous l'œil. Il a fallu le tuer. C'est le plus grand chagrin de mon enfance.

— Tu peux me tirer la queue, *amore*, je te jure que je ne te mordrai pas. »

Renata haussa les épaules. Roland, distrait pendant le trajet en rickshaw, semblait avoir déjà retrouvé son allant. Ils marchaient en regardant les terrasses des restaurants, tout aussi vides les unes que les autres.

« C'est incroyable quand même, dit Roland en secouant la tête. Ils nous ont laissé tomber ! On est trop vieux, on ne les intéresse pas.

— Je suis très contente de dîner avec vous deux, dit Charlotte. Tant pis pour eux.

— Bien sûr, mais je pensais qu'on serait ensemble pour le dernier soir. C'est dommage ! C'était sympa hier.

— Écoute, Roland, rejoins-les si tu veux. Je vais dîner avec Charlotte.

— Je n'ai aucune envie de les rejoindre, *amore mio*. Je constate, c'est tout. Jagdish était si charmant au début, présent, attentif, flatteur. Mais c'était le plaisir de la nouveauté, je suppose. Ce garçon est un jouisseur, un consommateur. Il lui faut du nouveau. Et la jeunesse, bien sûr, exerce une attirance. »

Roland parlait sans amertume. Il avait l'air de chercher à percer intellectuellement une intrigue qui aiguisait sa curiosité plus qu'elle ne le déstabilisait.

« Je n'aime pas Jagdish, dit Charlotte. Je sais que vous avez tous été séduits par lui, mais depuis le début il ne m'inspire pas confiance. Il est très égoïste, je pense. Et c'est un gamin. Il avait envie d'impressionner les amis de Manon en leur montrant le Taj, voilà tout. Il ne se soucie pas de nous.

— Moi non plus je ne lui fais pas confiance, renchérit Renata. Il y a quelque chose dans ses yeux. À mon avis, il se drogue.

— C'est vrai ! Moi aussi j'ai remarqué que ses yeux avaient un drôle d'éclat.

— Vous êtes dures, les filles. Il veut draguer, c'est tout. Il faut que jeunesse se passe.

— C'est ce que je pensais, Roland, mais d'après Raphaël, non : il veut rencontrer des musulmans du Sud.

— Ah ? Éleuthère pense qu'il cherche à établir des contacts ? Religieux, politiques ?

— Je ne sais pas. En tout cas il est très antiaméricain. Tout à l'heure il m'a dit qu'il ne viendrait jamais aux États-Unis et qu'il haïssait ce pays qui torturait ses frères.

— Il t'a dit ça ?

— Oui. Et que toute personne payant des impôts à un pays qui torturait ses frères était son ennemi. C'est-à-dire moi.

— Ça ne m'étonne pas, dit Renata. Il a quelque chose de louche.

— Tu veux dire qu'il n'y va pas avec le dos de la cuiller ? »

Roland fit un clin d'œil à Charlotte, que le jeu de mots ne fit pas rire.

« Tu ne trouves pas que le comportement de Jagdish est bizarre, Roland ? On l'a envoyé ici pour être notre accompagnateur et il n'est jamais là sauf aux tables rondes. Tu te rappelles notre arrivée à l'aéroport de Trivandrum ? Il a disparu pendant une demi-heure. Il a évidemment d'autres activités plus importantes que son travail. Il n'hésite pas à me dire qu'il hait les États-Unis. Il est jeune, il est radical, sûr de lui… »

Roland hocha lentement la tête.

« J'ai lu dans le journal que le sud de l'Inde, et en particulier Trivandrum, était en état d'alerte maximale pendant le festival international de cinéma. On redoute un attentat dans un grand hôtel, probablement un Taj, pour marquer l'anniversaire de l'attentat de Bombay. Si Jagdish est un djihadiste, il a la parfaite couverture. Peut-être que ce soir… Oh mon Dieu ! Les guitares !

— Quoi, les guitares ? demanda Renata.

— Elles sont bourrées d'explosifs, évidemment ! Manon travaille à l'Alliance française, elle a pu passer avec ses amis sans que les gardes inspectent les guitares. Elle ne se doute sûrement de rien, la malheureuse. Eh bien, on peut remercier Jagdish de ne pas avoir insisté pour qu'on reste. Pauvre Raphaël. Pauvre Géraldine. Paix à leur âme. »

Renata et Charlotte le regardaient, les yeux ronds. Il éclata de rire. Charlotte rougit. Elle n'osa pas dire que ce scénario hollywoodien lui semblait tout à fait crédible. Elle songea même qu'elle pourrait l'adapter à son nouveau projet de film et situer l'action à Bombay juste avant les attentats de décembre 2008.

« Ha-ha-ha, dit Renata d'un ton maussade.

— Enfin, il n'y a pas que Jagdish, reprit Roland. Raphaël aussi nous a fait faux bond. On était des frères hier soir. Pas cool. Je suppose qu'il en pince pour Manon.

— J'ai l'impression que Géraldine en pince pour lui, dit Renata.

— Oh non ! s'exclama Charlotte. Elle est mariée à un Kéralais et elle a un bébé de dix mois. »

Roland rit.

« Elle est mignonne, notre Américaine. Reine, maintenant que j'y pense, c'est une évidence. La Legac tourne autour du beau ténébreux. C'est un vrai psychodrame, leur affaire. Deux femmes autour d'un homme, trois guitares bourrées d'explosifs. Ça va péter. Et je mettrais ma main au feu que le terroriste, ce n'est pas le jaguar. C'est Éleuthère.

— Éleuthère ? répéta Charlotte.

— Il est beaucoup plus radical que Jagdish. Avec un pseudonyme pareil.

— Un pseudonyme ? Comment tu sais ?

— Éleuthère veut dire "libre" en grec, ma chère Charlotte. Ce garçon n'est pas plus grec que toi ou moi. Éminemment suspect. Je sens qu'il va toutes les faire sauter. »

Charlotte se mit à rire. La gaieté de Roland était contagieuse.

« C'est le restaurant dont m'a parlé Géraldine, dit Renata en désignant une terrasse semblable aux autres, en plein air, où dînaient trois ou quatre personnes.

— Ils ont des crevettes grillées. Parfait. »

Les plats étaient dix fois moins chers qu'au Leela et les larges crevettes qu'on leur apporta dix minutes plus tard avec des assiettes de frites grasses à souhait, savoureuses. Assise en face de Roland et de Renata, Charlotte les interrogea sur leur enfance. Renata était née en Sardaigne où ses grands-parents, des paysans romains pauvres, avaient été attirés peu avant la guerre par des promesses que Mussolini n'avait pas tenues. Ses parents étaient retournés à Rome quand elle avait onze ans et elle gardait de l'île une nostalgie terrible : elle rêvait d'y vieillir.

« On y construira une maison et on y prendra notre retraite, *amore* », lui dit Roland en passant un bras autour de ses épaules.

Il raconta à son tour qu'il avait grandi rue François-Miron entre sa mère et deux sœurs beaucoup plus âgées : entre trois mères. Charlotte n'avait pas de mal à l'imaginer en bébé choyé, petit roi d'un univers féminin : l'opposé de l'enfant battu qu'avait été Raphaël. Elle était contente qu'ils aient quitté le terrain des blagues et des ragots, et qu'ils aient enfin une conversation un peu personnelle. Ce dîner intime était finalement le meilleur format. Contrairement à Jagdish et à Raphaël, Renata et Roland lui posaient des questions ; elle aussi parla de son enfance et surtout de sa mère, figure dominante de la famille, intense et exigeante, qui l'avait tant frustrée de douceurs que, quarante ans après, Charlotte n'arrivait pas à résister à son envie d'un pain au chocolat. Ancienne prof de philo à Victor-Duruy, cette mère énergique organisait aujourd'hui, à presque quatre-vingts ans, des cafés-philo au succès grandissant. Roland exprima le désir de la rencontrer. Son téléphone sonna. Il se leva pour parler à sa fille. Renata, tout en bavardant avec Charlotte, leva plusieurs fois la tête vers lui d'un air agacé.

« Tu ne pouvais pas lui dire qu'on est en train de dîner ? demanda-t-elle dès qu'il se rassit.

— Elle t'embrasse, lui répondit Roland.

— Il n'en a que pour sa fille, dit Renata en regardant Charlotte. Quand elle est là, c'est comme si je n'existais pas. D'ailleurs, elle m'ignore. Elle doit me prendre pour une pute.

— Tu exagères, Reine. Clémentine t'aime beaucoup. C'est une ado, elle a ses propres problèmes.

— Elle t'appelle à minuit le soir de mon anniversaire et tu me laisses en plan pour filer la chercher parce qu'elle s'est disputée avec sa mère !

— Reine, tu ne vas pas remettre ça. Clém sanglotait, elle était très déprimée. »

Charlotte gardait les yeux baissés et mangeait consciencieusement les frites huileuses, salées à point et pleines d'ail. Tiers dans un couple flirtant avec le conflit. Elle connaissait la situation. Le portable de Roland sonna à nouveau. Il répondit, eut d'abord l'air content, sourit, fit quelques plaisanteries puis fronça les sourcils :

« Cette salope ne perd rien pour attendre. »

Renata et Charlotte se regardèrent. Il était rare d'entendre Roland prononcer des mots vulgaires. Il raccrocha et posa le portable sur la table.

« Une mauvaise nouvelle ? demanda Charlotte.

— Et une bonne. C'était mon attachée de presse.

— À dix heures du soir ?

— Il n'est que cinq heures et demie à Paris. Mais il lui arrive de me téléphoner à dix heures du soir. Elle m'appelle "mon chéri". Ça énerve Renata. La bonne nouvelle, c'est que mon livre a remonté d'une place dans la liste de *L'Express*. Il y est depuis deux mois. C'est bon : il s'accroche. La mauvaise, c'est qu'une journaliste qui fait un dossier sur les philosophes contemporains pour *Le Nouvel Obs* ne m'a pas inclus. Cinquante portraits, dix photos en couverture. Apparemment je ne suis pas assez "contemporain". C'est sûrement parce que mon livre est en tête des ventes. »

Il avait l'air vraiment contrarié. Charlotte se rappela ce qu'elle avait entendu dire de lui par des amis : un cabotin. Elle le trouvait si sympathique qu'elle avait oublié les ragots. Roland était de toute évidence attentif à son image. Était-ce la différence entre Éleuthère et lui ? Raphaël se moquait de ce que les autres pensaient de lui. Il possédait une intransigeance que rien ne pouvait corrompre. Roland savait que tout était image et pensait pouvoir contrôler la fabrication de sa propre image parce qu'il connaissait les règles du jeu. Cette journaliste lui avait porté un coup. Pauvre Roland : deux fois ce soir on lui rappelait son âge.

Le repas n'était pas cher, mais elle trouva élégant qu'il l'invite. Ils sortirent du restaurant. Roland et Renata avaient vidé deux bouteilles de vin blanc et leur démarche n'était plus aussi assurée qu'à l'aller. Ils se promenèrent sur les planches éclairées par les réverbères. À dix heures et demie, les magasins étaient encore ouverts. Renata regardait les vitrines. Charlotte éveilla son intérêt en lui parlant du pashmina qu'elle avait acheté à Cochin. Alors qu'ils entraient dans une boutique, un homme qui en sortait s'adressa à Roland en français :

« Je vous connais, vous. Vous étiez à Goa ?

— Non.

— Bizarre. Votre visage m'est très familier. Très. Je ne me trompe jamais. Je suis sûr que je vous connais. »

L'échange avait rendu à Roland son humeur allègre. Quand Charlotte lui demanda s'il lui arrivait souvent que les gens aient l'impression de l'avoir vu à Goa, il rit joyeusement. Elle était surprise de découvrir en lui un tel plaisir à être reconnu — une telle fragilité. Renata regardait les écharpes rangées sur les rayons derrière le marchand.

« Tu en veux une ? lui demanda Roland. Je te l'offre.

— Les vrais pashminas ne sont pas en rayon, Renata. Dis-lui que tu voudrais voir une écharpe 100 % pashmina. »

Le marchand, qui suivait discrètement leur dialogue, ouvrit une valise posée derrière lui et en sortit un paquet enveloppé de tissu.

« Madame connaît. Voilà les pashminas, les vrais. Faits à la main, pas à la machine. Les couleurs sont naturelles. Cent pour cent du poil de chèvre himalayenne. Je vais vous faire un bon prix parce que mon frère a une entreprise au Ladakh et nos châles viennent directement de là-bas. Tenez, essayez-le, madame. Vous pouvez le chiffonner, ça ne se froisse pas. C'est si fin que vous pouvez le passer à l'intérieur de votre bague. Il n'y a rien de plus doux et de plus chaud. »

Renata l'avait enroulé autour de son cou et se regardait dans un miroir, grande même avec ses sandales plates, sculpturale dans son pantalon de lin blanc et son dos-nu brodé en coton blanc ; l'écharpe grège enveloppant son long cou mettait en valeur sa belle tête aux cheveux très courts.

« C'est combien ?

— Six mille cinq cents.

— C'est un peu cher, dit Charlotte, mais pas trop. Ça fait à peu près cent euros. Tu peux sûrement négocier.

— À Rome, une écharpe aussi fine, en pur cachemire, vaudrait au moins trois cents euros.

— Elle est magnifique, mon amour. J'approuve. » Roland sortit son portefeuille et se tourna vers le marchand : « Vous acceptez la carte ? Visa ? »

L'homme hocha la tête et prit le lecteur de carte sur le comptoir derrière lui.

« J'ai lu dans mon guide qu'il y avait des châles encore plus beaux, dit Charlotte à Renata. Des shantungs ou quelque chose comme ça. Leur vente est illégale. Une sorte de trésor national. J'aurais bien aimé en voir un.

— Vous voulez voir un shahtoosh ? lui demanda en anglais le marchand, qui avait l'oreille aux aguets et un don pour les langues. J'en ai un. Je peux vous le montrer. »

Il se baissa avec effort et tira de dessous le comptoir une

autre petite valise, dont il sortit un paquet dans un tissu blanc crème. Il l'ouvrit puis déplia un vaste châle écru.

« Regardez. Juste pour le plaisir des yeux. Et des mains. C'est aussi doux que la peau d'un bébé. Et chaud... »

Charlotte et Renata effleurèrent le châle et s'exclamèrent. Il était d'une telle finesse qu'on l'aurait cru tissé par des fées. À l'œil nu on pouvait voir la différence avec l'écharpe 100 % pashmina, pourtant elle-même fine et moelleuse. Le shahtoosh avait la finesse presque transparente d'un voile et la légèreté vaporeuse d'une plume.

« Essaie-le », dit le marchand en le tendant à Renata.

Elle l'enroula autour de son cou.

« C'est... extraordinaire, murmura Renata. On ne le sent même pas. En même temps on a l'impression d'être enveloppé d'un cocon — comme un fœtus dans du liquide amniotique, ajouta-t-elle rêveusement.

— Le shahtoosh est tissé avec le duvet d'une petite antilope himalayenne qui s'appelle le chiru. Parce qu'il fait très froid dans les montagnes, cette antilope a un duvet en dessous de sa fourrure ; c'est le poil le plus fin qui existe. Maintenant le chiru est une espèce en voie d'extinction. Il est illégal de les chasser. Ici, à Kovalam, je suis le seul à posséder un shahtoosh. Vous êtes entrées dans la bonne boutique. Je voulais vous le montrer, parce que vous aimez les belles choses. »

Le marchand inclina la tête vers Renata, rendant hommage à sa beauté.

« Ça vaut combien ? demanda Roland.

— Ce n'est pas à vendre. L'exportation des shahtoosh est illégale.

— C'est ce que je vous disais, confirma Charlotte.

— Mais alors pourquoi nous le montre-t-il ? s'exclama Renata. Maintenant je n'ai même plus envie du pashmina tant il a l'air épais à côté de ça. Un cachemire aussi fin, aussi vaporeux... Je n'ai jamais rien vu de pareil.

— Tout se vend, dit Roland. C'est une question de prix.

— Roland, je veux ce châle.

— Tu l'auras.

— Mais vous risquez d'avoir des problèmes à la douane, dit Charlotte.

— Je le cacherai dans mes affaires, dit Renata d'un ton buté. Je dirai qu'il est à moi, que je l'ai apporté en Inde : je ne vois pas comment on pourrait me prouver le contraire. »

Roland se tourna vers le marchand et lui dit en anglais :

« Vous êtes d'accord avec moi que personne ne porterait mieux ce shahtoosh que ma femme, n'est-ce pas ? »

L'Indien sourit. Ses yeux s'étirèrent.

« Votre femme est très belle.

— Votre prix sera le nôtre.

— J'irais en prison si je vous le vendais.

— Personne ne saura que nous rapportons ce shahtoosh en France. Ma femme, au cas où, dira qu'elle est venue avec : on ne pourra pas prouver le contraire. »

L'homme marcha dans sa boutique, les bras dans le dos, et prit sa calculette sur le comptoir. Roland fit un clin d'œil à Renata.

« C'est bon. »

L'Indien tapa sur sa calculette puis leva la tête.

« Huit mille euros.

— Huit mille... *euros* ?

— Roupies, intervint Charlotte en français. Il s'est trompé.

— Non, euros, reprit le marchand en anglais de sa voix doucereuse. C'est quelque chose de très rare, de très précieux. Le chiru est une espèce en voie d'extinction. Il faut trois chirus pour faire un shahtoosh comme celui-ci. Sur le marché international, le prix du shahtoosh est de dix mille euros au moins. Je vous fais un bon prix. »

Renata regarda Roland d'un air de défi.

« Tu peux tenir une promesse ?

— Renata, huit mille euros ! C'est trois ans de son salaire ! Il se fout de moi !

— Je vous attends dehors », dit Charlotte.

Elle sortit de la boutique. La tension qui montait entre Renata et Roland commençait à la gagner. Ce qui se jouait entre eux n'avait évidemment rien à voir avec le shahtoosh. Renata avait l'air en colère. Charlotte regrettait de lui avoir parlé des pashminas. Maintenant elle se trouvait malgré elle mêlée à leur dispute. Mieux aurait valu rentrer à l'hôtel directement en sortant du restaurant. N'y avait-il pas moyen d'ouvrir la bouche sans se retrouver coupable ? De respirer sans détruire l'harmonie du monde ?

Renata et Roland la rejoignirent sur les planches. Renata avait la tête haute et l'air dur. Charlotte écarquilla les yeux en constatant que Roland portait un misérable sachet de plastique noir qui devait contenir le châle à huit mille euros. Il avait le sourire aux lèvres mais il était pâle.

« Reine me prend pour Crésus. Je ne suis qu'un pauvre intellectuel ! J'ai la chance de gagner ma vie en vendant mes mots, mais je ne suis pas milliardaire.

— Tout ça pour huit mille euros », dit Renata d'un ton

méprisant. Elle prit Charlotte à témoin : « Il a acheté des appartements à ses autres femmes. Il achète à sa fille tout ce qu'elle veut. Pour moi, rien.

— Reine, tu es de mauvaise foi. »

Charlotte se sentait de plus en plus mal à l'aise. Elle marchait en direction de la route, espérant trouver le plus vite possible un tuk-tuk qui les ramènerait à l'hôtel. Ils entendirent un brouhaha de voix et virent s'avancer vers eux un groupe de gens sur les planches désertes. C'était Jagdish, Manon et ses amis, qui bavardaient bruyamment et riaient. Il y avait tant de joie dans leur groupe, et tant de silence, de tension et de gêne du côté de Charlotte, Roland et Renata que le contraste était frappant. Ils s'arrêtèrent.

« Le spectacle était bien ? demanda Charlotte.

— Génial, dit Manon. Maintenant on va dîner.

— J'espère que vous trouverez un restau ouvert. Il n'y a plus grand monde.

— Il y en a un qui sert jusqu'à minuit, dit Jagdish. Ils connaissent. »

Ils se saluèrent et poursuivirent leur chemin. Quelques mètres derrière le groupe marchaient Raphaël et Géraldine, tellement absorbés dans leur conversation qu'ils n'avaient même pas remarqué Roland, Renata et Charlotte. Leurs visages étaient baissés et tournés l'un vers l'autre. L'intuition de Renata était juste, donc. Au moment où ils se croisèrent, Géraldine leva la tête et vit Charlotte.

« Oh, bonsoir ! Vous avez bien dîné ? »

Il n'y avait pas à se méprendre sur sa rougeur et l'éclat de ses yeux.

« Je suis désolée pour ce soir, dit-elle à Roland. Je serai là demain matin pour vous accompagner à l'aéroport.

— Pas de problème, Géraldine. Ne t'inquiète pas. On a eu un excellent dîner. »

Dans le tuk-tuk, ils n'échangèrent pas un mot. Pour la première fois de la semaine, Roland semblait abattu. Ils descendirent du rickshaw devant l'hôtel. Renata continuait à regarder Roland du même œil dédaigneux. Ils franchirent la barrière et montèrent le chemin dallé en silence. Devant leurs chambres, ils se saluèrent et se souhaitèrent bonne nuit. Charlotte entra dans la sienne et sentit un soulagement immédiat quand la porte fit entendre son clic en se fermant derrière elle. Enfin seule.

Elle se laissa tomber sur son lit. Cette soirée avait tourné au calvaire. Elle était désolée pour Roland et ne donnait pas cher de son union avec l'Italienne. Pourquoi Renata était-elle si dure avec lui ? De quoi se vengeait-elle ? On aurait dit Catherine Deneuve dans *Tristana*. Presque trente ans d'écart. Une si grande différence était malsaine. Dans dix ans Roland serait un vieil homme et Renata toujours aussi belle : elle avait le genre de beauté sur lequel les ans ne laissaient pas de trace. Ils lui rappelaient un couple qu'elle avait fréquenté autrefois, un vieil écrivain célèbre marié à une très jeune femme qui lui avait donné un fils. Charlotte avait passé une semaine chez eux, dans une maison avec piscine qu'ils louaient dans la campagne toscane. Au petit déjeuner, un matin, la femme lui avait dit avec une moue gourmande : « Je me suis fait violer ce matin. Ce n'est pas agréable d'être réveillée aussi brutalement. » Charlotte avait été très gênée de ce besoin qu'éprouvait la jeune femme d'afficher la puissance virile de son vieux mari — comme si elle lui avait mis sous le nez une photo de sa bite fripée. Gênée et triste, car elle avait senti le pathétique du désir du vieil homme pour cette femme trop jeune. Roland lui inspirait maintenant la même tristesse — une tristesse qui l'envahissait et qui l'abattait comme s'il était impossible de voir la vie sous d'autres couleurs que le gris de la maladie, de la vieillesse, de l'abandon et de la mort.

Il était temps de partir. Heureusement qu'elle rentrait demain. La colonie de vacances avait épuisé ses plaisirs. Un jour de plus, et ils se seraient détestés les uns les autres. Ce voyage lui avait au moins ouvert les portes de l'Inde, même si elle n'avait presque rien vu. Elle y retournerait avec Adam, Suzanne et Inès. Elle voyagerait avec eux dans le Rajasthan. Serait-il possible d'emmener les filles en Inde, ou la misère serait-elle trop dure à supporter pour elles ?

Suzanne et Inès. Elle entendit tinter leurs rires frais. Elle avait envie de les retrouver, de serrer dans ses bras ses deux petites filles à la peau douce, de les couvrir de baisers. Elle avait une famille. Une famille stable. Adam, Suzanne, Inès. Elle leur manquait en ce moment. Ils devaient compter les jours jusqu'à son retour. La voix d'Adam au téléphone exprimait souvent plus d'impatience que de tendresse, mais la tendresse était là, tapie sous le stress de la vie new-yorkaise : elle n'avait aucune crainte. Elle l'aimait. Il l'aimait. On l'attendait quelque part. Sur un autre continent sa place existait, en creux, dans le moule d'une famille.

Elle s'assit sur son lit et s'aperçut que le téléphone clignotait. Un message. D'Adam, sûrement. Peut-être des filles aussi. Elle saisit le combiné et appuya sur le bouton. Dans son oreille résonna une voix mâle étrangère qui parlait anglais.

« Allô, Charlotte ? J'espère que c'est bien Charlotte. Charlotte de New York. C'est Nassir, de Cochin. Le marchand de pashminas. Je dois voir un associé à Trivandrum demain matin, alors j'ai pensé que je pourrais en profiter pour m'arrêter à Kovalam. Il est dix heures et je suis en train de quitter Cochin. Je devrais arriver vers une heure et demie du matin. Cela me ferait plaisir de te revoir. »

Charlotte eut l'impression d'un choc électrique. Elle regarda le réveil : onze heures et demie. Nassir était en route vers Kovalam. Elle avait jeté la carte avec son numéro : impossible de l'appeler pour lui dire de ne pas venir. Il téléphonerait à une heure et demie du matin et la réveillerait. Pouvait-elle demander à la réception qu'on ne lui transmette aucun appel ? Le réceptionniste de nuit comprendrait-il ce qu'elle lui dirait ? La simple attente de cet appel et l'incertitude l'empêcheraient de s'endormir. Si elle ne répondait pas au téléphone, elle courait le risque que Nassir vienne frapper à la porte de sa chambre. Peut-être en connaissait-il le numéro, puisqu'il avait réussi à lui laisser un message alors qu'il ignorait son nom de famille. Elle serait obligée de lui ouvrir vite pour ne pas alerter les occupants des chambres voisines. Pour entrer dans l'hôtel, il fallait franchir la barrière au bas de la route pavée, mais un séducteur et un beau parleur comme lui réussirait sûrement à convaincre le garde de le laisser passer et même de lui indiquer l'emplacement de sa chambre.

Un autre sentiment fit lentement son chemin en elle : une sorte de joie. Un homme, qui avait quinze ans de moins qu'elle, roulait vers elle. Il ne se méprenait pas entièrement sur elle, car elle avait pleuré devant lui.

Qu'un homme fasse deux cents kilomètres pour la revoir ne lui était pas arrivé depuis longtemps — certainement pas depuis la naissance de Suzanne, et peut-être même pas depuis Adam. Elle avait quarante-sept ans. Peut-être était-ce la dernière fois. À New York rien de tel ne risquait de se produire. À Paris elle était toujours escortée de ses deux bambines, chaperonnes et anges gardiens.

Elle regarda le lit. Pourrait-elle y être allongée dans trois heures avec cet inconnu ? Elle n'imaginait pas de faire l'amour avec un autre homme qu'Adam. Elle n'en avait pas le désir. Ou n'en était pas capable. Elle n'était pas si libre que ça. Mais elle se voyait se promener et parler avec Nassir sur la plage de l'hôtel. Il n'y avait que dans le tête-à-tête qu'un échange avait lieu. Marquer ce séjour d'un souvenir qui n'appartiendrait qu'à elle, sans la mélancolie qui avait empreint leur rencontre de Cochin. Un point final. Un clin d'œil.

Elle était assise au bord du lit, l'air pensif, les mains sur les genoux. Elle mit son réveil pour une heure un quart, avant de se lever et de se laver les dents. À une heure et demie elle sortirait de sa chambre. Elle irait se promener dans les jardins de l'hôtel et respirer l'air chaud de cette dernière nuit en guettant l'arrivée d'une voiture.

ROLAND

Kovalam, dimanche 13 décembre

Une Chinoise aux yeux furibonds lui postillonnait au visage en lui réclamant huit mille euros d'une voix aiguë : sinon elle ne venait pas à Tokyo. Il sut tout de suite son nom : Florence Augier. Elle avait un visage poupin aux joues larges avec une frange haut placée sur le front et une toute petite couette. Il était difficile de lui donner un âge : entre dix-huit et trente-cinq ans. Ni jolie ni laide.

Florence Augier, la jeune maître de conférences à l'université de Lyon qu'il avait invitée à Tokyo en mars, n'était ni chinoise ni spécialiste de la Chine — mais de l'extrême droite en France — et, loin d'exiger un honoraire, avait vivement remercié Roland de l'honneur qu'il lui faisait.

Il mit quelque temps à s'apercevoir qu'il était réveillé. C'était un rêve où tout se mélangeait : le colloque de mars, auquel il devrait consacrer toute son énergie quand il rentrerait à Paris demain ; le prix exorbitant du châle de Renata, qu'il avait dû acheter sous peine de voir exploser sa colère ; la colère des femmes. Femme en colère, de toute éternité : Renata, Reine, Irène, Irina, Srikala, Valérie, Valire. Ire, Colère, tel était le nom de la Femme, son essence. Il n'avait jamais vu Hélène en colère, mais il y avait eu cette lettre de Catherine deux ans plus tôt, tapée à l'ordinateur comme si l'écriture manuscrite eût été un don trop intime : « Monsieur, un faire-part de décès dans *Le Monde* vous aura appris la mort d'Hélène Zimmermann des suites d'une longue maladie. Je vous prie de ne pas assister à son enterrement. C'était son souhait et c'est le mien. Catherine Zimmermann. » « Monsieur. » « Hélène *Zimmermann* » — comme s'il pouvait y avoir une autre Hélène. Catherine *Zimmermann* — pour lui montrer qu'elle refusait de porter le nom de Weinberg. Ridicule. Mais il ne pouvait le nier : cette lettre l'avait affecté. Il lui semblait maintenant que sa raideur cérémonieuse, sa froideur et son ton abrupt étaient l'exact équivalent de la fureur de la Chinoise dans son rêve — comme si la colère d'Hélène, cette colère jamais exprimée sinon par la disparition, au lieu de s'émousser avec les années, n'avait fait que se solidifier et s'incarner en Catherine, devenue bloc de haine. La Chinoise : Angela Yong, qui avait préparé le dossier du *Nouvel Obs* sur les philosophes. Mais ce n'était pas elle dans le rêve. Il reconnaissait ses traits sans se rappeler son nom : il avait dîné à côté d'elle chez Pascal Bruckner en octobre. Une peintre, petite amie d'un écrivain médiocre, qui lui avait raconté sa vie sans réserve et lui avait paru typique des nouvelles générations égocentriques d'enfants uniques chinois, même si elle lui avait dit avoir quitté Pékin au lendemain de Tian'anmen.

Pourquoi rêver d'elle ? Sans doute à cause de l'article que lui demandait Srikala. Le sujet le travaillait. Roland n'avait jamais écrit sur la Chine. Il n'était encore jamais allé en Chine, mais comptait combler cette lacune prochainement. Rares étaient les intellectuels français un peu généralistes — autrefois tous maoïstes — à avoir récemment écrit sur la Chine : c'était une terre vierge à ensemencer au plus vite. L'angle que lui avait suggéré Srikala était fécond. Dans la compétition économique entre l'Inde et la Chine, on donnait la Chine comme gagnante : c'était consacrer la victoire d'un modèle politique autoritaire, où tout venait d'en haut, sur la démocratie. Il était temps de défendre cette pauvre Inde, qui avait montré un vrai talent pour réconcilier les différences religieuses et les tensions sociales grâce à un système politique participatoire. Roland eut une intuition et vit le titre, non de l'article, mais du livre qui sortirait en septembre prochain : « La Chine peut-elle être l'Inde de demain ? » Bon titre : paradoxal, provocateur. Les Chinois seraient d'autant plus vexés qu'il mettait le doigt sur une vérité profonde : alors que l'Inde prenait le mal par la racine et tentait de donner leur chance aux parias — même s'il ne fallait pas se faire d'illusions et que les intouchables étaient encore exclus partout —, en Chine le fossé ne cessait de se creuser entre les riches et les pauvres, entre ceux qui possédaient quelque chose et les dépossédés, les parias de demain, ces pétitionnaires dont les plaintes aboutissaient au néant. Il faudrait commencer par creuser la notion d'État de droit et inviter dans son séminaire au Collège international de philosophie le Chinois malin qu'il avait entendu à la radio cet automne et dont il avait noté le nom dans son carnet.

Roland sourit dans son demi-sommeil. Il sentait revenir intensément le désir de travail. Il n'y avait rien de tel qu'un voyage dans un pays lointain pour recharger les batteries de l'intellect. Le roman qui lui permettrait d'offrir à

Renata des châles de chiru sans même y penser attendrait : l'écriture de cet essai l'excitait davantage. C'est du côté de la pensée qu'était l'aventure. Il avait son mot à dire, quoi qu'en dise Angela Yong.

Il avait chaud et repoussa la couette. L'image de la Chinoise Florence Augier/Angela Yong s'estompait peu à peu, remplacée par une sensation vague et pénible. Il se retourna, mais le changement de position ne fit pas disparaître son malaise. Il s'avisa qu'il avait mal au cœur : c'était ce trouble, et non le cauchemar, qui l'avait réveillé. Il se redressa sur un coude et rota avec difficulté. Un relent aigre d'ail et d'huile remonta jusqu'à son palais. Il se rallongea mais comprit bientôt qu'il ne se rendormirait pas. Le malaise croissait et le ballottait par vagues, comme la mer un frêle esquif. Il ferma les yeux et tenta de pratiquer la respiration en trois temps que leur avait apprise hier le professeur de yoga. Il avait de plus en plus chaud, et rejeta entièrement la couverture. La nausée montait. Il n'allait pas se rendormir. Il fallait se rendre à l'évidence et gagner la salle de bains avant qu'il soit trop tard. Il sortit les jambes du lit, s'assit, regarda le réveil — une heure moins vingt — puis se leva sans allumer la lumière afin de ne pas réveiller Renata. Il n'avait que deux pas à faire pour atteindre la porte de la salle de bains. Il la poussa en tâtonnant et la referma derrière lui. Avant qu'il ait pu appuyer sur l'interrupteur, un hoquet le secoua. Il eut à peine le temps de diriger le jet vers la cuvette des W-C, tandis qu'une acidité âcre envahissait sa bouche. Il avait mal visé et le jet était violent. Il entendit le vomi éclabousser les dalles autour des toilettes. Il se redressa, tendit le bras pour allumer la lumière, et vit du coin de l'œil quelque chose de noir et de gros détaler dans la baignoire. Ils n'avaient pas fermé les bondes hier soir — précaution que prenait Renata depuis que Raphaël leur avait dit avoir trouvé une mygale dans sa valise.

Il avait beau avoir vomi, il ne se sentait pas mieux. Le même malaise vagal lui donnait le tournis. Il s'assit au bord de la baignoire — où l'insecte avait disparu — et chercha à respirer lentement. Tomber malade maintenant, la veille de son départ, alors qu'il avait été en parfaite santé pendant huit jours : absurde. Ces crevettes étaient le mets le plus savoureux qu'il ait dégusté depuis le dîner chez Karim à Delhi. Mais son pauvre estomac ne pouvait plus supporter une nourriture qui n'était pas préparée dans les meilleures conditions sanitaires. Il était contraint désormais à manger des choses insipides dans les restaurants des hôtels cinq étoiles. Son œil s'arrêta sur des éclaboussures souillant le dossier relevé des toilettes et le sol autour de la cuvette. Il s'agenouilla et arracha des feuilles de papier hygiénique pour en frotter les carreaux et le siège en bois blanc. Une nouvelle vague montait dans son ventre et lui donnait le vertige. Il se douta qu'il allait être à nouveau malade. Il n'eut pas le temps d'achever sa pensée que son estomac se souleva et expulsa un second jet. Cette fois, il était à genoux devant la cuvette et n'eut qu'à pencher la tête. Il vomit beaucoup plus que la première fois. Il ne régurgitait pas seulement les crevettes et les frites par morceaux entiers avec leur goût d'ail et d'huile rance, mais aussi le curry de poulet qu'il avait mangé à l'hôtel à midi et qui remplit la cuvette blanche d'une sauce orange vif. Tout sortait de lui, jusqu'au moindre grain de riz avalé depuis le matin. Il se sentait secoué comme un palmier pris dans une tornade. Il n'avait plus rien dans le ventre, mais encore envie de vomir. Il crachait de la bile. Il espéra que Renata n'entrerait pas dans la salle de bains, alertée par le bruit. Le spectacle n'était pas idyllique, et l'odeur devait être suffocante. Il y avait une fenêtre ouverte — un écran empêchait les insectes de rentrer — mais la nuit était si chaude qu'aucun air ne circulait.

Il redressa la tête, étourdi et épuisé. L'estomac entièrement vide, il n'avait plus mal au cœur mais se sentait très faible. L'impression d'avoir quatre-vingts ans. Plutôt quatre-vingt-seize : quatre-vingts, c'était jeune. Un gong violent battait contre ses tempes. Il tira la chasse d'eau — qui fonctionnait correctement, une chance — puis, agenouillé sur le sol, finit d'astiquer les carreaux et les rinça avec le tapis de bain — sinon l'odeur serait épouvantable au petit matin, et la pauvre Renata aurait un haut-le-cœur en la respirant. Quand il se releva, il vit son reflet dans le miroir au-dessus des lavabos. Le teint gris, le cheveu terne, des poches sous les yeux, les épaules avachies : une sale gueule. Il n'avait pas l'air d'avoir passé une semaine au soleil. Mieux valait que Renata ne le voie pas maintenant. Des taches oranges maculaient les poils sur sa poitrine. Révulsant. Il les nettoya avec un essuie-main humidifié, puis se lava les dents avec de l'eau en bouteille. Il recommençait à se sentir comme un être humain — très, très fatigué. Et si ce vomi n'était pas une indigestion mais le signe d'une recrudescence du cancer ? Il connaissait plusieurs personnes à qui la chose était arrivée. Quand le cancer métastasait, c'était la fin. « Dites-moi la vérité, docteur : j'ai combien de temps ? — Entre un et trois mois. » Catherine accepterait-elle de le voir une fois avant sa mort ? Assisterait-elle à son enterrement ? Prendrait-elle ensuite son nom de naissance ? Il ricana. Il était morbide. Il avait soixante-quatre ans et une indigestion due à une mauvaise huile, voilà tout.

Il sortit de la salle de bains en refermant la porte pour que la puanteur ne gagne pas la chambre. Il s'assit sur le lit. Il faisait vraiment chaud. La sueur perlait sur son front. Ils avaient laissé la climatisation avant de s'endormir. Une panne ? Il y avait de nombreuses coupures d'électricité au Kerala, mais le Taj avait son propre générateur. Renata ne bougeait pas. Il allait s'allonger quand il s'aperçut qu'il n'entendait même pas sa respiration. Il tendit la main et toucha le lit. Personne. Ses yeux s'accoutumaient à l'obscurité : il vit la blancheur des draps et de la couette rejetée. Il alluma la lampe de chevet sur sa table de nuit et parcourut la pièce du regard. Elle n'était pas là. Il aperçut, de l'autre côté de la porte vitrée, une forme blanchâtre sur le balcon, et comprit pourquoi il faisait si chaud : la climatisation s'arrêtait automatiquement quand on ouvrait la porte de la terrasse. Il se leva et s'approcha de la porte-fenêtre, caressant au passage le vaporeux châle de chiru qui recouvrait le dossier du fauteuil. D'une douceur de rêve. Il sourit. Renata s'était foutue de lui. Le prix de l'avortement, évidemment : il devait en passer par là. Huit mille euros, ce n'était pas la fin du monde, mais quand même. Six mois de loyer. Quatre vestes Comme des garçons. Trois fois le prix du collier qu'il avait acheté à Clém chez Calvet pour ses quinze ans — Renata n'était pas au courant. L'Indien rusé avait vraiment profité de la situation pour l'arnaquer. Il avait dû sentir le conflit sous-jacent. C'était de bonne guerre.

Il prit sur le siège du fauteuil le peignoir blanc en nid-d'abeilles et l'enfila sans nouer la ceinture, puis poussa la porte de la terrasse, sortit, et la tira derrière lui pour empêcher les insectes d'entrer dans la chambre. Vêtue de sa nuisette en voile blanc qui masquait à peine son corps longiligne, renversée en arrière sur la chaise longue, sa tête appuyée sur le côté, les yeux clos, Renata semblait dormir. Mais elle avait aux lèvres une cigarette qu'elle tenait entre deux longs doigts fins, le coude posé sur l'accoudoir de la chaise, et tira une bouffée dont elle rejeta lentement la fumée. La première cigarette qu'elle allumait depuis son arrivée en Inde. Elle avait arrêté à cause du bébé, sûrement. C'était bon signe qu'elle reprenne.

« Je t'ai réveillée, *amore* ? » demanda-t-il en effleurant le long cou de ses doigts.

Elle ouvrit les yeux.

« Je ne dormais pas. »

Il ne pouvait se lasser de contempler cette tête aux cheveux ras qui l'avait choqué quand il avait retrouvé Renata à l'aéroport huit jours plus tôt et qu'il évitait même de regarder au début, gêné par son obscène nudité. Il pensait maintenant qu'elle n'avait jamais été aussi belle. On aurait dit un Man Ray. Émouvante était la grâce de ce visage triangulaire aux pommettes saillantes, au front haut, aux narines larges, aux oreilles ravissantes et discrètes, aux grands yeux noirs où battaient les cils avec la délicatesse d'ailes de papillon.

« Tu as eu raison de te réfugier sur le balcon. J'ai été horriblement malade.

— Je ne me suis pas réfugiée. J'étais déjà sur le balcon.

— Tu n'étais pas dans le lit quand je me suis réveillé ? Je ne m'en suis pas rendu compte ! Tu ne te sens pas bien non plus ? Ce sont sûrement les crevettes. Ou l'huile était rance. On ne peut pas manger dans ces bouis-bouis. Nos estomacs n'ont pas l'endurance.

— Je n'ai pas mal au ventre.

— Ah, tant mieux. » Il allait lui demander ce qui l'empêchait de dormir mais anticipa la réponse. « Tu viens te coucher ?

— Pas maintenant.

— Tu peux rentrer quand tu auras fini ta cigarette ? La climatisation ne marche pas avec la porte ouverte et il fait atrocement chaud dans la chambre. »

Elle leva la tête en se mordillant la lèvre inférieure et le regarda. Il y avait un tel éclat dans ses yeux qu'il devina la riposte que, pour une raison quelconque, elle ne prononça pas (« Tu ne penses qu'à toi ! »). Elle se contenta de tirer fort sur sa cigarette. Il sentit approcher l'orage auquel l'attitude de Renata pendant la soirée avait été le prélude. « J'ai quelque chose à te dire. »

Elle parlait d'une voix si calme et grave qu'une vision traversa son esprit tel un mauvais vaudeville : il la vit enlacée à Raphaël sur la plage privée de l'hôtel. Une rencontre avait-elle pu se produire pendant qu'il était à Chennai ? Il n'avait pensé qu'à son rendez-vous avec Srikala. Renata avait son existence propre. Peut-être avait-elle eu besoin de se consoler de la future perte de l'enfant en se vengeant de Roland — et découvert entre les bras de Raphaël une ferveur inconnue ?

Vision absurde, qui lui arracha un sourire. Éleuthère était à Trichy ce jour-là. Et même si Renata lui plaisait visiblement, une autre femme à Trivandrum avait retenu son attention : Géraldine.

« Je ne vais pas avorter », poursuivit Renata.

Il lui prêtait trop d'imagination. On ne sortait pas de l'éternel thème.

« Reine, on part à six heures demain matin. Allons dormir. On en reparlera à Paris.

— On n'en parlera pas à Paris. »

Voix sombre et déterminée. Il avait loupé son coup dans les Backwaters. Il fallait trouver une nouvelle stratégie. Un relent de vomi dans son palais chassa le goût mentholé du dentifrice.

« Renata, on va en reparler, je te promets. Je suis d'accord pour discuter de tout ce que tu veux. Mais pas maintenant. Il faut que je m'allonge.

— On ne parle que quand *tu* le décides.

— Ma chérie, je sais que tu es triste. Ce sera plus facile à Paris, quand tu auras retrouvé ton cadre de vie normal. Ne dis rien maintenant que tu pourras regretter. » Il lui tendit la main avec un sourire, en mettant dans sa voix toute la conviction possible. « Allez, viens. »

Le regard de Renata s'arrêta distraitement sur lui et il eut le réflexe de tirer les pans du peignoir, ouvert sur son ventre et son sexe. Mais elle ne semblait pas le voir. Elle se mordillait l'intérieur de la joue en regardant dans le vague. Inutile de raisonner avec une femme qu'occupait un fœtus, physiquement et mentalement.

« Je n'ai jamais eu l'intention d'avorter, Roland. C'est ton enfant, que tu le veuilles ou non. Tu paieras pour lui, que tu le veuilles ou non. C'est clair ? »

Il soupira. Elle avait dû passer trois jours à répéter les mots d'enfant rebelle qui sortaient maintenant de sa belle bouche en formules sèches et incisives.

« On ne saurait être plus claire. Viens te coucher et je signerai tout ce que tu veux. »

Il sentit qu'il avait dit une phrase de trop. S'il voulait la paix, il fallait se mettre au diapason de sa gravité et supprimer toute pointe d'ironie.

« Mais qu'est-ce que tu crois ? Qu'une fille comme moi pourrait te tomber dans les bras ? Regarde-toi, et regarde-moi. »

Quand ils se disputaient, Renata pouvait donner de féroces coups de griffe. Mais il y avait dans son ton une amertume nouvelle qui suscita en lui une inquiétude fugace.

« Si tu ne viens pas, *je* vais te tomber dans les bras. Je suis mort. Je me suis vidé !

— Tu crois que c'est par hasard que je suis allée à la Foire du livre de Turin ?

— Je sais, tu m'as raconté : tu m'as vu à la télé, tu es venue, tu as vaincu. »

Il était trop fatigué pour répondre autrement que sur pilote automatique.

« Mon but, c'était de me faire faire un enfant par toi.

— Ton but ?

— Oui. Tu commences à comprendre ? »

Résigné, il s'assit dans le fauteuil de l'autre côté de la petite table basse en bois exotique sur le bord de laquelle reposaient les pieds de Renata placés l'un contre l'autre — aussi longs et gracieux que le reste de son corps. Elle chaussait du 41 et n'avait jamais de mal à trouver les plus belles paires en soldes. Berthe au grand pied.

« Depuis deux ans et demi, tu essaies de concevoir un enfant ? »

Elle hocha la tête.

« Mais… tu prenais la pilule, non ?

— Je la crachais en me lavant les dents.

— La pilule que tu m'as fait chercher derrière le lavabo, c'était une ruse ?

— Un soir où j'ovulais. Je suis une bonne actrice, non ?

— Une belle salope. »

L'effort qu'il faisait pour garder les yeux ouverts amplifiait le battement répété de la migraine écrasant son cerveau. Surpris, il devait l'admettre : l'idée ne l'avait pas effleuré en deux ans — alors qu'il avait plusieurs amis, mariés depuis trente ou quarante ans, qui n'avaient pu résister aux charmes d'aspirantes philosophes qui s'étaient fait faire traîtreusement des enfants par eux. Dans un des deux cas, l'étudiante avait réussi à ruiner un mariage de quarante-deux ans après avoir eu l'enfant, tant le vieux philosophe s'était émerveillé en voyant ce bébé blond qui était apparemment son fils. Dans l'autre cas, le philosophe avait résisté, n'avait pas reconnu l'enfant, et était même redevenu ami avec la mère, qui s'était mariée dix ans plus tard à un homme d'affaires qui avait élevé le bâtard. *Tu quoque, fili,* se dit-il mentalement, pas tout à fait sûr du vocatif du mot *filius.*

« La seule chose qui a contrarié mes plans, c'est ma difficulté à concevoir un enfant, alors que j'étais tombée enceinte la première fois où j'ai fait l'amour, à dix-sept ans ! Je ne comptais pas vivre aussi longtemps avec toi, ni déménager à Paris.

— Paris n'est pas une ville désagréable.

— *Certo.* J'ai fait des examens gynécologiques en Italie : il n'y avait pas de problème physique. Mais j'ai pris la pilule pendant dix ans, j'ai avorté trois fois quand j'étais jeune, et j'avais trente-cinq, trente-six, puis trente-sept ans : je ne suis plus si féconde. Ton sperme non plus ne devait plus être de la dernière fraîcheur, même si ça me rassurait que tu aies eu quatre enfants.

— Merci.

— Malheureusement, je ne pouvais pas t'envoyer faire un spermogramme.

— En plus, ma pauvre, tu ignorais que j'avais eu un cancer : ce genre de petite bête rend infertile. C'est un miracle que tu te sois retrouvée enceinte. Tu es sûre que tu n'as pas essayé avec quelqu'un d'autre ? »

Était-ce la migraine ? Il aurait dû sentir une colère extrême, mais avait l'impression d'être un acteur dans une comédie et de lui donner la réplique.

« Je veux pouvoir dire à mon enfant qui est son père.

— Bien sûr. Et tu comptes sur moi pour le reconnaître ?

— Pour payer une pension alimentaire. Il suffit d'un examen d'ADN. Les droits des enfants sont bien défendus en France. »

Elle avait fait ses recherches.

« Quand on y pense, c'est un effet pervers de la loi. Je stipule honnêtement que je ne veux pas d'enfant. Tu me trahis. Tu commets un crime moral et c'est toi qui gagnes. Ça pose un problème éthique, non ? Aujourd'hui les hommes ont de moins en moins de droits. Je sens que je vais écrire quelque chose là-dessus.

— Les femmes ont été maltraitées et abandonnées par les pères de leurs enfants pendant des siècles. C'est juste qu'il y ait une compensation historique. »

Il ne l'avait jamais entendue s'exprimer avec autant d'assurance et de fierté. Si l'enfant n'avait pas besoin de reconnaissance, elle en tout cas cherchait la reconnaissance de Roland.

« Autre effet pervers : je te fais fréquenter des philosophes et tu deviens sophiste. Tu as raison. Face au mouvement collectif de l'Histoire, l'individu ne pèse pas grand-chose. Je suis une victime de l'Histoire. Mais dis : pourquoi moi ? »

Elle hocha la tête.

« Tu te doutes qu'il y a mille hommes avec qui j'aurais pu faire ce bébé. Mon patron, pour commencer. Des vieux, des jeunes. Des hommes très beaux, très bien, plus riches que toi.

— Sûrement. Je t'emmène dans des palaces payés par le gouvernement français, mais je suis pauvre. Je ne possède que ce que je gagne avec mes livres et mes conférences. Tu m'as saigné ce soir : ton châle de chiru, c'est le quart de ce qu'il y a sur mon compte en banque. Tu t'es fait flouer, ma chérie.

— Par ailleurs, continua Renata sans tenir compte de l'interruption, je n'ai rien contre l'idée d'une vraie famille. C'est ça que je désirais au départ. J'avais un rêve très banal. Mais en quinze ans, je ne suis tombée que sur des cons ou des salauds. Quelque chose en moi devait les attirer ou le contraire, je ne sais pas. Je n'avais plus le temps d'analyser le problème. Je voulais un enfant naturellement et la fertilité des femmes décline rapidement après trente-cinq ans. Ça va, je ne suis pas trop longue ?

— Non. Je bois tes paroles. Excuse-moi, je ferme les yeux parce que j'ai mal à la tête. En fait je pense qu'il faudrait que je boive un peu d'eau. Je dois être déshydraté.

— Je vais te chercher un verre. »

Elle déplia gracieusement son long corps et rentra dans la chambre. Roland posa sa tête sur le dossier du fauteuil. Il se demanda soudain si Renata n'allait pas lui révéler qu'elle l'avait assassiné en mettant un poison dans son verre pendant le dîner. Au point où il en était. Les vomissements violents l'avaient-ils sauvé ? Était-il en train de mourir ? Ce n'était pas une crainte sérieuse, bien sûr. Il n'arrivait pas à se sentir en danger, ni même à penser que Renata l'avait trompé et allait le quitter. Il avait plaisir à entendre sa voix mélodieuse et ses *e* qui n'étaient jamais muets. Il ouvrit les yeux alors qu'elle poussait la porte de la terrasse en tenant un verre et une bouteille d'eau. Son corps aux formes parfaites — le buste élancé, les seins haut plantés et fermes, la taille fine, les hanches qui formaient comme un triangle — transparaissait sous la nuisette dans la lumière de la chambre éclairée derrière elle. La dernière fois qu'il le voyait ? Elle posa le verre et la bouteille d'eau minérale sur la table. Elle sortit deux cachets de Doliprane du verre vide et les tendit à Roland avant de verser l'eau.

« Merci. Tu es une mère pour moi. »

Il les avala et but la moitié du verre d'eau. Renata se rassit.

« Je me suis renseignée auprès d'une banque de sperme. On ne vous dit rien sur le donneur à part quelques caractéristiques physiques et parfois son niveau d'études. Le choix du père m'importait vraiment ; je crois aux gènes. Je voulais quelqu'un qui utilise son cerveau pour penser : un philosophe, un écrivain. Le soir où je t'ai vu à la télé, tu m'as conquise. Tu remplissais tous les critères. Tu étais beau, élégant. Tu parlais avec aisance, pour dire des choses intelligentes que même moi je pouvais comprendre.

— Tu me flattes.

— Tu étais français. J'adore la France. Vieux. Le candidat idéal.

— Pas si vieux que ça. Sois gentille.

— Vieux, et tu te croyais jeune. Je te voyais sourire à l'animatrice : je me doutais que je n'aurais pas de mal à te séduire. »

Il revit le moment, à Turin, où il avait levé la tête entre deux signatures et aperçu la femme à l'épaisse chevelure noire qui attendait son tour, dominant d'une tête les gens autour d'elle. Elle était grande et portait en plus une paire de bottes à talons aiguilles. Elle avait répondu à son regard sans détourner les yeux et il avait aussitôt senti la possibilité d'une aventure. Tout en signant le livre, il lui avait demandé ce qu'elle faisait. En guise de réponse elle lui avait tendu sa carte. *Renata Falcone, direttrice di vendite, Patrizia Peppe, Roma.* Elle avait rajouté à la main son numéro de portable. Le message était clair. Il l'avait regardée s'éloigner ; elle marchait avec le léger balancement de hanches d'un mannequin.

« Je t'ai appelée en fin d'après-midi et tu étais dans le train pour Rome. Qui te garantissait que j'allais te poursuivre ?

— Tu es complètement prévisible. Typiquement masculin. Si j'avais été tout de suite disponible, tu ne serais pas tombé dans mes rètes.

— Tes *rets*... On ne prononce pas le *t* en français, *amore.* Je suppose que tu as raison puisque j'ai annulé mon avion, pris le train pour Rome et débarqué chez Patrizia Peppe le lendemain midi. Droit dans la gueule du loup. »

Le Doliprane commençait à faire son effet. La migraine atténuait ses battements. Il se sentait un peu moins faible et y voyait un peu plus clair. Il vivait depuis deux ans avec une femme qui lui mentait et s'apprêtait à utiliser le système légal français pour lui extorquer une partie de son maigre revenu afin d'entretenir une progéniture dont il ne voulait pas. Elle était en train de lui annoncer froidement qu'elle le quittait. Il allait se retrouver seul — et la fable de tout Paris. Elle avait sans doute profité de sa journée sans lui à Paris pour vider l'appartement de ses affaires : voilà pourquoi elle était partie en Inde un jour plus tard. Après-demain, il se réveillerait seul. Il songea à la petite cafetière Bialetti dans laquelle Renata insistait pour préparer leur café le matin en une série de gestes minutieux dont il n'avait pas la patience : remplir d'eau chaude la base sans qu'elle déborde, mettre l'entonnoir en métal et y tasser à la petite cuiller, sans le répandre sur le comptoir, le café qu'elle avait moulu elle-même, puis visser la partie supérieure et placer la cafetière sur une petite grille achetée spécialement en Italie. Attendre près du feu, et l'éteindre dès qu'on entendait le bruit du café montant dans la cafetière. Cette image rendit intensément réelle la déchirure en train de se produire. On ne retient pas une femme en la suppliant de ne pas partir.

« Qu'est-ce qui te fait sourire ?

— Ta cafetière. Elle va me manquer.

— Tu pourras enfin t'acheter une machine Nespresso.

— Pourquoi cette obsession de l'intelligence ? L'argent ne fait pas le bonheur, certes, mais on sait qu'il y contribue. Pour l'intelligence, on est sûr du contraire. Tu ne voulais pas plutôt un enfant heureux ?

— Tu n'es pas heureux, toi ?

— *Good point.* Mais je suis une exception. L'intelligence, en plus, ça saute une génération : tu n'as pas pensé à ça. »

Renata ne sembla pas remarquer la faille de sa logique. Elle haussa les épaules.

« Tu ne peux pas comprendre. Ça te paraît normal d'étudier, de lire, d'écrire. J'ai dû arrêter l'école à seize ans pour travailler comme vendeuse. Pour moi, le luxe, c'est d'étudier, afin d'en savoir plus sur le fonctionnement du monde et sur soi.

— Tu penses que nos enfants sont ce que nous voulons ? Tu es naïve, chérie.

— Pas autant que toi.

— *Another good point.* Tu me bats à plate couture. Tu es une vraie Mata Hari. Et moi une gentille dupe, non ? Je ne te fais même pas de scène. Tu vas m'offrir une dernière nuit pour me remercier, j'espère. À Paris plutôt. Ce soir tu m'excuseras si je suis un peu fatigué. »

Il n'avait pas fini sa phrase qu'il reçut le paquet de Marlboro à la figure, et la confirmation qu'il cherchait : il avait trouvé son talon d'Achille. Il ramassa le paquet par terre et le posa sur la table basse.

« Tu ne vas pas me battre, en plus ? C'est ma faute si tu me fais bander ?

— Bander ! » Elle ricana. « Tu crois que je ne sais pas que tu prends du Viagra ? Pour bander pour *moi* ? Et tes minables films porno, tes grosses bites qui défoncent des chattes de vierge et bourrent des bouches jusqu'au fond de la gorge ! C'est pathétique. Tu as déjà pensé aux filles qui font ça parce qu'elles n'ont pas le choix et qu'il y a des mecs comme toi pour payer ? Tu n'as vraiment aucune idée de ce qu'il y avait dans ma tête pendant que tu croyais me faire jouir. »

Il passa lentement la langue sur ses lèvres desséchées en

se demandant si l'on risquait de les entendre d'une terrasse voisine, et si Charlotte ou Raphaël auraient l'idée de prendre l'air à cette heure tardive.

« Excuse-moi, j'ignorais que tu avais tourné dans des films porno pour arrondir tes fins de mois. »

Elle le regarda avec haine. Il avait fait mouche.

« Tu me donnes une idée, poursuivit-il de la même voix tranquille. Si je vendais mon sperme sur eBay ? Avec un contrat de non-responsabilité, bien sûr. Il y aurait sûrement des tas de femmes intéressées. Sperme d'intellectuel français très connu, auteur de nombreux livres. Je connais un romancier qui doit avoir plus de quatre-vingts ans et qui m'a dit qu'il n'avait aucun mal à se trouver une belle et fraîche compagne en mettant une annonce dans les journaux où il spécifie qu'il est publié et connu. Ça excite les femmes. C'est drôle, non ? »

Elle attrapa les Marlboro sur la table basse. Roland écarta la tête instinctivement. Ils rirent. Elle sortit une cigarette du paquet. Il se pencha par-dessus la table en bois et approcha rapidement le briquet de ses lèvres.

« Tu ne devrais pas fumer. »

Elle ne répondit pas. Elle avait l'air fatigué. D'avoir dit ce qu'elle avait sur le cœur, ou de ne pas réussir à entamer l'humeur badine de Roland ?

« Tu te crois drôle, mais tu es minable. Tu vieilliras seul, Roland.

— Ce n'est pas ma faute : dès que tu regardes une situation avec un tout petit peu de distance, elle devient cocasse.

— Tu ne prends jamais rien au sérieux ?

— Mais si. Il m'est même arrivé de pleurer.

— Quand tu avais huit ans et que ton chat est mort ?

— À huit ans j'étais philosophe. Plus récemment. Le 17 mars 1983.

— Le 17 mars 1983, répéta Renata d'un ton sarcastique.

— Ce jour-là une femme m'a quitté. La seule avant toi qui ait osé.

— Qui ?

— Srikala Raghavan.

— Qui ça ?

— Une Indienne. Je ne t'ai jamais parlé d'elle. Je l'ai rencontrée quand je vivais en Inde. J'avais rendez-vous avec elle à Chennai avant-hier. Elle m'a contacté sur Facebook il y a six mois. C'est pour la revoir que j'ai accepté ce voyage. »

Un éclair étincela dans les yeux de Renata. Elle se leva impulsivement et rentra dans la chambre. Par la porte vitrée, il la vit ôter la nuisette et la jeter sur le fauteuil, puis enfiler une robe d'été blanche qu'elle attrapa dans la valise ouverte. Elle sortit de la chambre en claquant la porte.

Il ferma les yeux, épuisé. La sueur coulait de ses aisselles. Il n'avait qu'une envie : s'allonger sur le lit et dormir dans la chambre climatisée. Mais pour cela il fallait se lever. À peine refermerait-il la porte de la terrasse qu'il entendrait le ronronnement de la climatisation. Il n'arrivait pas à décoller son corps du fauteuil en tek recouvert de coussins confortables. Une torpeur engourdissait ses membres. Il sentait une immense lassitude. « Tu vieilliras seul. » Il se vit en vieillard puant la pisse, un filet de salive coulant au coin de ses lèvres paralysées par une attaque, marchant à tout petits pas appuyé sur un déambulateur, brutalisé par une grosse Martiniquaise l'appelant « pépé ».

Srikala n'avait pas tort : il avait besoin d'avoir le dernier mot. Aurait-il dû pour une fois s'écraser ? Supplier humblement Renata de lui donner une autre chance au lieu de la provoquer et de gagner la balle de match ? Les femmes se retrouvaient facilement. Mais il aimait sa Reine — pas seulement pour sa démarche de mannequin, sa haute taille, son corps félin, ses longs pieds et son beau visage. Il l'aimait en conspiratrice. Il aimait ses manigances de brave petite soldate, sa colère, ses insultes et son dégoût. Il éprouvait pour elle la tendresse qu'inspire l'héroïne d'un roman qu'on écrit : il la voyait retournant à Rome avec ses valises et son ventre naissant, couchant avec son ancien patron pour retrouver son poste, contactant un avocat en France, éduquant seule son petit homme dont elle voulait faire un grand homme. Et qui sait, peut-être deviendrait-il un grand écrivain amoureux de sa mère ? Un Romain Gary ?

Avait-elle vraiment détesté faire l'amour avec lui ? Avait-elle feint les cris et les soubresauts, et la tendresse de son corps alangui après le plaisir ? Son amour-propre préférait en douter, bien sûr. Mais il avait suffisamment d'expérience pour en juger. L'absence de désir d'une femme se trahit par de fausses notes ou des réticences. Renata s'était donnée, abandonnée, et pas juste au moment de l'ovulation : pas plus tard qu'avant-hier, alors qu'elle était déjà enceinte. Elle était une excellente actrice et venait de le lui prouver : mais à ce point, et pendant deux ans et demi ? De toute évidence, elle n'était pas indifférente. Le paquet de Marlboro qu'elle lui avait envoyé à la figure, ses ricanements et son départ abrupt en apprenant qu'il avait rendez-vous avec une femme avant-hier à Chennai trahissaient une émotion qui n'avait rien à voir avec la lettre calme, ferme et irréversible de Srikala vingt-sept ans plus tôt. Il devina que quelque chose avait dérapé dans son plan : elle avait dû tomber amoureuse de lui. Blessée qu'il n'ait pas accueilli en bondissant de joie l'enfant de leur amour, elle venait de lui cracher à la figure une haine qui n'était que l'autre face de l'amour.

Mais il ne voulait pas d'enfant. Il le lui avait dit dès le départ. Il n'avait aucune raison de se contredire. À soixante-quatre ans, un retour aux biberons, aux couches, aux nuits sans sommeil, au babillage gâteux ? Ne même plus avoir de pièce à lui parce que son bureau deviendrait la chambre du bébé ? Sans façons.

Et l'idée qu'elle l'avait berné n'était guère agréable, même s'il trouvait cette péripétie comique d'un certain point de vue. Qu'avaient toutes les femmes à se liguer contre lui ? Ne pouvaient-elles cueillir le moment, se réjouir du plaisir, apprécier la légèreté ?

Il devait faire un effort pour se lever avant de s'endormir dans ce fauteuil. Il ouvrit les paupières et replia puis étendit ses doigts. Un long cri perça le silence. C'était un cri d'oiseau sans doute, mais qui ressemblait à s'y méprendre à un cri de femme. Un cri d'effroi. Il venait de la mer. Roland pensa aux viols d'Occidentales qui avaient lieu sur la plage d'Auroville, dont lui avait parlé le consul de Pondichéry. Le Kerala était-il mieux protégé ? On n'y avait pas encore signalé d'incident de ce genre, mais était-il prudent pour une touriste de se promener seule à une heure et demie du matin ? Le bar de l'hôtel étant fermé, Renata avait sûrement pris la direction de la plage. Il y avait un garde entre la plage publique de Samudra et les jardins du Taj, mais n'avaient-ils pas constaté hier qu'il suffisait de contourner la digue pour y entrer comme dans un moulin ?

Il se leva et s'accouda à la balustrade. On ne voyait rien dans la nuit noire trouée par la lumière de quelques spots, et le silence qui régnait à nouveau aurait pu lui faire croire qu'il avait rêvé, s'il n'avait eu une mémoire si nette de ce cri. Après ce que Renata venait de lui révéler, il aurait bien pu laisser une bande d'Indiens la violer, comme le roi Marc avait livré la blanche Iseut aux lépreux, mais il était clair qu'il ne s'endormirait pas avant de s'être assuré qu'elle était saine et sauve. Il poussa un soupir, entra dans la chambre, enfila les mules tressées de l'hôtel, noua la ceinture de son peignoir, attrapa la carte qui servait de clef et sortit.

GÉRALDINE

Trivandrum-Kovalam, dimanche 13 décembre

Une phrase entendue autrefois flottait dans sa mémoire : « Les dieux vous punissent en vous donnant ce que vous désirez. » Accroupie devant la bassine bleue, perdue dans ses pensées, Géraldine ne réagit pas quand Joseph l'éclaboussa en plongeant dans l'eau le thermomètre jaune en forme de poisson que Marion avait envoyé de France.

Depuis la veille, elle réfléchissait. Elle était en colère. Contre elle-même plus que contre Raphaël. Elle avait beau se reconnaître des circonstances atténuantes (Jean-Michel Guéguéniat ressurgissant du passé au moment où disparaissait son grand-père, et la lecture de son livre ouvrant la brèche par où s'était engouffrée la vieille souffrance), elle attendait davantage d'elle-même. Raphaël partait demain. Elle pouvait compter sur le temps pour l'oublier. Mais elle aurait voulu retrouver la maîtrise d'elle-même en sa présence. Il devait y avoir un moyen. Il restait une soirée.

Elle sortit du bain son petit prince indien, l'allongea sur le matelas de plastique, le sécha dans sa serviette blanche à la capuche brodée de canards, puis enduisit son corps de lait Mustela aux amandes qui sentait bon la France, trop préoccupée pour goûter le plaisir habituel à pétrir entre ses doigts la chair douce et potelée. Ses fesses étaient encore très rouges, mais les plaies à vif semblaient refermées. Elle les tamponna délicatement et reçut en plein visage un jet chaud qui la fit cligner des yeux et la rappela à la réalité.

« Joseph ! »

Il rit avec elle, inconscient d'avoir pissé à la figure de sa mère.

Elle le nettoya puis, comme la table à langer était mouillée, l'emporta dans la chambre où méditait Imtiaz, assis en tailleur devant une bougie sur un petit tapis de soie. Elle posa le bébé au milieu du lit afin de sécher ses fesses avec le sèche-cheveux, craignant que le contact de la serviette ne l'irrite davantage. Joseph, que le souffle rendait rêveur, laissait passer entre ses lèvres un balbutiement qui ressemblait à un chant soufi. Un bébé calme et sensuel comme son père. Elle lui mit une brassière et alla dans la cuisine le confier à Rosemary, qui avait réchauffé une purée de carottes au cumin. Ouvrant le réfrigérateur, elle aperçut les six cartons ficelés qu'avait apportés Sandhya hier soir, pendant que Géraldine dînait au Leela avec ses invités. Elle avait quitté le Taj si vite qu'elle n'avait laissé aucune consigne à son assistante. Celle-ci n'avait rien perdu de l'exquise nourriture ni des bouteilles de vin, dont Géraldine avait trouvé les caisses à l'Alliance ce matin. Elle montra les cartons à la baby-sitter et tendit trois doigts.

« Prends trois boîtes en partant demain matin. »

La jeune fille la remercia. Elle était l'aînée de sept frères et sœurs, et sa mère était veuve. Géraldine et Imtiaz les aidaient comme ils le pouvaient.

En entrant dans la chambre, Géraldine aspira à pleins

poumons l'odeur d'encens. Imtiaz méditait toujours. L'atmosphère paisible rendit encore plus sensible, par contraste, son humeur sombre. Elle prit dans l'armoire une robe boutonnée jusqu'au cou et alla s'habiller dans la salle de bains. Ce soir, pas de pierre de lune ni de décolleté. Ni de maquillage. Elle aperçut Imtiaz derrière elle dans le miroir au cadre en bois peint. Pieds nus, il était entré sans faire de bruit. Il s'approcha et l'enlaça par-derrière. Elle voyait sa tête à la hauteur de la sienne, sa peau sombre contrastant avec la blancheur de la sienne, son visage rond comme celui de Joseph, ses yeux noirs. À son soulagement, elle le trouva beau et sentit du désir. Imtiaz mit les mains sur ses épaules et appuya avec ses pouces sur deux points dans ses omoplates. La douleur lui arracha un cri.

« Tu es tendue… »

Il lui massa les épaules et pressa à nouveau sur les nœuds douloureux. Il était tentant de s'appuyer contre lui et de fondre en larmes, mais elle avait un reste de dignité. Tant qu'elle y était, pourquoi ne pas lui dire que le silence d'un autre homme la rendait folle ?

« Joseph m'a pissé au visage quand je l'ai sorti du bain. »

Imtiaz rit.

« Il sait honorer la beauté. Jay, si on partait ce week-end ? On peut laisser le bébé chez ma mère et dormir samedi soir dans la *guest house* sur la plage. Ça nous fera du bien. »

Ils y étaient allés juste avant la naissance de Joseph, quand la tête du bébé, descendue bas sur son pelvis, rendait la marche difficile. Elle avait passé deux jours à flotter dans la mer chaude puis à s'échouer sur le sable entre deux bains, comme une baleine. Souvenir de bonheur et de paix.

« Je ne sais pas. J'ai dépassé mon budget, Imtiaz.

— C'est seulement quatre cents roupies. Tu en as besoin. Tu le mérites.

— Ça non.

— Tu es trop dure avec toi. Tu ne vois que la moitié vide du verre. Tu oublies les articles du *Hindu*, la rencontre à l'Alliance française, le dîner avec le ministre et l'ambassadeur, la soirée du Beach... » Elle frémit quand Imtiaz nomma le restaurant où elle s'était arrangée pour dîner en tête à tête avec Raphaël. « Tu m'as dit toi-même que tes invités étaient très contents. C'est un succès. Ce n'est pas toi qui as choisi d'organiser cet événement juste en même temps que le festival international de cinéma. Si les étudiants sont ailleurs, ce n'est pas ta faute.

— On ne parle que de moi. Et toi ? Tu n'es pas trop fatigué ?

— Un peu. Le plus dur, c'est le surplace. Rester debout toute la nuit et garder sa vigilance. Parfois je me mets à rêver sans m'en rendre compte, je compose des chansons dans ma tête et je sursaute en pensant que quelque chose pourrait arriver à ce moment-là. La nuit dernière, j'ai écrit une chanson qui devrait te plaire. En tout cas, ce n'est pas un boulot pour moi. Je vais m'occuper des travaux de l'agence, je te promets. »

Elle sourit. L'agence, les travaux lui semblaient un souci très abstrait.

Ravi attendait devant l'immeuble. Elle lui donna un carton de nourriture ; il aurait au moins un bon repas ce soir. Dans la voiture qui roulait vers Kovalam, elle posa sa tête contre le dossier de cuir et ferma les yeux, qu'elle rouvrit quand Ravi appuya longuement sur son klaxon. Il était en train de doubler une Mobylette chargée de toute une famille. Elle haussa les sourcils. Elle n'avait jamais vu son chauffeur calme et courtois s'énerver contre un motocycliste.

« Il y a un problème, Ravi ?

— C'est mon neveu.

— Ton neveu ?

— Il va à la fête d'anniversaire de ma sœur. »

Géraldine regarda avec curiosité le jeune homme qui conduisait la moto et qui semblait avoir à peine vingt-cinq ans. Derrière lui se trouvaient deux petites filles en robes à volants brillantes, l'une jaune et l'autre rose, et une jeune femme en sari mauve qui tenait sous son bras, comme un paquet, un bébé de quelques mois. Surprenant le regard de Géraldine, l'Indienne lui sourit chaleureusement.

« Tu es invité aussi ?

— Toute la famille. »

Ravi n'avait même pas réclamé sa soirée. Elle avait pris l'habitude de compter sur sa disponibilité à toute heure.

Alors qu'ils dépassaient la Mobylette, elle eut une illumination : elle sut comment regagner la maîtrise d'elle-même. Elle avait commis la même erreur avec Raphaël qu'avec Ravi, oubliant qu'il avait son existence propre. Elle s'était confiée à lui comme une adolescente amoureuse pour la première fois : elle s'était littéralement remise à lui. Elle lui avait parlé de son père, de Pierre, d'Imtiaz. Elle lui avait octroyé le rôle tout-puissant de père, de confesseur et d'amant. Il fallait renverser le rapport et le faire parler. L'écouter. L'interrogateur est celui qui a le contrôle. Raphaël n'était qu'un homme, avec ses peurs et ses faiblesses.

Ils arrivaient à Kovalam. Ravi s'arrêta devant la barrière de l'hôtel, et le garde inspecta le dessous de la voiture avec sa machine, un peu plus lentement que d'habitude — ou peut-être était-elle impatiente parce qu'elle était en retard. Il demanda même au chauffeur d'ouvrir le coffre, et y projeta la lumière d'une lampe de poche. Enfin le coffre claqua, et la Toyota put remonter le chemin conduisant à l'hôtel. Ravi se gara devant la réception et descendit pour lui tenir la portière. Géraldine avait remarqué par la vitre le groupe plus nombreux qu'elle ne s'y attendait. Elle aperçut la sihouette de Renata, reconnut les Français. Raphaël, qu'elle voyait de dos, portait une chemise du même bleu que sa robe. Elle tressaillit. « *Tu crois qu'il y a du hasard ?* » La vision de grand-père Levenec assis dans son fauteuil en velours usé aux ressorts cassés, en train de faire ses mots croisés dans la salle sombre l'été passé, fondit sur elle : « Couleur du ciel avant l'orage... ? » Elle s'était penchée par-dessus son épaule, avait vu le I et le G. « Indigo ! » Son grand-père ronchonnait : « N'importe quoi. Le ciel est gris-noir avant l'orage. — Chez nous, pépé, il est vraiment bleu-violet. Tu verras, s'il y a un orage quand tu viens. »

« Ravi, va à la fête de ta sœur. Tu peux venir me chercher à Lighthouse à onze heure et demie ? »

Cela laissait le temps à son chauffeur de faire l'aller-retour et de participer au repas familial, et à elle, de trouver un moment pour une conversation.

« Vous êtes sûre, madame ? Vous ne voulez pas que je vous attende ?

— Non. À tout à l'heure. »

Quand elle prit la décision de rester à l'hôtel au lieu d'aller dîner avec Roland, Renata et Charlotte, Géraldine sut qu'elle sacrifiait sa carrière. C'était un choix, comme aurait dit Charlotte, « non professionnel ». Mais il lui importait davantage de ne pas laisser suspendu au-dessus d'elle un point d'interrogation qui l'aurait à jamais tourmentée.

Pendant tout le spectacle de danses kathakali, Raphaël ne lui accorda pas un regard. Assis à l'autre bout du bar, le plus loin possible d'elle, il bavardait et riait avec Manon. Ce soir elle était prête à avaler toutes les couleuvres. Elle attendait son heure. Elle avait commandé un mojito comme Manon, pour ne pas imiter Raphaël qui prenait une bière, même si la bière eût été meilleure pour son lait. Puis un deuxième, et un troisième, tandis qu'elle regardait les acteurs en masque et en longue robe rouge danser lentement tout en chantant en malayalam. Elle n'avait pas bu autant d'alcool depuis longtemps. La boisson fraîche et sucrée aux senteurs de menthe et de citron répandait une torpeur dans ses membres qui atténuait ses sensations.

Le spectacle était fini. Le bar fermait. Il était presque onze heures. Jagdish signa la facture et mit les boissons sur le compte de sa chambre à l'hôtel — heureusement payé par l'ambassade à Delhi. Géraldine avait du mal à marcher droit mais sa tension avait disparu grâce aux trois mojitos et elle put sans malaise rejoindre Raphaël sur le chemin dallé. Il discutait avec un guitariste. Elle monta dans un tuk-tuk entre le guitariste et lui. Collée contre eux à cause de la petitesse de l'habitacle, elle ne sentait que le corps sur sa droite, les cuisses et les épaules en contact avec les siennes à travers le tissu des vêtements. Raphaël devait le sentir aussi. Il restait immobile comme une pierre. Pendant le trajet, ils n'ouvrirent pas la bouche. Quand ils descendirent du rickshaw et se dirigèrent vers les planches le long de la plage, ils se retrouvèrent côte à côte, derrière le groupe. Il fallait saisir cette opportunité avant qu'il rejoigne Manon.

« Raphaël ? » Il tourna la tête vers elle d'un air contraint. « Je voulais te remercier. »

Il fronça les sourcils.

« De quoi ?

— De tes interventions lors des deux tables rondes. Tout ce que tu as dit était vraiment original et intéressant. Ta phrase est si précise et élégante que c'est un plaisir de t'écouter. J'ai aimé l'idée qu'on n'écrit pas à partir de son âme et de son cœur, mais de ce qui est écrit. Merci d'avoir eu la générosité de partager ta pensée avec un public aussi restreint. Je suis désolée qu'il y ait eu si peu de monde. »

Elle le sentit se détendre. De toute évidence, il s'était attendu à d'autres propos. Elle avait trouvé le ton juste. Il hocha la tête.

« Merci. Peu importe le nombre d'auditeurs. Il suffit d'une personne. »

Elle comprit ce qu'il voulait dire : c'était la qualité de l'écoute qui comptait. Un espoir l'effleura : pouvait-elle être cette personne qui suffisait ?

Juste à ce moment, ils croisèrent Roland, Renata et Charlotte. D'une voix qu'elle espérait posée, elle leur dit qu'elle les accompagnerait à l'aéroport le lendemain matin. Ils lui souhaitèrent bonne nuit d'un ton plein de sous-entendus.

Le groupe s'était arrêté devant un restaurant, le seul encore ouvert à cette heure tardive. Jagdish, Manon et les guitaristes regardaient un menu. Manon expliqua à Géraldine et à Raphaël qu'ils avaient décidé de pique-niquer sur la plage tout en jouant de la musique.

« Ça nous rajeunira », dit Raphaël avec un sourire en regardant Géraldine.

Il l'incluait dans ce « nous » : elle n'en revenait pas. Elle ne sentait plus l'hostilité de la veille et de l'après-midi : sa patience ce soir lui avait gagné l'accès qu'elle cherchait. Ils suivirent sur la plage leurs compagnons qui portaient des paquets dont s'échappait un fumet appétissant, et se joignirent au groupe pour manger sur le sable, après avoir ôté leurs chaussures. Raphaël lâcha un « merde ! » sonore. Il avait fait une tache d'huile sur sa chemise. Géraldine l'accompagna jusqu'à la mer. Il roula sur ses chevilles les jambes de son pantalon, puis s'avança dans l'eau et se pencha pour nettoyer la tache. Elle lui suggéra d'utiliser du sable pour remplacer le savon — c'était ce qu'elle faisait, enfant, pour nettoyer ses mains rendues grasses par les chips et le saucisson quand elle pique-niquait avec sa mère et sa sœur à Rochebonne. Ils entendirent, provenant du groupe sur la plage, les premiers accords d'un air de Simon et Garfunkel.

« Tu voudrais te promener le long de la mer, Raphaël ? »

Elle s'attendait à un refus. Il accepta.

Ils marchèrent sur le sable mouillé, les pieds léchés par l'écume des vagues qui remontaient à toute allure sur le sable. Les réverbères de la Promenade étaient trop distants pour éclairer le bord de l'eau, mais ils s'habituèrent vite à l'obscurité. En baissant les yeux elle vit les chevilles de Raphaël, blanches et fines, des chevilles d'intellectuel. Elle devait trouver une question pour progresser par la petite ouverture qui s'était faite avant qu'il lui claque à nouveau la porte au nez.

« Tu es content de ton séjour en Inde ?

— Je suis content de rentrer. Il fait trop chaud, c'est sale. Je n'aime pas voyager. »

La réponse n'était guère courtoise, mais le ton restait amical.

« Rien ne t'a plu, vraiment ?

— Ce n'est pas ça. C'est cette misère. Ça me donne l'impression d'être un voyeur. Je trouve ça obscène.

— Pourquoi tu as accepté de venir ? »

Il haussa les épaules.

« Comme ça. Je ne connaissais pas l'Inde. Pour confirmer que je suis mieux chez moi.

— Ta vie à Paris doit être passionnante, bien sûr…

— Passionnante ?

— Tu dois avoir une vie riche, avec des dîners, des cocktails littéraires, des événements culturels, des rencontres avec d'autres écrivains…

— C'est tout ce que je déteste. » Il haussa les épaules. « Les gens se figurent que la vie des écrivains est extraordinaire. C'est un cliché. La plupart du temps ils ont une vie très ennuyeuse. En tout cas la mienne est la plus plate et la plus répétitive qui soit.

— Mais déjà le simple fait d'être libre, de ne pas aller au bureau tous les jours de neuf heures à sept heures, de pouvoir créer…

— Je *vais* au bureau tous les jours de neuf heures à sept heures.

— Toi ?

— Je travaille pour une maison d'édition.

— Ce n'est pas pareil.

— Des éditions scolaires. C'est un métier de gratte-papier. Aucun intérêt. Pas un changement en vingt ans, sauf que maintenant on numérise tout.

— Si ça t'ennuie, pourquoi faire ce métier ?

— Pour gagner ma vie. Je ne veux pas dépendre de l'écriture pour vivre. Je ne pourrais pas, d'ailleurs ; j'ai écrit deux petits livres en quinze ans. Et la répétition me va très bien. J'ai horreur du changement.

— Mais le soir, le week-end…

— Je reste chez moi, je regarde la télé et je bouquine. Ou je me promène. Je marche beaucoup.

— Tu ne vois personne ? Tu ne vas pas à des dîners ? »

Il tourna la tête vers elle et ricana.

« Encore ? Tu es si innocente, Géraldine !

— Tu veux dire idiote ? Bécassine qui n'est jamais sortie de son trou ?

— Ne te vexe pas. C'est l'idée que tu te fais des choses. Je sens que tu voudrais que je te raconte un roman. Mais il n'y a pas moins romanesque que ma vie. J'ai débarqué à Paris, j'ai fait une maîtrise sur Lautréamont à la Sorbonne tout en travaillant comme gardien de nuit dans un hôtel, après j'ai trouvé un boulot comme assistant d'attaché de presse, et ensuite ce boulot plus administratif dans les éditions scolaires, avec un salaire qui m'a permis de déménager de ma chambre de bonne du Ve arrondissement dans un trente-deux mètres carrés derrière le Père-Lachaise où j'habite depuis vingt ans. Voilà ma vie. Sans autre aventure que celle des livres.

— Tu vis avec quelqu'un ?

— Non. Tu as lu *La rupture* ?

— Non.

— C'est sur la femme qui a tenu le plus longtemps dans ma vie. Huit ans.

— Et… ?

— Elle a voulu acheter un sommier.

— Un sommier ?

— J'ai juste un matelas par terre. C'est comme ça chez moi. Des piles de bouquins et de magazines sur le plancher le long des murs. Pas de table à manger. Ça prend plus ou moins longtemps mais au bout d'un moment toutes les femmes veulent acheter des étagères, une table et des chaises, un sommier. Ou déménager parce que c'est trop petit.

— En fait tu n'as besoin de personne. Tu résistes au changement parce que tu te suffis à toi-même. C'est rare, les gens à qui la solitude ne pèse pas.

— Ne crois pas ça. Elle me pèse.

— Alors ?

— J'attends la femme qui acceptera de ne rien changer.

— Peut-être qu'elle n'existe pas.

— Peut-être. »

Elle avait beau vouloir garder ses distances, elle se sentait aspirée par quelque chose qu'elle ne contrôlait pas : un plaisir à l'entendre, à marcher à ses côtés sur la plage, à se tenir près de lui sans qu'il la repousse. Cette vie que Raphaël décrétait plate et ennuyeuse lui semblait palpitante — s'il s'agissait de la vivre avec lui, de partager avec lui ces trente-deux mètres carrés qui, d'ailleurs, n'étaient pas si petits que ça : elle vivait bien dans quarante mètres carrés avec son mari, son bébé et la baby-sitter. Avec un naturel sans doute attribuable à l'alcool absorbé une heure plus tôt, elle passa son bras sous le sien. Il ne s'écarta pas. Elle ne sentait aucune gêne. Il s'adressait à elle comme à une amie — ou une sœur. Grâce à sa stratégie, elle avait réussi à sortir de la passivité geignarde et à vaincre les réticences de Raphaël. Elle était contente d'elle.

« Et ta sœur ?

— Pardon ?

— Ta sœur, Jeanne ; qu'est-ce qu'elle est devenue ?

— Elle s'appelle Anouk, en fait. Elle est mariée à un électricien, elle a deux enfants, elle vit à Poitiers. Tu vois, elle aussi : une vie banale.

— Elle a réagi comment à ton livre ?

— Pour elle, c'est un roman. Elle ne se rappelle rien. Le déni permet de survivre. Par contre il frappe la deuxième génération. J'ai une nièce qui a de gros problèmes. Des hallucinations, des crises de panique. Je m'occupe beaucoup d'elle.

— Elle a quel âge ?

— Treize ans. Elle a déjà fait une tentative de suicide et plusieurs séjours à l'hôpital psychiatrique.

— Si jeune !

— Nous sommes très proches. Elle a une sensibilité extraordinaire. Depuis qu'elle est toute petite, elle perçoit intuitivement la souffrance des gens et elle trouve toujours quelque chose à dire qui les apaise. C'est comme s'il lui manquait une peau. Elle est trop perméable, trop poreuse.

— Elle a l'air très précoce. Elle doit avoir une sensibilité d'artiste.

— Sans doute. Mais elle n'a pas la force qui lui permettrait de canaliser son énergie pour créer.

— C'est trop tôt pour savoir.

— Oui. Elle-même est une forme en train d'être modelée.

— Elle s'appelle comment ?

— Agathe. »

Elle sentait contre son flanc la chaleur du coude de Raphaël. Elle ne l'avait jamais entendu parler avec autant de passion d'un autre être humain. Elle devina que s'il vivait seul, s'il opposait à toutes les femmes son refus de changer et son autonomie, c'est parce qu'il y avait Agathe : il l'aimait, la protégeait, et ne pouvait laisser personne occuper une place qu'il lui avait donnée.

Une vague plus forte remonta le sable à toute allure et éclaboussa leurs jambes.

« Je suis trempée !

— Moi aussi. »

Sa robe était mouillée jusqu'à la taille, et le pantalon de Raphaël, jusqu'aux genoux. Ils rirent. Même la nuit il faisait très chaud. Le tissu sécherait. Ils étaient arrivés au bout de la plage. Sur leur gauche il y avait un promontoire rocheux s'avançant dans la mer, et sur leur droite, de grandes barques noires renversées sur le sable, au-delà desquelles commençait une autre petite plage plongée dans l'obscurité. Ils se dirigèrent vers les barques. Le sable crissait sous leurs pieds. Géraldine sursauta quand un chien, qu'elle n'avait pas entendu s'approcher, renifla ses chevilles. Raphaël baissa la main et lui caressa l'encolure. Elle songea qu'il était tard, et que Ravi devait l'attendre. Au moment où elle plongeait sa main dans son sac afin d'en extraire le portable pour voir l'heure, elle sentit un bras autour de son cou. Elle tourna la tête, étonnée, et se cogna le nez contre la joue de Raphaël. Il s'était penché et plaqua sa bouche contre la sienne, tout en maintenant fermement son cou de sa paume ouverte. Elle fut, littéralement, happée. Elle ne résista pas. Sa bouche s'ouvrit. À cette distance et derrière les barques, on ne pouvait les voir de l'autre bout de la plage, où se trouvaient Jagdish, Manon et les guitaristes.

Raphaël écarta un instant son visage du sien pour respirer et pour la regarder. Il ôta le chouchou de velours qu'il passa autour de son poignet et fit tomber ses épais cheveux, qu'il lissa de la main.

« Je t'aime bien. Tu es ma copine, hein ? »

Il y avait dans ses yeux, dans sa voix, une complicité rieuse où plongea aussitôt Géraldine malgré ses résolutions. C'était impossible, d'abord parce qu'ils se trouvaient sur une plage publique, mais elle n'avait qu'une envie : qu'il l'allonge sur le sable, qu'il rentre en elle. Elle regardait son visage, dont elle ne voyait que des bouts décousus comme dans un tableau de Picasso, l'éclat mélancolique des pupilles, la bouche boudeuse à la lèvre supérieure avancée qu'on avait envie de caresser d'un doigt léger, les mèches de cheveux châtains tombant sur le front, les rides en étoile au coin des yeux. Le tableau disparut quand il approcha à nouveau sa tête et reprit ses lèvres. La main de Raphaël glissa le long de son dos, pressa ses reins contre lui, remonta jusqu'aux épaules et chercha en vain à se glisser sous la robe-tunique indigo trop bien boutonnée. Celle d'hier eût été plus facile. Il n'en avait pas profité. Il faisait les choses à contretemps. Sa façon d'embrasser était très différente de celle d'Imtiaz, tout en délicatesse. Raphaël jouait : sa langue se dérobait, fuyait, se cachait, puis attaquait brusquement un ennemi défaillant de désir. Elle sentait dans son ventre, au creux d'elle, cette langue qui s'enfonçait vigoureusement dans sa bouche. Il se détacha à nouveau et lui caressa la joue.

« J'aime ton odeur. J'aime ta bouche. J'aime te parler. Je suis heureux de t'avoir rencontrée. Tu viendras me voir à Paris ? »

Son cœur se mit à frapper si violemment contre sa poitrine qu'elle eut peur que Raphaël entende les battements. Cinq minutes plus tôt, elle n'aurait jamais cru qu'il pût exprimer le désir de la revoir. Elle s'imaginait maintenant dans son trente-deux mètres carrés près du Père-Lachaise, sur son matelas par terre entouré de livres. Elle le voyait, nu, marcher vers elle depuis la salle de bains, son sexe à la verticale de son corps. Il serait si facile de le contacter lors de son voyage en France cet été et de laisser le bébé avec sa mère à Saint-Malo pendant qu'elle faisait un saut à Paris pour y voir des amis.

« Raphaël, je peux te demander quelque chose ?

— Dis.

— Pourquoi tu m'as ignorée hier ?

— Quand je ne suis pas allé boire un verre avec toi à minuit ? J'avais un rhume, j'étais crevé, j'avais mal à la tête, je voulais dormir. Est-ce qu'il faut que tu interprètes tout par rapport à toi ? Ce n'est pas très original, Géraldine. »

Elle baissa la tête comme une petite fille de cinq ans réprimandée parce qu'elle réclame un deuxième bonbon. Était-il possible qu'il ne se soit pas rendu compte de l'effet que son attitude avait eu sur elle ? Quelle différence avec Imtiaz !

Mais il était de mauvaise foi. Quand elle l'avait appelé en descendant du tuk-tuk, il s'attendait clairement à un reproche. Grâce à leur conversation de ce soir, elle le comprenait mieux. Qu'il eût peur de leur demande ou de ses propres sentiments, qu'il eût besoin de solitude pour écrire ou que la rupture lui fût source d'inspiration, Raphaël se débrouillait pour éloigner les femmes.

« J'avais l'impression que tu ne voulais plus me voir.

— Et toi tu voulais qu'on aille sur la plage pour te faire baiser encore une fois avant de retourner à ta petite vie confortable, c'est ça ? »

Elle rougit violemment et s'écarta de lui. Elle récoltait ce qu'elle avait cherché. Sous le Raphaël tendre couvait le Jean-Michel acerbe qui avait en lui de quoi écrire un roman coup de poing.

« Ne fais pas cette tête. Je plaisante. Et j'ai très envie de te baiser encore une fois. »

Il l'enlaça à nouveau et l'embrassa avec douceur. Il avait raison de nommer un chat un chat. C'était tout ce qu'elle voulait en fin de compte : se faire baiser par lui. La résistance et la volonté de Géraldine avaient fondu. Elle ne se rappelait plus pour quelle raison il avait été si important de parler à Raphaël ce soir. Elle sentait seulement que l'impression — de sa voix, de ses yeux, de son visage — s'enfonçait un peu plus en elle comme dans une cire molle. Peu importait maintenant qu'il partît demain. Il plantait en elle un désir auquel elle savait déjà qu'elle ne pourrait résister. Elle sonnerait un jour à la porte du petit appartement près du Père-Lachaise. Juste parce que c'était possible. Entendant un bruit de voix proche, elle s'écarta vivement.

« Qu'est-ce qu'il y a ?

— En Inde, on ne peut pas… C'est un lieu public. Il y a des gens. »

Il rit.

« Un soir les chiens, le lendemain les Indiens. On n'est pas tranquilles ici. Tu veux qu'on aille ailleurs ? »

Elle sortit le téléphone de son sac pour vérifier l'heure. Déjà minuit. Ravi avait quitté sa fête de famille pour venir la chercher. Elle ne pouvait décemment pas le faire attendre plus d'une demi-heure. L'appeler et lui dire de partir ? Elle hésita. Elle était sa patronne ; il connaissait son mari : c'était gênant. Si seulement elle lui avait donné sa soirée, au lieu de lui dire de venir la chercher pour économiser le prix d'un taxi !

« Raphaël, il faut que je rentre, le chauffeur m'attend.

— Minuit, et tu t'enfuis. Tu as peur que ton carrosse se transforme en citrouille ?

— Si tu veux, on peut se retrouver… » Elle réfléchit. Imtiaz lui avait dit que tous les grands hôtels étaient sous surveillance, ceux de Kovalam compris. Risquait-elle de tomber sur une équipe de police, peut-être même celle de son mari ? Mais ils surveillaient sûrement les abords de l'hôtel, pas les jardins du golf. « … sur la plage du Taj, au même endroit que l'autre soir ? Dans une heure, le temps de faire l'aller-retour. »

Il hocha la tête.

« D'accord.

— Tu pourrais m'apporter mes sandales ? Elles sont sur la plage avec les autres, là-bas. Si je vais les chercher, ça va me prendre vingt minutes en plus.

— Je t'apporterai tes pantoufles de verre. Qui ne sont

pas en verre d'ailleurs mais en vair, v-a-i-r : de la fourrure grise d'écureuil. Tu savais ? »

Elle sourit et ajouta avec une hésitation :

« Si tu peux, arrange-toi pour que le garde de l'hôtel ne les voie pas. Il trouvera ça bizarre que tu tiennes dans ta main des sandales de femme.

— Ne t'inquiète pas. Je les cacherai dans les poches de mon jean. »

Il l'enlaça et déposa un baiser sur ses lèvres. Elle s'écarta et partit en courant sur le sable pour rejoindre la route par où ils étaient arrivés tout à l'heure. Devant les boutiques maintenant fermées, elle vit la Toyota blanche, au volant de laquelle attendait Ravi. Elle s'excusa pour son retard et lui demanda s'il avait passé une bonne soirée. À peine assise à l'arrière, elle sentit une douleur vive sous son pied. Elle le toucha. Il y avait quelque chose d'humide, du sang sans doute. Elle avait dû marcher sur un coquillage coupant ou un bout de verre.

La Toyota filait. À cette heure, il n'y avait personne sur la route. Le souvenir du moment où Raphaël l'avait attrapée par le cou et du baiser qui avait suivi irradia son ventre d'une douce chaleur. Et s'il ne venait pas sur la plage tout à l'heure ? S'il rejoignait les autres et oubliait leur rendez-vous ? Il en était capable. Mais quelque chose lui disait qu'il serait là. Et ensuite ? Le reverrait-elle en France cet été ? Et pourquoi pas ? Pourquoi avait-elle eu le sentiment que c'était si grave ? On était au XXIe siècle, pas au XIXe. L'Inde était suffisamment loin de la France pour qu'elle garde ses réalités dans des compartiments séparés. Imtiaz ne saurait rien et n'en souffrirait pas. Son désir pour Raphaël était une force positive puisqu'il la remplissait d'énergie et d'amour.

Ils atteignaient déjà Trivandrum. Ils traversèrent d'abord des quartiers pauvres et pas éclairés aux rues non goudronnées et passèrent près de chez Sandhya, qui habitait une cahute de béton construite par son père et ses frères, où Géraldine lui avait rendu visite. Elle se rappela le salon, sinistre, où trois chaises en plastique et deux gros fauteuils en bois au tissu fleuri alignés contre le mur faisaient face à la télévision. Un ventilateur était fixé de guingois contre le mur. La chambre de Sandhya révélait le même dénuement. Le matelas par terre servait à la mère et la fille. La petite fenêtre n'avait pas de vitre mais des barreaux et un filet cloué pour empêcher les moustiques d'entrer. Un miroir en plastique, l'image encadrée d'une déesse hindoue, et la photo, recouverte d'une guirlande de fleurs, d'une femme qui ressemblait à Sandhya — sa mère — décoraient les murs. Dans le fond il y avait une armoire, et à côté une chaise en plastique. C'était le monde de Sandhya. En ce moment même elle dormait sûrement aux côtés de sa fille. Elle avait fui un mari qui la battait. Elle n'avait plus de vie amoureuse possible. Elle n'aurait jamais compris que Géraldine agisse avec une telle liberté. Un autre monde.

Elle habitait à dix minutes de chez Sandhya, mais c'était, de fait, un autre monde : de petits immeubles de trois ou quatre étages entourés d'arbres bordaient des rues goudronnées. Ravi s'arrêta et lui ouvrit la portière. Elle lui demanda de passer la prendre à six heures moins le quart pour aller chercher les auteurs à l'hôtel et les conduire à l'aéroport, et lui souhaita bonne nuit — une nuit courte, surtout pour elle, qui la passait à faire des allers-retours entre Trivandrum et Kovalam. Il lui faudrait rentrer à Trivandrum tout à l'heure, après son rendez-vous avec Raphaël, pour prendre une douche et se changer avant de repartir à Kovalam. La voiture s'éloigna. Elle monta les deux étages en faisant attention à ne pas poser sur les marches la plante de pied où se trouvait la petite coupure.

Quand elle ouvrit la porte de son appartement, ses narines se crispèrent. La baby-sitter avait dû laisser une casserole sur le feu en préparant son dîner et brûler le manche — l'odeur était celle du caoutchouc cramé. Ce genre de négligence ne ressemblait pas à Rosemary, mais peut-être était-elle sortie de la cuisine rapidement pour consoler le bébé qui pleurait. Géraldine appuya sur l'interrupteur de l'entrée. Le plafonnier ne s'alluma pas. Il fallait penser à demander à Imtiaz de changer l'ampoule. Un lueur rose provenait du salon où brillait l'étoile en plastique, que Rosemary n'avait pas éteinte. Géraldine marcha jusqu'à la cuisine et jeta un coup d'œil dans la pièce éclairée par la boule jaune d'un réverbère dans la rue. Le moteur fatigué du réfrigérateur faisait entendre un grondement rauque. La jeune fille avait lavé la vaisselle, essuyé et rangé chaque verre et chaque assiette, astiqué les comptoirs. Elle dormait sur sa natte à même le sol, sans drap, juste vêtue de sa jupe et de sa tunique, la tête reposant sur son bras. Un sommeil d'adolescente, que le bruit de la porte n'avait pas dérangé. Elle avait refusé que Géraldine lui procure un matelas : elle avait l'habitude de sa natte et trouvait les matelas trop mous.

Géraldine poussa la porte de la chambre de Joseph. Lui aussi dormait d'un sommeil d'ange, dans sa posture habituelle, les bras tendus en arrière, ses jambes potelées croisées comme celles d'un yogi. Il fit un bruit de succion avec ses lèvres ; elle sentit réagir la pointe de ses seins. Elle se retira à pas de loup et retourna dans l'entrée pour y chercher dans le tiroir de la console la carte où elle avait noté un numéro de conducteur de rickshaw. L'homme répondit tout de suite. Une chance, car il aurait été difficile d'en trouver un dans ce quartier résidentiel désert à cette heure-ci, et un taxi aurait coûté beaucoup plus cher. Il ne parlait pas l'anglais, ni le français, mais reconnut son nom ou son accent et s'exclama « Alliance ! » avec un rire. Elle lui donna son adresse, qu'il sembla comprendre.

« *In ten minutes, Madam.* »

Minuit vingt-cinq. Tout s'enchaînait parfaitement.

Dans la salle de bains elle lava son pied sous l'eau froide, nettoya la plaie avec une boule de coton enduite de produit désinfectant, et mit un pansement qui partirait sans doute en cinq minutes quand elle marcherait sur le sable.

Dès qu'elle ouvrit la porte de la salle de bains, l'odeur l'agressa. Elle se mit à tousser. De toute évidence quelque chose était en train de roussir. L'étoile ! Elle courut dans le salon. Elle avait plusieurs fois demandé à Imtiaz si le plastique proche de l'ampoule ne risquait pas de s'enflammer. On lui avait dit que chaque année, à l'époque de Noël, des incendies provoqués par ces étoiles en plastique ou en papier détruisaient des maisons et des magasins. Imtiaz avait souri de ses craintes, plus attentif au respect des traditions de son pays qu'aux précautions nécessaires pour protéger son fils. Elle n'aurait jamais dû l'écouter.

Mais l'étoile brillait dans un coin du salon, apparemment intacte. Elle l'examina de près. Le plastique n'avait pas fondu. Elle sortit sur le balconnet et inspecta la rue sans rien remarquer de suspect. Un feu de brindilles dans un jardin, peut-être. Ou le dîner brûlé d'un voisin. Elle avait l'odorat sensible.

Minuit et demi : c'était l'heure de descendre. Elle alla chercher une paire de sandales dans sa chambre. Quand elle poussa la porte, le bruit sec d'une petite explosion lui arracha un cri. Une étrange lueur scintillait au milieu de son lit : des braises, d'où sortirent aussitôt des flammes. Imtiaz avait dû placer trop près du lit et oublier d'éteindre la bougie qu'il avait allumée pendant sa méditation. Le feu se propageait à toute allure sur le couvre-lit. De petites flammes couraient sur la soie rose fuchsia et gagnaient le bois du cadre.

Sa première pensée fut de s'enfuir en arrachant Joseph à son berceau et en réveillant Rosemary.

Le temps que les pompiers arrivent, tout aurait brûlé. Elle en était sûre. La chambre, l'appartement, l'immeuble.

Sans savoir ce qu'elle faisait, la panique bloquant toute pensée, elle courut jusqu'à la salle de bains et attrapa les serviettes en éponge. Elle tourna le robinet, lança une serviette dans le lavabo et renversa sur l'autre le seau à moitié plein qu'on laissait toujours sous la douche. Elle ouvrit au maximum le robinet et plaça dessous le seau vide avant de retourner dans la chambre, où le feu s'était déchaîné. Les flammes montaient jusqu'au plafond le long de la moustiquaire illuminée comme un chandelier. Jetant une serviette sur le couvre-lit en feu, elle utilisa l'autre pour arracher le filet embrasé. Armée de la serviette comme d'un bouclier, elle se jeta sur les flammes et s'allongea de tout son corps sur la serviette mouillée, roulant sur le lit à toute allure, tapant de toutes ses forces, comme une folle, pour étouffer chaque flamme.

Quelque chose de dur heurta sa hanche. En se relevant, elle souleva la serviette et vit un objet cramoisi en plastique fondu : le sèche-cheveux qu'elle avait négligé de débrancher en partant, alors qu'elle savait qu'un fil était défectueux ! Voilà d'où venait l'odeur de caoutchouc cramé. Ce n'était pas la bougie d'Imtiaz qui avait causé l'incendie, mais l'appareil apporté de France qu'elle avait utilisé pour sécher les fesses de Joseph.

Un autre foyer commençait au coin du lit. Elle plaqua dessus la serviette dont le tissu éponge séchait déjà. Une chaleur vive montait du plancher, et des flammes sortirent de sous le lit. Elle se pencha et saisit à pleines mains le bois brûlant. Avec une force physique dont elle ne se serait pas crue capable, elle réussit à soulever le cadre massif et à le renverser sur le côté. Le feu s'était répandu sous les lattes. Elle pressa à nouveau les serviettes contre les flammes pour les étouffer. Elle ne sentait pas la chaleur. Elle ne criait pas, ne gémissait pas, n'appelait pas au secours. Elle ne pensa même pas à réveiller Rosemary. Elle avait une idée fixe : éteindre le feu, ici, maintenant, elle-même, par ses propres moyens. Ses mains ne cessaient de bouger, d'agir et de taper, comme des lutins indépendants de son corps. Elle fila dans la salle de bains. Le seau était plein. Elle le rapporta en tenant la poignée à deux mains malgré la douleur dans ses paumes, trempa la serviette dans le seau et l'appliqua sur le montant du lit.

Sournoises et rusées, les flammes profitaient d'une seconde d'inattention pour jaillir en flammèches à des endroits inattendus. L'œil aux aguets, Géraldine bondissait et les étouffait sous la serviette comme on écrase un insecte. Le feu reculait et cédait peu à peu. Un grésillement derrière elle lui fit faire volte-face. Le tapis de méditation d'Imtiaz s'embrasait. Elle l'attrapa entre deux doigts et le jeta dans le seau, où restait un peu d'eau. Elle s'arrêta, vérifia qu'aucun foyer ne se déclarait et alla vite placer le seau sous le robinet de la douche. De retour dans la chambre, elle l'inspecta du regard. Pas de nouvelle flamme. Elle alla chercher le seau, le portant contre elle comme un gros bébé parce qu'elle avait trop mal pour le prendre par la poignée, et répandit son contenu sur ce qui restait du lit, du matelas et de la table de chevet.

Il était une heure moins vingt. Elle n'avait passé que dix minutes à lutter contre le feu, alors qu'elle avait l'impression de plusieurs heures de combat acharné.

Elle n'avait vu d'incendie qu'une seule fois, à Caen, quand une église avait pris feu et que les flammes avaient brisé le toit pour s'élancer vers le ciel. Elle avait fait partie des badauds sur le trottoir qui regardaient le spectacle en poussant des exclamations horrifiées. Quatre camions rouges entouraient l'église. Les pompiers avaient mis plus de deux heures à maîtriser le feu.

La plus grande flamme qu'elle-même avait dû éteindre provenait d'une miette qui avait flambé dans son grille-pain. Affolée, elle avait failli quitter l'appartement et dû se raisonner pour trouver les bons réflexes : débrancher l'appareil et le pousser dans l'évier, où la miette avait achevé sa combustion.

Elle regarda ses mains. La douleur lui donnait des élancements. On ne remarquait rien, sinon qu'elles étaient rouges. Elle alla dans la salle de bains, tourna le robinet du lavabo et plaça les paumes à plat sous le jet. Elle se rappelait avoir entendu dire que c'était le seul remède efficace. Ni beurre, ni tranche de patate crue. De l'eau, tout simplement, pendant dix minutes. Elle compta les minutes en respirant lentement. Sous l'eau, la douleur était moins forte. Le froid la soulageait un peu. Puis elle ferma le robinet et retourna vite dans la chambre : tout semblait bien éteint.

Ni Rosemary ni Joseph ne s'étaient réveillés. Avaient-ils respiré des fumées toxiques ? Elle se précipita dans la chambre du bébé. Il avait changé de position et placé sur sa bouche la manche de sa brassière en coton. Elle glissa ses mains sous la moustiquaire et, malgré la douleur, l'attrapa sous les aisselles et l'extirpa du berceau. Il n'ouvrit pas les yeux, mais elle sentit son cœur battre et entendit sa respiration paisible. Il était endormi sur son épaule, tout chaud, tout mou, abandonné au sommeil, la bouche téteuse. Elle respira profondément, le pressa contre elle et le reposa dans le berceau.

Dans la cuisine, Rosemary n'avait pas bougé. Une belle enfant brune qui ignorait qu'elle avait frôlé sa disparition. Géraldine s'accroupit et lui toucha le bras, la secouant légèrement. La jeune fille ouvrit les yeux et lui sourit, avant de se retourner et de se rendormir.

Géraldine se releva et marcha jusqu'au seuil de la chambre. Il n'y avait plus de chambre. Du plafond pendaient des bouts déchiquetés de moustiquaire roussie, qui ressemblaient aux restes d'un voile de mariée. Le plafond était noirci par la fumée ; le plancher, inondé ; le lit, détruit, à moitié carbonisé. Du beau couvre-lit en soie de chez Fabindia ne restaient que des lambeaux. Il avait brûlé si vite que la soie devait en être mélangée avec des fils de polyester ; sa robe à elle, en soie pure, avait mieux résisté. Heureusement, car si elle n'avait pas senti les flammes sur ses mains, elle ne les aurait pas senties sur sa jupe, et se serait enflammée comme une torche en quelques minutes. Elle frissonna.

Les nuits prochaines il serait préférable de trouver un hôtel à cause de l'odeur, en attendant de partir en week-end comme l'avait suggéré Imtiaz. Pour remplacer le frigo il faudrait attendre, et prier pour que le moteur ne les lâche pas avant le mois prochain.

Alors que la réalité de l'incendie descendait lentement en elle, elle s'avisa de son symbolisme, stupéfiant et risible. La nuit où elle embrassait un autre homme à Kovalam, son lit conjugal s'embrasait à Trivandrum. Telle une héroïne du Moyen Âge accusée d'adultère, elle avait subi l'épreuve du feu et mis ses mains dans les flammes. On pouvait croire à la loi morale. Ce n'était sans doute pas un hasard si elle avait laissé sur le couvre-lit inflammable, branché dans le mur, le sèche-cheveux défectueux.

Près de la table de chevet se trouvait une claquette blanche d'Imtiaz, ou plutôt ce qu'il en restait. Les yeux fixés sur ce bout de plastique fondu, tordu et recroquevillé, Géraldine songea à ce qui se serait passé si elle avait congédié Ravi pour rester sur la plage avec Raphaël comme elle en avait eu l'intention. Seule l'avait retenue la peur de se compromettre auprès de son chauffeur. Elle fut secouée d'un tremblement nerveux et se mit à claquer des dents. Son esprit refusait d'imaginer davantage, de se représenter Joseph et Rosemary calcinés comme cette claquette, bouts noircis non identifiables sinon par la dentition. Ils ne se seraient pas réveillés. La fumée endormait avant de tuer.

La douleur se propagea de ses mains à son ventre. Elle pouvait à peine respirer.

Elle avait un mari, un bébé adorés : elle les avait joués avec une inconséquence haïssable. Elle eut une brusque bouffée de haine pour Raphaël, pour l'attirance qu'il exerçait sur elle et pour l'égoïsme du désir.

Une heure moins cinq. Elle était Géraldine, incapable de ne pas répondre à quelqu'un qui lui disait bonjour, de manquer un rendez-vous sans prévenir, de ne pas faire ce qu'elle avait dit qu'elle ferait. Géraldine la gentille.

Elle glissa ses pieds dans des sandales, attrapa son sac et ses clefs, sortit de l'appartement et descendit les deux étages. Le taxi était garé devant l'immeuble. Le chauffeur attendait, avec cette patience des Indiens qui respectent le rythme de l'autre sans compter les minutes. Elle s'approcha de la vitre ouverte et lui tendit cent roupies.

« Je reste. Vous pouvez partir. »

GÉRALDINE

Kovalam, lundi 14 décembre

Au marché Saint-Joseph où elle se promenait avec Imtiaz et le bébé, que son père portait en écharpe, elle était restée en arrière pour regarder des pierres de lune à l'étal d'un bijoutier quand elle fut projetée au sol par un souffle violent. En se relevant, elle vit un cratère sombre à l'endroit où se trouvaient juste avant Imtiaz et Joseph, et pas une trace de leur existence sinon des lambeaux de tee-shirt blanc et de brassière à raies bleues et blanches. Un sang d'un rouge orangé maculait le sol autour du cratère. Une odeur de chair brûlée empuantissait l'air. Un éclat de métal fiché dans sa paume la transperçait de part en part. Elle perçut au loin les sirènes d'ambulance. Le son se rapprochait, de plus en plus fort, vrillant les oreilles d'un sifflement aigu.

Géraldine ouvrit les yeux. Sans savoir où elle se trouvait, elle se rendit compte que son réveil sonnait. Elle tendit le bras et l'arrêta. Les événements de la nuit lui revinrent en mémoire. Elle avait dormi, donc, malgré l'odeur et la douleur. Elle alluma la lampe et s'assit sur le canapé, hébétée. Des cloques blanches s'étaient formées sur ses paumes. Elle alla prendre une douche au filet d'eau froide de la salle de bains et, avant de sortir, écrivit un mot pour Imtiaz. Elle avait du mal à tenir un stylo.

Dehors, il faisait encore nuit. Ravi attendait devant l'immeuble dans la Toyota, l'air parfaitement réveillé, rasé de frais.

« La fête de ta sœur s'est bien passée ?

— Oui, madame. Merci pour les samosas, ils étaient délicieux. »

En voiture, à peine fermait-elle les yeux qu'elle voyait le cratère et les morceaux de brassière. Elle les rouvrit et fixa son attention sur la route, où circulaient des Indiens qui devaient marcher des kilomètres pour se rendre à leur travail. Un jour pâle remplaçait peu à peu la nuit.

Ils atteignirent Kovalam sans encombre. La voiture s'arrêta devant la barrière du Taj et fut inspectée par le garde avant de remonter la route pavée pour la dernière fois de la semaine. Ravi se gara devant la réception. Par la vitre elle aperçut Roland et Renata assis sur un banc, leurs valises Vuitton à leurs pieds, en jean et chemise à manches longues appropriés à l'hiver parisien qu'ils retrouveraient ce soir. Les yeux clos, Renata avait la tête blottie au creux de l'épaule de Roland, dont la main droite lui caressait le ventre. Géraldine ne les avait jamais vus dans une posture si tendre. Roland bâilla. Il semblait fatigué. Jagdish lui parlait. Pas de Raphaël en vue, ni de Charlotte : déjà partis dans l'Ambassador ? Il avait dû prétexter sa peur de rater l'avion pour éviter un dernier face-à-face. Elle n'en était ni déçue ni soulagée. Elle éprouvait à son égard un calme absolu, comme si l'incendie avait consumé son sentiment pour lui.

Quand Géraldine sortit de voiture, Renata ouvrit les yeux.

Jagdish, Roland et sa compagne la regardaient d'un drôle d'air.

« Je ne suis pas en retard ?

— On a essayé de t'appeler, Géraldine. Ton portable était éteint. »

La voix de Roland évoqua si précisément les images de son rêve que la peur lui tordit les entrailles. Elle fut certaine qu'une catastrophe avait eu lieu, dont l'incendie l'avait distraite. Imtiaz était mort dans un attentat.

Elle entendit à peine les mots que Roland prononçait, « accident », « noyé », « courants violents ». Elle comprit qu'Imtiaz n'était pas touché et éprouva une seconde d'infini soulagement avant que le nom de Raphaël pénètre son cerveau. Ses jambes furent prises d'un tremblement qui l'obligea à s'asseoir près de Renata. Elle eut l'impression d'une monstrueuse erreur, comme dans ce conte où une fée réalise un vœu prononcé par étourderie : elle avait souhaité son départ, pas sa mort !

Il lui raconta brièvement la nuit. Un Indien de Cochin, un ami de Charlotte, avec qui celle-ci se promenait sur la plage vers une heure et demie du matin, avait repéré au loin, sur la surface noire et agitée de la mer, un point blanc que Charlotte avait pris pour une bouée. Excellent nageur, l'Indien avait plongé sans hésiter et sorti de l'eau le corps inanimé au risque de sa propre vie. Renata, qui voulait voir la mer une dernière fois, était arrivée sur la plage à ce moment-là. Elle avait fait du bouche-à-bouche à Raphaël jusqu'à l'arrivée des pompiers.

Géraldine était comme assommée et ne sentait plus les tiraillements de ses paumes. Un incendie et une noyade la même nuit, presque à la même heure, ça semblait improbable. Quel dieu sadique s'acharnait sur eux ? Pas un dieu, non. Elle seule savait pourquoi Raphaël avait eu l'idée de prendre un bain de minuit tout habillé dans une mer agitée. Roland avait dit qu'on l'avait sorti de l'eau au niveau du restaurant The Beach, mais elle était certaine qu'il était entré dans la mer cinquante mètres plus loin, sur la plage de Samudra, et que le courant l'avait déporté près du restaurant. Elle l'entendait dire au conducteur du tuk-tuk qu'il avait pris à Lighthouse vers une heure du matin pour être à l'heure à son rendez-vous : « Samudra Beach. » Elle le voyait, les manches de sa chemise indigo retroussées sur ses avant-bras, fumer une cigarette sur la plage publique plongée dans l'obscurité, tandis qu'il observait la mer et calculait son coup. En démarrant dès que la vague commençait à reculer, il aurait le temps de franchir la digue. De loin la mer avait l'air de bouillonner, là-bas contre les rochers. Mais pendant le reflux, elle atteindrait à peine ses chevilles. Du moins c'est ce qu'il avait cru. Ses chaussures dans une main, les sandales de Géraldine dans l'autre, il avait couru, intrépide comme hier face aux chiens. Puis il avait trébuché contre une pierre ou mis le pied dans un creux. Tout à coup il avait eu de l'eau jusqu'à la taille. Une vague avait éclaté sur lui ; l'eau était montée jusqu'à sa poitrine. Le courant l'avait entraîné alors qu'il luttait de toutes ses forces pour se rapprocher du rivage. Les muscles humains ne peuvent rien contre la mer. Les nageurs expérimentés savent qu'il faut se laisser porter au lieu de lutter. L'instinct de survie dicte traîtreusement le contraire et ôte la seule possibilité de salut.

Chaque année il y avait des morts en ce lieu, même

parmi les pêcheurs qui savaient nager. Avant-hier, quand Charlotte s'était étonnée qu'on puisse aller si facilement de la plage publique à celle du Taj, Géraldine avait failli répondre que la digue avait été construite à l'endroit précis où un courant très fort rendait le passage dangereux. Elle s'était tue, comme par hasard. *Tu crois qu'il y a du hasard ?* Et ce soir, elle n'avait pas pensé à l'avertir. Bien sûr, elle ignorait qu'il choisirait de passer par là. Mais elle lui avait donné rendez-vous sur la plage du Taj en lui demandant de rapporter ses sandales avec discrétion, sans réfléchir aux moyens dont il disposait. *Je les cacherai dans les poches de mon jean.* Des sandales de femme ne rentraient pas dans les poches d'un jean. Pour elle, pour épargner sa réputation, il avait décidé de contourner la digue, afin de ne pas être vu par l'employé de l'hôtel qui gardait la barrière. Il avait eu cette délicatesse. Elle, de son côté, l'avait envoyé se noyer.

Une mort imaginée mille fois. La mort de son père. L'eau salée, chaude ici, froide là-bas, s'introduisant dans tous les orifices du corps, les yeux les oreilles le nez la bouche, et noyant les poumons comme un moteur.

« Géraldine. »

Charlotte se tenait devant elle. Elle se releva. Cette dernière l'étreignit.

« Roland t'a raconté ? Quelle nuit ! Raphaël nous a organisé un dénouement théâtral. »

Quelque chose dans la voix de Charlotte fit clignoter une lumière.

« Il… n'est pas mort ? »

Tous la regardèrent avec stupéfaction. Roland éclata de rire.

« Ma pauvre Géraldine ! Je n'ai jamais dit ça ! Il est à l'hôpital à Trivandrum. Tu peux lui apporter des oranges, ou plutôt son passeport. Il n'a qu'une envie : quitter ce pays dare-dare. Il était là, sur la plage, à vomir ses tripes, à peine revenu de son voyage au bout de la nuit, et il refusait catégoriquement que les pompiers l'emmènent à l'hôpital ! Renata et Charlotte n'arrivaient pas à le convaincre. Il a presque fallu lui mettre une camisole. »

Géraldine sourit faiblement.

« Allez-y, intervint Jagdish, ou vous allez rater votre avion. »

Toute ma gratitude pour leur générosité et leur gentillesse à Judith Oriol, Amélie Weigel et Alka Mansukhani, sans qui bien des détails de ce livre eussent manqué de vraisemblance, ainsi qu'à Juliette Leygues et Caroline Tobianah, pour leur lecture engagée.

Mes remerciements chaleureux à Luciana Floris, Céline Warshaw, Myriam Akoun, Mirjana Ciric, Paola Mieli, Anne Vijoux, Catherine Texier, Mylène Abribat, Gordana de la Roncière, Maud Leguyader, Nancy K. Miller, Marie Verlé, Nadine Cazaubieilh, Corinne Molette, Antoine Gallimard et mon cher Jean Coten (Inde I go !).

À Jean-Marie Laclavetine, pour son angélique et rassurante patience, une petite auréole dorée.

Un immense merci à toute l'équipe Gallimard.

Merci à mes premiers lecteurs, Vlad, Rosine et Jean-Claude, Isabelle, Josette et Jean-Pierre Pacaly.

Merci à ma Clairette pour ses conseils perspicaces prodigués avec si bon cœur dans les moments de découragement.